# 永遠の都

5

迷宮

加賀乙彦

新潮社

# 永遠の都　5　迷宮　目次

## 第三部　炎都

装画　司　修
装幀　新潮社装幀室

# 永遠の都　5　迷宮

## 『永遠の都5』主要登場人物（時代は昭和19年〜20年前半）

小暮悠次…生命保険会社員
　初江…悠次の妻、時田利平の長女
　悠太…小暮家の長男、陸軍幼年学校生
　駿次…次男
　研三…三男
　央子…長女
時田利平…元海軍軍医、外科医、時田病院院長
　菊江…利平の先妻、昭和11年死去
　いと…利平の後妻、元看護婦
　史郎…時田家の長男、会社員、妻薫
間島キヨ…利平の昔の愛人、元看護婦
　五郎…キヨの息子、大工
上野平吉…利平の先々妻との子、時田病院事務員

---

菊池　透…八丈島の漁師勇の次男、クリスチャン
　夏江…透の妻、利平の次女、時田病院事務長
脇　礼助…政治家、昭和7年死去
　美津…礼助の妻、小暮悠次の異母姉
　敬助…脇家の長男、陸軍参謀、妻百合子、長女美枝
　晋助…次男
風間振一郎…政治家、石炭統制会理事
　藤江…振一郎の妻、時田菊江の妹
大河内松子…振一郎の双子の次女、夫の秀雄は父の秘書
速水梅子…振一郎の双子の三女、夫の正蔵は建築家
野本桜子…振一郎の四女、夫の武太郎は造船会社社長
富士千束…ピアニスト、悠太の幼なじみ

他に、外科医の唐山竜斎、シュタイナー音楽一家、菊池勇一家、松沢病院の患者と医師、安在彦（アン・ジェオン）

# 第三部　炎都

# 第五章　迷宮

## 1

乙号の国民服の制服を着て戦闘帽をかぶった生徒たちが、肩から斜めにかけたズック鞄を重たげに揺すりながら、校門から坂を下って行った。左手に明治天皇御製を嵌め込んだ縦額があり、その前に立ち停って軍隊式の挙手の礼をするので、生徒たちの流れが滞った。突如怒声が飛んだ。

「こらあ、そこの一年生、その敬礼はなっとらん。やり直せ」

図体の大きい四年生の風紀委員に睨め付けられた、まだ小学生みたいな子供っぽい体型に、だぶだぶのズボンの、しかも粗悪な人造繊維製のため膝の部分が突出してテラテラ光るのをはいた一年生が、真っ赤になるとあわてて敬礼をやり直した。

「よーし」と許された。

悠太は、自分のような二年生が怒鳴られたら恥だと、軍隊式に胸を張り、従兄の脇敬助から教わった、目にも留らぬ素早さで、板にした右の手を帽子の庇に持って行った。そのあいだに大急ぎで御製を読む。これを読んでおかないと修身の時間に、「今週の御製は何であったか」と質問されて答えられない羽目に陥るのだ。

戦のにはにたふれしますらをの魂（たま）はいくさをなほ守るらむ

　先週は「いちはやく進まむよりも怠るなまなびの道にたてるわらはべ」であった。ともかく月曜日に替えられる御製は、学舎（まなびや）の教訓と戦意昂揚（こうよう）とが交互に示されると決っていた。敬礼を終えた悠太が歩き始めたところ、肩を叩（たた）かれた。同じF組の坂田だった。胴長の上体を前屈（まえかが）みにして顔を突き出している。

「きのう憲兵が来たぞ」と、得意げな微笑で、〝きみの家はどうだった〟と問うている。

「ぼくんちはまだだな」と悠太は告白してしまい、しなくてもよい告白をした後悔で眉（まゆ）をひそめた。憲兵が来たということは、陸軍幼年学校の合格予定者の身元予備調査をしたことを意味する。つまり坂田は合格圏に入り、悠太ははずれているのだ。去年は憲兵が来訪せず、彼は不合格だった苦い思い出がある。

　始業の時刻が迫っている。みんな廊下を階段を走っている。悠太が教室の自分の机に鞄を突っ込んだとき、始業のベルが鳴った。坂田が前を駆けて行く。その長い背中が見る見る悠太を引き離した。体力ではこの男にかなわない。そして学力でも……いや、学力は互角だと思う、思いたい、それに受験勉強は彼よりぼくのほうが熱心に徹底してやったはずだ。息が切れた。廊下を走る生徒はわずかになった。遅れてしまったらしい。外に出る。明るい光の中でみんなは整列を終っていた。焦（あせ）った悠太は隊列を間違え、一年生の縦列を、彼らの嘲（ちょう）

笑を頰に熱く受けつつ、横切って、そ知らぬ顔で息衝きもせず、実はわざとそうして見せている坂田の後ろに自分を挿入した。

朝礼となった。宮城遥拝、伊勢皇大神宮遥拝のあと、〝黙禱〟になった。みんなが手を前に組み脚を開いて目を閉じる。鐘が打ち鳴らされる。鐘は〝興国の鐘〟、日本海大海戦のとき旗艦三笠で用いた時鐘、勝利を祈り戦歿将士の英霊を慰める目的にピタリ適合した鐘で、この都立第六中学校（昨、昭和十八年七月一日より都制が施行され府立が都立になった）が全国の中学校のなかで抜きん出て得ている特権と名誉であり、ガンガンと重く物寂びた音は職員生徒の肺腑を抉るはずであった。が、今日のような、旗日でもない普通の日には〝本鐘〟ではなく、〝副鐘〟が打ち鳴らされるので、こちらは、同じような音でも有難みが減じた。

校長の訓示は、いつもお定まりの調子と内容だった。刈り上げ頭の老人は、開戦以来三年になる聖戦の完遂と青少年の覚悟を説き、鬼畜米英を撃破せよとの天皇陛下の大御心に応え奉らんと、たぶんそう話しているのだろうと悠太は思い、塩辛声が無意味に鼓膜を擦っていくのにまかせた。左から一年生、二年生と並び、右は三、四年生で、さらにその右に浪人を集めた補習科の〝おっさん〟たちが並んでいた。昨年中学が従来の五年制から突然四年制になったため、上級学校へ入れぬ〝おっさん〟が急増したのだ。

配属将校の予備役老中尉が白い口髭を勲章のように光らせて壇上に立った。まずは右側の新宿御苑に敬礼してから、生徒たちに腹を突き出した。明日に近付いた御査閲、畏くも宮殿下の台臨を仰いでのわが六中生の光栄に感激し、各員一層奮励努力せよ。

老中尉は老校長よりも年上らしいが、校内ただ一人の軍人として模範を示さんものと、声を若々しく気張り、全生徒に響かせる。明日のため剃(そ)ったピカピカの側頭部が白い口髭と映えて、磨(みが)きあげた人形さながらである。突如彼は怒り出した。前のほうで何かがあったらしい、誰かが何かをしたらしい、その誰かが摘発された、壇上に引っ張り上げられた、四年生だ、紺サージの古い制服で中尉より背が高いのが、オコリのように震えている、オコリの漢字はどう書いたのか、この前、国語で習ったのに忘れてしまった。老中尉がのっぽ生徒を詰問(きつもん)している。「なぜ笑ったか」「笑っていません」「笑っとる。なぜ素直に謝らん」「笑ってません」「畏(おそ)れ多くも宮殿下の……」話の細部は何も聞えず、肩に肩章のついている旧式の軍服と紺サージの旧式の制服とが遠くの高いところで相対していた。四年生はどこか締りがなく笑っているように見え、中尉が誤解したとしか考えられぬが、ともかく生徒は瘧(おこり)(思い出したオコリの字を)のように震えながら、平謝りに謝り続け、中尉の老いの一徹、老いの繰り言の鎮静を待ち、校庭に充(み)ちている寒気のさなか全校生徒も直立不動の姿勢のまま、早く終ってくれとじりじり震えていた。手先が冷たくしびれてき、これではシモヤケがまたひどくなり、タラコを焼いたように膨れ上った部分の皮が破れてしまうと、悠太は心配した。体は痩(や)せ細り、筋肉の力がないだけでなく、すぐ下痢をしたり鼻血を出したり蕁麻疹(じんましん)になったり、ことにも皮膚が弱く、夏は湿疹、冬はシモヤケで、こんな有様では到底、立派な軍人にはなれぬと思うのだ。が、この前も、この前の前も陸軍幼年学校の身体検査には合格し、さて今年は学科試験の結果を待つ身にはなった。

　ようやく朝礼が終りそうだと生徒たちが身動きし、吐く息が不規則な白を交叉させたとき、突如、ジャアジャアと朗らかな音がして失笑、溜息、振り向き、列の乱れ。みんなの真似して振り向いた悠太は最後尾ののっぽの同級生が派手に小便の湯気をあげているのを見付けた。彼はみんなの失笑を押え視線を跳ね返すように胸を張り、あたりを睥睨し、放尿の方向を変えて行った。終ると前ボタンをゆっくりと掛けて、にやりと笑った。迫力があった。自分にはできそうもない行為を平然とおこなった男に、悠太は感心し、さわやかに思った。老中尉は壇上からこちらを窺ったが、何事が起ったのか判定できぬまま壇を降りた。すると押し殺していた笑いが後ろのほうで爆発し、四周へ拡がった。さいわい、各クラスが教室へ向けて行進を始めたので、笑いは物音に埋没してしまった。

　第一時限は歴史で、Ｆ組の担任の授業だった。担任は骸骨にちょっぴり皮と肉をつけたような三十年輩の男で、いまどきこの年齢で兵隊にも取られずにいるのは丙種ではなく丁種、すなわち肺病のせいだと噂され、あだなは〝ローガイ〟すなわち癆痎で、そもそもこの言葉を教えたのも彼自身であった。生徒たちは教科書をひらき、教師は痩身のくせに大きく滑らかな、明らかに東条首相を真似た抑揚のある口調で、自信たっぷりの断定をしつつ、講じ始めた。逆賊足利尊氏が九州より攻めのぼり、忠臣楠木正成を湊川の一戦に破って上洛、後醍醐天皇の車駕は延暦寺に幸したもうた。新田義貞、名和長年、菊池武重、土居通増などの忠臣が天皇を警護し奉ったが、これら建武の元勲はつぎつぎに討死し、ついに逆賊尊氏は、畏れ多くも天皇を花山院に軟禁し奉り、みずからの擁立した光明天皇なる贋天皇を立てた。そこで後醍醐天皇は吉野に遷幸され南朝を開きたもうた……。

ノートを鉛筆が擦る音のさなかで悠太は窓から新宿御苑を、この教室内の殺風景な机や床や教師の声と違うコンクリート格子塀のむこうの別世界を、冬ざれながら優雅な模様をひろげる裸木を、塵一つ落葉一つなく掃き清められた砂利道を眺め、幼いとき前田侯爵邸を盗み見た気持と一つになっていた。もし幼年学校に合格していれば、こんな歴史の期末試験の成績などとは無関係に、ぼくは別世界に、将校生徒の世界に入るのだと思った。

五十人ほどのこのクラスのなかで、去年たった一人だけが幼年学校に合格した。そいつはクラスで一番の秀才だった。ぼくも坂田も、あと七人、つまり九人は去年落ち、今年を狙ったのだった。今のところ陸軍幼年学校を目差す者は少数派に見えるけれども、将来、クラスの六割の者が軍隊の学校へ進学したがっているのも事実なのだ。四年生ともなれば、陸軍士官学校か海軍兵学校へとクラスの大半が行きたがる。陸幼、陸士、海兵の三校への進学率の高いという実績が、この中学の声名を支えている。それは都立一中、四中と並ぶ進学校とみなされている。

みんなが軍人になりたがっている。新聞には、〝苛烈な戦局下に、戦地のお父さんお兄さんに続こうとする銃後少年の意気正に天を衝かんばかり、戦場へ戦場へと競い立っている〟などと書かれてあるが、要するにみんな、大戦争のさなか、もっとも有利な職業に就こうと子供心に思っているのだった。もっともそう思うことは表向きは御法度で、〝御国への御奉公〟とか〝天皇陛下の股肱になる〟とか喋ったり、作文に書いたりしてはいたが。しかし、みんなが軍人になりたがるからぼくも軍人になりたいというのは、悠太が自分に幼年学校受験を納得させるための口実であって、どうも本心を探ると、気の進まぬ向きもあったのだ。ともかく中学生になったとき、彼は軍人にはなりたくない、科学者か技術者、もっと具体的には天文学者か飛行機設計技師になりたいと心積りしていた。彼が好きなのは天文学の通俗解説書や飛行機についての科学雑誌などであり、宇宙の構造やら新型の軍用機の性能などで頭は一杯になり、小学生の頃のように、子供向けの冒険小説や『世界文学全集』などに読み耽ることもなくなった。

　中学に入るとすぐ屋上の天文台が目につき、彼は天文部員となり、本格的な天体望遠鏡を操作し覗き見るのを大の楽しみとした。みんなは学校の勉強や受験準備に忙しく、のんびりと星を観察しようという者はここ数年いなかったので、口径二十センチの反射望遠鏡は埃にまみれ、錆付いて動かぬ有様だったのを、彼は理科の教師の指導のもとに修復し清掃と油差しを行ない、とうとう動くようにした。理科の教師は、以前本校を停年退職したあと、戦時中の人手不足を補うため嘱託となった人で、授業のほうにはあまり熱が入らず生徒の睡気を誘うようだったけれども、こと天体観測については異常に熱心で、数年振りに部員となった悠太を懇切に指導してくれた。前歯がほとんど無く、言葉は聞き取りにくかったが、望遠鏡の操作には長い経験を持ち、赤道儀の使用法にも習熟していた。悠太は、それまで自宅でしてきた星座による目標の設定に替って、祖父時田利平が魔法のように操っていて羨望を覚えていた、赤道座標による照準法に打込み、恒星時、赤経、赤緯、時角などの新しい言葉が、たちまち彼の頭を充たした。

しばらくして部員は三人に増えた。理科の教師――野沢先生――を中心に、晴れた土曜の夜から日曜の朝にかけて観測をした。灯火管制で真っ暗な新宿の夜空は、小学生のとき通った東日天文館プラネタリウムや武蔵新田の星空に似て、豊かで鮮かで、しかも膨脹する宇宙や相対性原理や無限の空間についての野沢先生の話は、悠太を夢想に誘い込んだ。暗いドームのなかに反響する先生の語尾不明瞭な、したがって耳を澄まして聞かなくてはならぬ話が、何か古代の呪術師の祈禱のように悠太の心を揺さぶった。

ある晩、彼は先生に質問した。その質問は小さいときから何度となく大人たちに向けて発せられ、莫迦げた疑問だと一蹴されたり、この子は頭がおかしいのではないかという不審の目で見返されたりしてきたものだった。「人間は、なぜ富士山みたいに大きくもなく、蚤のように小さくもないのですか」と彼が問うと、野沢先生は、それまで単調に、しかし切れ目なく継続させていた話を不意に断ち切り、汽笛の物悲しい音や電車のモーターの呻きに、おのれの想念を混ぜ合せるかのように幾度か溜息を吐いたすえ、おもむろに答えた。「それは物理学や天文学の大問題だ。つまり、科学は人間によってのみ生み出されたとしか考えられぬ事実がある。もし人間が富士山のように大きかったら、使う望遠鏡は巨大なものになり、到底普通のエネルギーでは動かすことができず、その結果、天体観測など不可能になる。反対に、もし人間が蚤のように小さかったら、望遠鏡は、空気や油の粘性率が相対的に増すため、同じく動かすことが不可能になる。言うならば（この〝言うならば〟とは野沢先生の口癖であった）、人間の体の大きさは、機械を用いて物事を観察するのに最適の大きさなのだ。言うならば、人間が、人間だけが、物理学や天文学、総じて科学を創造できる大きさにある。さらに言うならば、物理学や天文学は人間だけが作り出しうる体系だ。もし、この大宇宙のどこかに、人類と同じぐらいの文明を創りあげた生物がいたとしたら、彼らは、おそらく人類と同じぐらいの大きさをしているだろう。なぜなら、全宇宙は同じ物質によって成っており、機械器具の製作は同じ材料によって作らざるをえないからだ。言うならば、それを人間原理とでも名付けておこう。実はこの原理には、もう一つ時間の問題があってね。たとえば人間が樹木のように何千年という寿命を持つとすると、科学の理論を考え出すには長過ぎて、到底まとまった理論とならず、もし昆虫のように短命だとしたら、簡単な数式一つすら解けないだろうという推測がある。人間の寿命は、物事を考え、まとめあげ、理論として提出するには最適の長さなのだ。言うならば、人間は空間と時間の両軸において、科学を生みだす、最も適したありようを保っているのだ」「科学だけではなく、文学も美術もそうですか」「まあそうだ。人間のあらゆる営みにおいて人間原理は成立する」野沢先生は闇のなかで、また溜息をつくと、赤道儀の微動ハンドルを回し始めた。

　望遠鏡による天体観測に較べると、みんなが常の話題にしている進学先、陸幼、陸士、海兵などは、縁遠いものに思えたし、それに自分の興味や才能について、悠太は、自覚というほど分明ではないにしても、朧げながら見極めるようになっていた。たとえば従兄の晋助のように小説や詩の世界に没入したり、小学校のとき死んだ吉野牧人のように自在に長篇漫画の創作をしたり、つまり何か独創性に富んだものを生み出す興味も才能も自分には無さそうだったし、千束や央子のように楽器の演奏に熱中し、それで充足することもできなかった。央子を思うと悠太は、妹の洋服や手に染み付いた、弓毛に塗る松脂の匂いとともに、最近弾いているモーツァルトの、摘んだ花を撒き散らすような音楽と、柔かで小さな腕や手を思い出し、妹が自分には及びもつかぬ天稟を持つ事実に感心するのだった。そして自分が得手とするのは、幼い頃から消防自動車や軍艦や飛行機などの構造を正確につかんだ細密画を描いたように、よく観察し、分類し、整理し、組立てることだとも思うのだった。すると、軍人が戦況の変化に即応して咄嗟に決断し勇敢に行動すること、『戦陣訓』に言う「攻撃に方りては果断積極機先を制し、剛毅不屈、敵を粉砕せずんば已まざるべし」ということなどは、およそ不得手だとなり、彼は自分が軍人には不向きだと考えざるをえなかった。のみならず、自分にまるで体力も運動神経もなく、教練、武道、体操などが苦手で、体を使う軍人には到底なりえないとも思った。

　みんながあこがれている陸軍幼年学校も、だから、悠太は好きになれなかった。わが家のそば、戸山町の赤煉瓦の校門の奥、菊の御紋章の目立つ校舎は、何度も見ていたし、休日になると家の前を通る軍服に短剣を吊り、黒風呂敷を小脇にかかえ、白手袋をはめた少年たちも見慣れていたし、散歩の途次など敬助がおのれの母校を指差しながら将校生徒の生活について話してくれたし、子供たちに人気があった山中峯太郎の『星の生徒』や今村文英の『陸軍幼年学校の生活』や、さらに入学案内書である陸軍将校生徒試験常置委員編の『輝く陸軍将校生徒』を読んでもいたので、そこがいかなる学校かもよく承知していた。しかし、胸を張り裂けんばかりに突き出し、白手袋をこれ見よがしに振って歩く幼年学校生徒に、何か傲岸不遜な気配を感じて反撥も覚え、その反撥はもしかすると十万人の受験者から選ばれた千人、すなわち百人に一人の難関を突破したと誇示するため彼らが威張り返って歩いていると悠太が邪推したせいかも知れなかった。ところで、幼年学校生徒を思ったとき、晋助の言葉が、ひょっこり浮び上ることもあった。それは晋助が大学生の時だったから、悠太が小学校四、五年だったろう、家の前を歩いていく幼年学校の生徒たちを見ながら、晋助は、「何て可哀相な連中なんだ。あの年齢で頭が固まっちまっている。あの自信ありげな、充ち足りた態度は悲劇だよ」と言ったのだ。「頭が固まってるってどういうこと」と悠太は尋ねた。「真理は一生求め続けるものだ。ところがあの軍人の卵は、あの歳で真理をつかんだと思い込み、つまり頭が固くなって一生そこから抜け出られんのだ。おれの兄貴のように」晋助が陸軍の将校である兄の敬助を茶化したり皮肉ったりしてみせるのはいつものことで、別に驚きはしなかったが、敬助が幼年学校出身者で、だから頭が固まってると言ったのは初めてで、それ故に悠太は晋助の言葉を細部までよく記憶していたのだ。

　そんな彼が幼年学校を受けようと決心したのは、父と敬助のせいだったかも知れない。父は言った。「天文学なんてえ、夢みてえな学問は戦争にはまるで役立たん。学者になっても結局は兵隊に取られる御時世だ。と言って、おれみたいな勤め人も同じで、つまりは兵隊に取られる。どうせ兵隊に取られるなら、最初から将校になったほうが得だぞ」悠太は、「どうせ軍人になるなら、海軍がいい。おじいちゃまみたいに軍艦に乗ってさ、大海戦に参加したいよ」と、苦しまぎれに言ってみた。「海兵は近眼者が落されるし、中学四年にならないと受けられない。ところがおれは中学三年のとき近眼になった。お前にはおれの遺伝があるから、近眼になって海兵は撥ねられるに決っている。だから中学一年か二年終了で受けられる幼年学校がお前に向いてるんだ」悠太は反論できず、黙り込んだ。

その翌々日、敬助がひょっこり訪ねてきた。「ちょっと悠太ちゃんの顔を見たくなってね」と言って気軽にあがってきたが、彼が両親を差し置いて悠太を名指しで訪ねてくるのが珍しく、それに外套を脱ぐと陸軍少佐の軍服の肩にきらびやかな参謀用飾緒をつけ、最近肉付きのよくなった体軀から軍人特有の匂いを発散させていて、悠太は従兄というより、参謀本部付きの干城の来訪という改った気持になり、畏まってしまった。気が付くと父も母も去っていて、悠太は敬助と二人きりで応接間に坐っていた。敬助は、問わず語りに口を開いた。

「今、日本で最も活躍しているのは幼年学校出身者ぞ。まず東条英機大将閣下がおられる。悠ちゃんもよく知っとるとおり、大日本帝国の首相兼陸軍大臣だ。今村均中将がおられる。ジャワ攻略の軍司令官として有名なり。山下奉文中将、人も知る、マレー攻略、シンガポール占領の勇将なり。いいか、大東亜戦争の赫々たる大戦果は幼年学校出身者の指揮のもとに得られたことを忘れるな。そういう上層部の人ばかりじゃないぞ。昭和十七年一月に、ラングーン飛行場で戦死した山本中尉がいる。山本中尉は、愛機に不幸にも敵弾が命中、黒煙を吐きながら、敵飛行場に銃撃を繰り返し、敵の爆撃機三機を炎上させ、弾丸が尽きると、火を吐く愛機もろとも敵のまっただなかに自爆した。おれが個人的に知っとるのはノモンハンで壮烈なる戦死をした山崎大尉だ。おれも参加したが、ノモンハンはソ聯軍の機械化部隊が大挙押し寄せた激戦地ぞ。航空機、戦車、ともに優秀な敵はホルステン河左岸地区に猛攻を加えてきおった。猛攻と一言に言うが、それはものすごいもので、そいつを体験しない者には想像もつかんだろうが、ナイフや刀が空中を飛んでくるようなもので、ちょっと触れれば首が飛ぶ腕がぶった切られる、胸を裂かれる始末よ。わが軍の死傷者は山のように重なり川のように血を流したな。山崎大尉は野戦重砲兵隊の中隊長だった。敵軍が接近しつつあるあいだ射撃せずに待ち、敵が手薄を信じて近付きおったとき、全陣地に射撃開始を命令し、敵に莫大な損害をあたえたんだ。が、敵もさるもの数を恃んで押し寄せ、わが陣地へ数千の戦車とともに狼のように襲い掛ったわ。わが死傷は甚大で、通信は途絶し、兵は動揺した。そのとき、山崎中隊長は、兵を鼓舞せんと掩体の上に立った。敵弾は大尉に命中し、頭と顔は血にまみれた。しかし大尉はひるまず、全軍に攻撃命令を叫び続け、これに勇気付けられたわが軍は猛然反撃し、敵の攻撃を頓挫せしめた……」

敬助少佐は、その場の光景を目撃した人の確信を見せて、「それは凄惨なたたかいだったぞ。物凄いものだったぞ」と頷いた。「それで、山崎大尉はどうしたの」と悠太は尋ねた。

「えっ？　もちろん、壮烈な戦死さ」と敬助は答えた。「へえ、幼年学校出身者には……」と悠太が言うと、敬助があとを続けた。「勇武にして忠良なる軍人が多い」悠太は考え込んだ。

幼年学校を出た人は、大臣だとか司令官だとか偉い人になるか、〝壮烈な戦死〟をする人になるかだ。こういう悠太の内面の動きを敬助は敏感に察して、急いで言った。「今のはほんのわずかな例だ。要するに、幼年学校出身者には、人の上に立つ立派な軍人が多いということだ」「ぼくは、そんなに立派な軍人になれそうもないよ」「悠太ちゃんでも大丈夫なれる。おれも中学時代は、体は弱いし気は小さいし、到底軍人には不向きだと思っていた。それが、幼校に三年いるあいだに鍛えられて、まるっきり体格も人間も変った」敬助少佐は、おのれの現在を自慢するかのように豪傑笑いをした。

敬助が帰ると父と母が入れ替りに姿を現したので、悠太は「まだ決まらないよ。どうしていいかわからないよ」と言った。何日か彼は考えた。考えれば考えるほど自分が何になりたいのかわからなくなった。この決戦下、天文学者も設計技師も、実現不可能な職業にも思えるし、第一、それらが軍人に較べて自分に望ましい職業かどうかについても自信がない。父がふと口走ったように、軍人になってから、天文学をしたり軍用機の製作にかかわる道もあるだろう。はっきりしていることは、大戦争の真っ最中の日本では男子はすべて兵隊に取られるということだ。敬助のように職業軍人でなくても、史郎(しろう)叔父も晋助も、眼病の父をのぞくと、健康な男はみんな兵隊に取られている。どうせ兵隊に取られるなら、将校への道を選ぶのも仕方がないか……。

「ためしに幼年学校を受けてみるよ」と言うと、父は素晴しい贈物を受けたときのように喜び、「そうだ。それがいい」と言った。しかし母は浮かぬ顔であった。あとで悠太は母にそっと、「本当はどう思うの」と聞いた。母はポツリと、「こういう大戦争だからねえ。男の子が軍人になるのは仕方がないかねえ。将校になったほうが兵隊より死ぬ率が少ないそうだからね。こんなこと、おとうさんに言っちゃ駄目だよ」母は、父の意向に従ったものの、本心では軍人を好いていないと悠太は思った。別な日に母は、「陸軍より海軍のほうがスマートなんだけどねえ。でも、お前が近眼になって海兵も受けられなくなったら大変だし……やっぱし幼年学校しかないかねえ」とも言い、ある日、「悠太、実は幼年学校の願書を送ってもらったよ」と書類を見せた。教育総監部より送られてきたもので願書と志願者心得であった。願書の提出期限は五月十五日より六月末日まで、十一月に身体検査、十二月に学科試験とあった。志願するなら早いほうが先方に覚えがめでたいとあわてだしたのは母のほうで、「一応出しておくわね」と母が言うまま、五月十五日早々と願書を郵送した。

が、受験勉強へと気持を切り替えるのが悠太にはむつかしかった。折から梅雨時で、天体観測には不向きな日が続き、何とか机に向い、まず数学から手をつけ、仕事算、植木算、旅人算、鶴亀算などを一応さらったところで梅雨が明けて夏休みとなり、野沢先生の指導で天文部の合宿が始まった。八月中旬の新月の夜を中心に、ペルセウス座流星群の観測をしたのだが、夜半過ぎになって、北の新宿のビルの上にペルセウス座が昇ってくると、一分間に二つ、三つと流星が走り、その方向と走行軌跡を星図に記録するのが無性に楽しく、それまでの睡気も受験勉強へのこだわりも、何もかも忘れてしまった。流星は、ある一点から四方へとするすると金の矢となって飛び、野沢先生によれば、それらはすべて一グラム以下の小流星体で、夏のこの頃になると地球に接近し、流星の花火大会を開くのだそうだ。小学生のときはそのような事実も知らず、夜半過ぎまで起きていることも許されなかったので、悠太にはこの夜の素晴しいページェントが、自分が大人になった証しとも思え、嬉しかった。小学生のとき静浦の山の中で、寝ころんで蚊に喰われながら眺めた鷲座のアルタイル、つまり牽牛星と琴座のベーガ、つまり織女星も、中学校の天文台からは、ドームの隙間から舞台に具合よく並ぶヒーローとヒロインのように楽々見られ、二人のあいだを流れる天の川もよく出来た舞台装置のように、形よく鮮かであった。南の方向はビルもなく、ペタッと低い甍のむこうに夏の星空の象徴である蠍座が居坐り、赤い一等星アンタレスがまがまがしく望める。それまではアンタレスから連なる星の列を夏の景観として感心していたのだが、蠍座と蛇座のあいだに散在する星団の存在を野沢先生に教わり、もはや物干台からの小望遠鏡の観測など、子供の遊びと思うようになった。そして夏休みが終り、秋となると空気は澄み、星空は一際鮮明になった。すでに赤道儀の操作法を物にしていた悠太は、三人の部員のなかで主導権をにぎり、したがって責任も生じ、観測を休むわけにはいかなかった。理科、地理、歴史と受験勉強を進め、国語をさらう暇もないうちに身体検査の当日となってしまった。それに何とか合格してひと月後には、もう学科試験であった。

試験場になった神田の私立大学に行ったとき、キャンパスを埋め尽した応募者の大群に悠太は目を見張り、これでは生半可な準備では通りそうもないと気後れし、得意なはずの暗記科目、歴史と地理でいくつもの記憶違いを犯し、作文の出題「大東亜戦争下における青少年の覚悟」では、米英の機械化部隊に対抗するために、科学の技術の振興こそ第一に重要で、そのための研究開発に従事したいなど、軍人への志望など忘れて、つい科学技術者になりたい気持を曝け出してしまった。そして案の定、去年二月の発表では不合格となった。

その頃、野沢先生が病気で倒れた。何でも脳溢血ということで、電車のなかで失神し病院に運ばれたそうだ。四月になって進学指導がおこなわれたとき、新しく担任となった歴史の教師〝ローガイ〟から、もし幼年学校へ進みたいのなら天文部の活動をやめるように、今年は去年以上に志望者が増えたので、部活動の片手間勉強では合格は覚束ないと言い渡された。家に帰れば父から、おそらく担任からの通報があったのだろうが、同じ内容を、こちらは叱責まがいの忠告として言われた。母は、幼年学校のための進学塾の案内書を見せ、そこに通ってみたらとすすめた。野沢先生が亡くなり、淀橋浄水場近くのお宅でお葬いがおこなわれたのは、それから間もなくだった。棟割長屋の八畳間に先生は一人で住んでいて、数人の昔の同僚と天文部員三人だけの寂しい葬式だった。天文部は解散することになった。

塾は新宿から小田急線で一時間ほど行った郊外にあり、二十人ほどの中学生が通っていた。それは幼年学校出身の退役中佐が自宅で指導する私塾であったが、頻繁な模擬試験で、三回不合格となると退塾させる厳しさで、最初の二十人はどしどし減っていったけれども、絶えず新しい入塾者がいたため、全体の数は二十人に保たれていた。

まずは軍人勅諭の精読から始め、全文の暗記はもちろん、単語の訓読と書取りが課された。つぎは開戦の詔書に掛り、ここに用いられている言葉を自在に用いこなす訓練がおこなわれた。そして、この戦争は、帝国の真意を解しない中華民国政府と「干戈ヲ執ル」ことから始まり、米英両国が、中華民国の残存政権を支援し、「平和ノ美名ニ匿レテ東洋制覇ノ非望ヲ逞ウセムトス」ることから、このままでは、帝国の平和への努力も水泡に帰し、「帝国ノ存立亦正ニ危殆ニ瀕セリ」で、自衛のために戦争をするのだという道筋をくどいほどに教え込まれた。

中佐の意見では、軍人勅諭と開戦の詔書さえ完全に把握していれば、作文も歴史も国語もほぼ半分以上の点は取れる、軍人は大元帥陛下に忠節を尽すのを本分としており、大東亜戦争という聖戦を勝ち抜くことを第一最大の任務としていて、そのほかのことはどうでもよい些事なのであった。

こうして四月より十二月の学科試験まで、幼年学校の試験と同じく三日間（第一日、歴史、地理、理科、第二日、数学、第三日、国語と作文）の模擬試験が頻繁に課せられ、作文など、「聖戦と我等少国民の覚悟」「神国日本の理想」「八紘一宇」など最近の出題傾向から推した題が出された。結局、本番で出題されたのは、「八紘一宇」であり、すでに何度も答案を提出して、文面を知悉している文章を、なるべく丁寧な文字で書けばよかった。

こうして学科試験には手応えのある解答を書くことができた。その点では自信はあるのだが……。

悠太は、斜め前に坐っている坂田の背中を見、さっき彼が告げた「憲兵が来たぞ」を思い出し、彼が合格し、自分が不合格となる結果を予想して悄然としたけれども、幾分の解放感を覚えた。もし不合格なら軍人にならずにすむのだ。晋助の言ったような〝頭の固くなる悲劇〟に陥らずにすむし、何よりも敬助の話にあった山本中尉や山崎大尉のように〝壮烈なる戦死〟をしないですむ……ここまで考えて悠太は、自分は結局軍人になって死ぬのが怖いのだとしみじみ思った。戦争で死ぬのが怖いなど、現今誰も口に出しては言わない。軍人勅諭の、「義は山嶽よりも重く死は鴻毛よりも軽しと覚悟せよ」を、先生はじめ大人たちは当然のこととして教え、新聞は英霊や軍神の讃美を書きまくっていて、死ぬのが怖いなどと言えば臆病者、非国民とあざけられるのが世の風潮だが、自分はやはり死ぬのは怖いし、嫌なのだ。〝どうせ男の子は兵隊に取られる。どうせ兵隊に取られるなら最初から将校になったほうが得だ〟と父は言うが、激戦のただなかで兵に率先して死地におもむくのは将校で、だとすれば将校のほうが死ぬ可能性が大きくなるのではないか。すくなくとも敬助が話した山本中尉や山崎大尉は、そのようにして戦死したのだ。とすれば、幼年学校などに入り、将校生徒という別世界の人間になってしまうのは考え物だ。

　悠太は、御苑内の砂利道の、人気のない白々とした表面に目をやった。冬になると裸木が多く、庭の奥が透いて見える。あんな所に池がある。無数の棒が水面に立っているのは、葉の落ちた枯蓮であろう。風が吹くと揺らぐ水のおもてが、ちかちか光るのは薄氷でも張っているせいだろう。ようやく教師の声が耳に入ってきた。東条首相そっくりの抑揚で、逆臣足利尊氏と南朝との攻防戦が語られている。尊氏が鎌倉で弟の直義を征伐しているうちに、南朝軍は京都を攻め、留守番役の足利義詮は近江に逃亡した……。

ベルが鳴って授業が終った。悠太のノートは白紙のままだった。

## 2

午前九時、狭い校庭の隅々までを利用して、全校生徒の堵列が完了した。一度並んだ列を神経質に並び直しをさせられ、宮殿下の閲兵のための通路を確保するために横隊を組んだのだ。アイロン掛けした制服、磨き上げた編上靴、四年生は三八式歩兵銃に短剣の装いで、せっかく形成した列を崩さぬよう、静止していた。

門の付近、明治天皇御製額のあたりに校長、教頭、全教員が並び、彼らは背広、軍服、国民服とまちまちだったが、いずれも目に染みるような白手袋を着用して、これまた横一線に、きっちりと並んでいた。

どす黒い空だ。風が冷たい。手を挙げて便所に走る者が絶えない。悠太は、セーターを二枚着込みネルの腹巻をしていたが寒気は容赦なく肌に通ってき、用心して味噌汁も茶も飲まなかったのに尿意をもよおしてきた。すでに一度便所へ走ったあとで、我慢しようと下腹の力を抜いて立っていた。我慢した、もう一つの理由は顔が無惨に脹れ上っていたことである。昨夜、野沢先生のことが急に懐かしくなり、一昨年夏の合宿の観測記録を眺めていたところ、急に右の瞼が脹れ、ついで左の瞼も脹れて字が読み辛くなった。経験から蕁麻疹だと思ううち、胸や腕の肌が痒く、搔くとたちまちみみず脹れとなった。鏡に映った瞼も頬も、氷嚢のようで見られたざまではない。けさもまだ脹れが引かなかった。

「キヲツケエ」の号令のあと、かすれた奇妙な音、豆腐屋の角笛の拙劣な吹き方、ラッパだった。一楽節は何やらわからず、続いてようやく黄金色の音色、この日のために毎日毎日練習した都立六中吹奏楽団の吹き鳴らす式典曲『君が代』が響き渡り、緊張してまたもや音をはずしながら続き、校門のあたりにも緊張した空気が張詰め、先導のオートバイの後ろから黒塗りの自動車が光った。悠太は失望した――宮殿下ならば白馬にまたがって出現されるものと信じていたので。ともかくこの瞬間を待ちに待っていた老中尉の号令が、緊張が過ぎていささかしわがれて、また掛った。「カシラア、ミギイ」自動車の中は見えない。黒塗りの、こんなに大きな自動車が、狭い校庭に入ってきたのは異様で、悠太は、頭をめぐらしながら、脹れた瞼を無理に開いて、見詰めた。

興国の鐘の前で扉(とびら)が光り、陸軍の軍人が降り立った。宮殿下は肥(ふと)っておられた。階級はわからないが、左胸に金色に輝く大勲章、多分大勲位菊花大綬章(だいじゅしょう)を佩用(はいよう)し、軍帽を目深にかぶり、庇(ひさし)に半ば隠れた眼鏡(軍人でも宮様なら近眼でもよいらしい)をかけ、革長靴(かわちょうか)をきらめかして(あんなにピカピカするのは余程よく磨いてあるに違いない)、校長教頭教諭配属将校を従えて、こちらに歩いてこられた。さすが宮殿下、常の人ではなく、歩き方にも威厳があって(その威厳にはなぜか幾分の滑稽味(こっけいみ)が混じっていたが)、堂々とした押し出しだ。

閲兵が開始された。と、雨が降ってきた。不動の姿勢をとっていた悠太は、本降りの雨がセーター一枚を通して染み込んできたのに驚いた。スフの制服にはまるで防水性がないのだ。

寒さで震えが止らない。凍り付くような冷えが皮膚と肉を貫いてくる。そして尿意は我慢の限界に来そうだ。

宮殿下が二年生の前を通過される。四年生のみが捧げ銃だが二年生は頭右だ。宮殿下も雨に濡れておられる（でも、あの純毛の軍服は防水性が高いのかも知れない）。この震えは寒さのせいでなく、むしろ尿意のせいらしい。

分列行進となった。四年生から宮殿下の前を進んで行く。何回も練習し、一昨日の日曜日には予行演習までしたのだけれども、この雨は予想外であった。二年生の番がきた。列を縦横一直線、腕振りの角度を同じにし、ザックザック、歩調を取ると泥が撥ね上がり、顔にまで飛んで来た。水溜りに足を突っ込んだとたんズボンがびしょ濡れ、ついに我慢できず悠太は小便を洩らした、畏れ多くも宮殿下の御前で、思い切りびしょ濡れにした。（だから威厳にはいつも幾分の滑稽味が混じるものなのだ――思い出した、これは晋助の言葉だった。）

分列行進に続いて、学年別の模範演技である。四年生は銃剣術、三年生は剣道と柔道、二年生は国防競技、一年生は体操だ。雨はいよいよザアザアと繁くなり、雨脚で宮殿下が見えぬほど（つまり宮殿下からもこちらが見えないほど）になった。二年生は校庭の端に集結し、「トツゲキ！」で喊声をあげて走り出し、「フセ！」で悠太は目の前の池のような水溜りの中心目掛けて遮二無二飛び込み、さぞや勇敢な生徒に見えたであろうと思いながら、匍匐前進でやたらに腰を振り、パンツの小便を洗い流した。城壁を模した木塀はつるつるで、いつも一気に猛々しく乗り越えるのが、みんな無様に滑り落ち、下から押し上げ、上から引き上げ、どうにか越した先の、クリークを模した水槽が飛び越えられずに落ちる者多く、悠太は水に沈んで臭い泥を鼻と口に含んでむせた。「大丈夫か」と背中をさすってくれたのは坂田だった。泥まみれの顔の中で白い歯が笑っている。「大丈夫だ」と悠太は答え、走りながら「オモシレエエ」と叫んだ。坂田は追ってきて、「オモシレエエ」と喚きつつ悠太を追い抜いた。「クソオ」と悠太は追い掛け、坂田と並び、競走になった。誰も彼もが訳のわからぬ叫びをあげ、敵陣に擬した砂場のゴールへ走り込み、砂を撒き散らし、取っ組合いをし、転げまわり、要するに中学二年の少年らしくふざけ合った。「セイレツだ。カチドキだ」と各組の担任が告げていくが生徒たちの興奮は鎮まらない。やっとA組の担任の音頭取りで宮殿下の方角へむかい敵陣占領の凱歌をあげてみせたけれども、宮殿下の姿は相変らず雨に煙ってよく見えなかった。

一同は押し合い圧し合いプール脇のシャワー室に入り、制服の上から水を浴び、ずぶ濡れのまま各々の教室に引き揚げ、狂ったようにわあわあ叫びつつストーブを奪い合いで囲み、裸になった。ともかく体を暖めようと、石炭の火を前に押しくらまんじゅうをしているうち、かえって寒気がひどくなってきた。骨の髄まで冷え切るとはこういうことか、鳥肌が立ち、唇のわななきが止らない。伝令が来て、宮殿下の特別の思し召しによって、今回に限り全校生徒の奉送は省いてよろしいとなったと告げた。みんなは、一層大きく叫び、一層激しく押し合った。

体は何とか温まってきたが衣服のほうはなかなか乾かない。そのうち石炭が切れてきてとろ火となった。週番の生徒が中央に補給交渉に行っているあいだ、ついに火が絶えた。濡れたままを仕方なしに着て、立ち去る者がいる。悠太もまだ雫の垂れる下着やセーターを着込み、ともかく運動で体を温めようと足早に校門を出た。

相変らずの吹き降りである。風にたわむ傘を懸命に支えながら新宿の商店街を行く。この悪天候では人出が少なく寂れた光景だ。映画館の券売場の女の子が退屈しきった面持ちでこちらを睨んでいた。百貨店の窓の防空用の紙が変に白々しい。商店街が終って下り坂となり、悠太はすこし元気を取り戻した。体中の皮膚に貼り付いたシャツやパンツが気持悪いし、脚は砂でも詰ったように重いが、歩行にリズムが甦った。突風で傘がおちょこになった。びしょ濡れの身で傘をさす愚に気がつくと、悠太は腕を大きく振り、幼年学校生徒になった気で歩いた。舗石が剝れて泥濘が染み出している。悠太は歌を口ずさんだ。

「どこまで続く泥濘ぞ
三日二夜を食もなく
雨降り重吹く鉄兜……」

誰かが後ろから追ってきた。その靴の鋲の音が悠太の音と揃った。からかっていやがる、誰だ。同じ小学校から同じ中学に進んだ、B組の香取栄太郎だった。傘もささず、雨に打たれた顔は洗ったように白かったが、上着もズボンも泥だらけだ。

「元気いいな」香取は、それが癖の、ちょっと皮肉に口先をまげて言った。

「なあに、ヤケノヤンパチだ」と悠太は照れ笑いをし、急に歩度をゆるめた。

「正月に、湯浅先生の所へ遊びに行ったら哲っちゃんが来てた。幼年学校の軍服を着てえばってた」

小学校時代同じクラスにいた松山哲雄は、卒業式のときは総代となり、六中よりは秀才が行く四中に入学し、去年広島幼年学校に合格したのだ。いつも成績は悠太より上で、何ごとにつけても一歩先んじていた。東京に帰ると旧師の湯浅先生を訪れるのを習いとしているらしい。

「えばってたって、どんなふうに」

「いつもの伝さ。親父が少将になって弘前師管の聯隊区司令官になったとか、今度陸軍航空隊の開発した〝疾風〟という戦闘機は世界一の高速性能を持って、グラマンやムスタングなんか目じゃないとか……。きみのことも言ってたよ。小暮君も、今度は頑張って幼年学校に合格してほしいもんだなんて言ってた」

「余計なお世話だ」悠太はむっとした。昨年の夏休暇に広島から帰った松山哲雄に、さかんに先輩風を吹かれたのが、苦々しく思い出された。むろん、悠太を怒らそうとして香取栄太郎がこの話題を持ち出したことは、彼の鼻根に集中する、皮肉な微笑で見て取れた。

「きみ、今度も幼年学校受けたんだろう」

「ああ、受けた」悠太はいまいましげに答え、それから尋ねた。「きみはどうなんだ」

「ぼくか……ぼくは軍人にはならない」

「だって、去年、きみは幼年学校を受けたじゃないか」

「そして落ちた。だからあきらめた。ぼくは学校の先生になりたくなったんだ」

悠太は黙って、幾分の尊敬の念を以って香取を見た。軍人にならないと言明することは、いまどき珍しく、勇気の要ることだった。

坂下から風が這い上ってきて、雨を払ってしぶきをあげた。二人は両手で顔を覆い、期せずして同じ防禦姿勢を取ったことで、指のあいだから笑い合った。

「寒いな」「寒い」「きょうはひどかったな」「ひどかった」「でも面白かった」「まあな」「おい、さっきの歌を唱おう」「『討匪行』か。よしきた」

「……すでに煙草は無くなりぬ
恃むマッチも濡れ果てぬ
飢え迫る夜の寒さかな……」

香取栄太郎は音痴だった。それがかえってやけ糞な感じを強めた。坂を下り切った所に都電（昨年夏から市電が都電になった）の線路が〝改正道路〟と呼ばれる大通りを横切っている。折から、新宿角筈から来た電車が抜弁天の方角へ、つまり左から右へと、散水車のように水を飛ばしながら通って行った。線路のあたりは泥水が溢れて、通行の人々が戸惑っている。二人は構わず、「クリーク突破だ」と膝まで浸かりながら渡ってしまった。

香取の家は、横町の坂を登った先だ。別れぎわに彼が言った。

「湯浅先生が教頭になったの知ってるか」

「知らない。そう言えば、随分先生に会ってないや」

「今度一緒に行こう。小暮はどうしてるかって、しきりに訊ねてたよ」
「そうか……行こう。一緒に行こう」と悠太は思わず答えたものの、その実何も考えていなかった。しかし香取栄太郎の、背丈が伸びて大人びた後姿のなかに、小学生の頃の面影を見出すと、にわかに旧師に会ってみたくなった。

湯浅先生は教頭になっても終日タバコを喫み続け、背広（今は国民服かも知れない）からニコチン臭を発散させているだろう。友達はみんなどうしているだろう。去年の夏、松山哲雄は幼年学校の軍服で訪ねてきた。初めての帰省で、まっすぐ旧友の悠太に会いに来たと言われたのは嬉しかったが、塾通いをして受験勉強をしている悠太には、素直に彼の友情を信じられない羨望や嫉妬が動いた。その後、考えてみるとほかの級友には誰も会っていない。同じ中学にいる香取栄太郎にも一年ぶりに会ったのだ。数学者になると言っていた、ジャガイモのようにごつごつした頭をした中村秀一は今なにを考えているだろう。運動神経抜群だが悪戯者の竹井広吉はどうなったろう。秋田弁の剽軽な話し振りでみんなを笑わせた〝オススパクパク〟という綽名の大沢勇はやはり今でも笑いを振撒いているだろうか。ふと、死んだ吉野牧人の蒼白い顔が浮び上った。小児麻痺で片脚が細く、いつも体操の時間は教室に独り居残り、長篇漫画を描くのが得意で、逆立ちの上手な子であった。悠太は、友の死顔を振切るように、しきりと頭を振りながら家の前に来た。門への石段を登ろうとして、一台の自動車に目を止めた。

それは木炭車ではなく、宮殿下の乗用車のようなガソリン車、つまり庶民には無縁な高級車で、行き届いた手入れにより黒光りしていた。運転手は緑の軍服、満洲帝国軍隊の制服を着て、それを見たとき悠太はあっと或る人に思い当った。けれども、車がわが家ではなく、隣家のお茶の師匠の前に停っているのは何故かと考えているうち、師匠の家の石段を蛇の目が二張り降りてきた。続いて赤い洋傘も現れた。運転手が飛び出してき、ドアを開いた。乗り込んだ人は、予想したとおり大叔父の風間振一郎だった。綺麗に剃り上げた坊主頭、紺絣に縞袴、でっぷりした風貌、間違いなかった。お茶の師匠が、閉じたドアに頭を下げた。神妙な顔付きで袴の腰を畏まった形で引いていた。

「悠太ちゃんじゃないの」と赤い傘が近付いてきた。振一郎の末娘の野本桜子だった。

「まあひどい、ドブにでも落ちたの」

師匠が振り向いた。悠太は弁解した。

「学校で査閲があってね、雨の中で突撃をやったの。みんなびしょ濡れになったんだ」

「勇ましいのね。でも、そんなんじゃ風邪ひくわよ」

「うん。じゃあ……」悠太は石段をあがり門の中に駆け入った。引戸を閉めようとすると桜子が手で押えた。

「ちょっと、初っちゃんに会って行くわ」

「おかあさん……いるかな」

「いるわよ。お隣から垣根越しに見えたの」

「……」

「父をお師匠さまに紹介したの。大政翼賛会でお茶会があるんで、大急ぎで風炉点前を習う必要があるんですって。初っちゃん、いる？」桜子は悠太よりも先に、格子戸に手を掛けて開いた。

　母が出てきて、悠太を見るとあきれ顔で言った。

「おやまあ、泥だらけですよ。駄目駄目、ここから上っちゃ駄目。外からお風呂場にお入り。おや、桜子ちゃん。お上りなさいな」

　桜子は傘を傘立てに挿すとコートを手早く脱いだ。繻子織の紫で、くすんだモンペが普通のこの頃、えらく派手に見える。下は絣の着物で、これは黒っぽいが、帯は赤く派手だった。

　悠太は傘だけを玄関に置いて勝手口に回った。土間で薪割りをしていたときやが、悠太を見て、驚いて立ち上った。

「まあ坊っちゃん、どこで転んだんです」

「突撃訓練だよ」悠太は、銃を構える仕種をして戯けてみせた。

が、不意に足元の地面が傾いたように感じ、よろけた。体がふわふわして、様子がおかしい。足に力が入らない。

「大丈夫ですか」

「大丈夫だよ」

　気遣うときやを振払うようにして風呂場に入った。裸になって頭から水をかぶる。水の一杯一杯が氷のようだ。タオルで全身を拭う。ときやが着替えを用意してくれ、子供部屋にストーブが焚いてありますと告げた。

煉炭ストーブで手を炙る。指の霜焼けが根元まで拡がり、指と指とがくっついている。震えがきた。寒くて歯の根が合わない。急に咳込んだ。咳をするたびに喉の奥が痛む。咳をするたびに体の力が抜けて行く。ぐったりと椅子の背にもたれる。震えはますますひどく、奇妙な呻きが唇から洩れた。

母が目敏く息子の異状に気付いた。

「熱があるね」と額に手を当て、「かなりあるよ。風邪をひいたのね」とすぐ体温計を持ってきた。

「寒いかい」

「大分温かくなったよ」悠太は母の着せてくれた掻巻きにくるまれて微笑してみせた。

「顔が腫れぼったいよ。まだ蕁麻疹が治ってないんだから気をつけなきゃねえ。一体、学校で何があったの。それともどこかで転んだの」

「学校でさ、雨の中を突撃して匍匐前進したんだ。みんな泥んこになっちゃった」

「それはいいけど、体をこわしちゃ何にもならないね」

「桜子さんは？」

「ああ、もう帰ったわよ。あの人は、来るとすぐ帰る。隣組の回覧板みたいなもんですよ。何でも、風間の叔父さまが南方の資源視察をなさって、スマトラの油田で史郎ちゃんに会ったんですって。油田管理官で、オランダ人の家を接収して豪勢な暮しをしてるらしいよ。いや、まあ、これは」と急に母は口に手で蓋をし、「軍事機密だそうだからね、誰にも言っちゃ駄目よ」

体温計は三十八度七分を示した。母は、「さあ大変」と騒ぎ始め、いつも寝る二階は寒いからと、ときやに子供部屋へ蒲団を敷かせた。悠太を寝巻に着替えさせて寝かせるとアスピリンを喫ませた。アスピリンの原末を入れた広口瓶から茶匙で目分量をすくって息子の口に流し込むのだった。しばらくして、悠太は汗をかいてきた。じくじくと汗は寝巻に吸われていく。体中が蒸されたようで気持が悪い。

「我慢するのよ。熱が下るからね」

母は悠太の枕元にやりかけの仕事を移した。央子の防空頭巾に刺縫いをしている。すでに男の子三人のための刺子の防空頭巾は完成して脇に置いてあった。目の前には『主婦之友』のページが開いてある。「完全防空服一揃え」の見出しと男女の防空服姿の挿絵が見えた。この正月、悠太は防空頭巾の試着をさせられた。頭が座蒲団にくるまれる感じで、こんなもの邪魔だと思ったが、母は真剣そのもの、「今に空襲があります。そうしたら、頭が一番大事なの」と言って、恥ずかしがる悠太に頭巾をかぶせたものだ。

「お前、お昼はまだだったね。お腹が空いたろう。何か食べるかい」

悠太は頭を振った。食欲がまるで無い。母がときやに作らせた葛湯もすこし舐めただけで喉は通らなかった。汗まみれの寝巻を乾いたのに替え、二度目に体温を計ったところ、三十九度三分に昇っていた。

「おかしいねえ」と母はいぶかしがった。「風邪ならアスピリンで熱が下るんだけどねえ」と、正直に不安を面に現した、と言うより、母の表情の些細な曇りも、息子にはありありと判るのだった。「三田に行ったほうがいいかねえ……やっぱり三田に診ていただいたほうが安心だねえ」

母の頭には三田の父以外の医者は浮んでこないので子の重病は三田の診察を受けねばならぬと決めていたのだ。母は去り、電話を掛けて戻ってきた。

「おじいちゃま、すぐ来いと言われるのよ。三十九度はただごとじゃないから、すぐ来い、ですって。だけどどうしようかねえ。この節タクシーは無いし、三田にも車が無いし……」

「ぼく、歩けるよ。電車で行こうよ」

「だけど、あしたは学校だから、また帰ってこなくちゃならないよ」

三十九度も熱があるから学校を休ませるという発想が母には浮んでこない。風邪ぐらいで学校は休ませぬのが母の方針だった。

「大丈夫、あしたは学校、休みなんだ。日曜日に査閲の予行があった代替なんだ」

「それなら……」母は気を楽にした様子で、「一泊できるから、体が楽だわ。あした夕方までに帰ってくればいいものね」と言ったが、じきに気懸かりな調子で、「どうしようか。きょうはオッコのレッスン日で、白金まで連れて行かなきゃならない」とつぶやいた。

「ぼく独りで行ける」

「その熱じゃ無理よ。途中で倒れたりしたら大変……こうするわ。いつもは恵比寿から電車で行くんだけど、きょうは渋谷から田町行のバスに乗ることにする。オッコとわたしは白金で降りるけど、お前は三之橋で降りればいい」

悠太は従順に、「うん、そうするよ」と頷いた。三田など、いつも独りで行っているし、独りで行くときは、省線で田町まで出て歩く方法に慣れていたけれども、また坂の多い三田では木炭車バスの難渋が目に見えていたけれども、母が一所懸命に考えた事柄に反対すると極度の不機嫌に陥るのを知っていたからである。

ともかく母ときたら、子供たちのことになると一所懸命になるのが常だった。央子のヴァイオリンのレッスンにしても、週一回一時間を固く守り足掛け五年間、無二無三に付き添ってきた。最初は東大久保の富士彰子先生で、近所なものだから時々はときやに行かせはしたけれども、白金の太田騏一先生となってからはかならず自分で付き添った。悠太の中学受験に際してそうだったように、今年駿次の中学受験にも母は一所懸命になり、模擬試験がどこかであると知ると、遠く横浜までも駿次を連れて行った。そして、悠太の幼年学校受験にも、最近はまさしく一所懸命なのだ。最初は息子の受験にあまり乗気でなかったのが、願書を「一応出しておくわね」と言ってから、「勉強しなさい」「頑張ってね」が口癖になり、昨年滑って塾通いをしてからはまるで自分が受験するような騒ぎで、今年の元旦の早朝、一家揃って明治神宮に初詣でしてからは、何かお告げがあったかのように、毎朝五時起きで明治神宮に参拝に出向き、これを合格通知が来るまで続けるというのだ。もっとも母はそれを最初秘め事にしていて、ある朝、不審に思った悠太が聞き糾して知ったのだが。

悠太は、せっせと針仕事をしている母を、枕の端に見た。自分と丁度二十違いだから母は三十六歳だ。顔に小皺は増えたけれども、髪は黒々としている。パーマネントが禁止されてから、昔風の束髪にして、かえって若々しくなった。浅黒い肌を気にして白粉を丁寧にまぶしているが項や手は肌の色で、それがいかにも健康な気配を漂わせている。湯上りのあとの素肌の母が悠太はむしろ好きなのだ。針糸をあやつる手指の動きには楽器でも演奏するような律動があった。

汗が出尽したのか、病気が融けて流れ出したような気がした。湿った寝巻を乾いたのに替え、もう一度体温を計ると三十八度三分まで下っていた。母は喜び、悠太は、この調子なら風邪も治ってしまうと元気付き、にわかに腹が減り、残った葛湯を全部飲んでしまい、さらに卵入りの粥も平げてしまった。

央子が学校から帰ってきた。兄が自分の部屋に寝ているのを見て驚いて後じさりした。

「おにいちゃんが病気だから部屋を借りたのよ」と母が説明した。央子は頷き、ランドセルを自分の机に置いた。赤い花柄のモンペと上っ張りは母の手製だ。モンペに雨の染みがついている。

「先生のところへ行く前に、二階ですこし練習しなさい。火鉢に火を入れといたよ」

「うん」と央子は頷いた。出て行きしなに、「おにいちゃん、どうしたの」と尋ねた。

「風邪、大したことないよ」と悠太は言った。

「風邪かあ」と開いた口は前歯が不揃いに欠けていた。その幼い様子が可愛かった。

天井でヴァイオリンが鳴った。久し振りの妹の音色だ。去年から今年にかけて悠太の幼年学校、駿次の中学校受験で、兄たちが在宅時は練習を禁じられていたので、悠太が聴くのは久し振りなのだ。モーツァルトだった。文句なしに美しい。心を慰められる。喜びに充(み)ちてくる。央子は、モーツァルトの花畑から無心に花を摘み無心にそれを撒(ま)き散らしている。男の兄弟たちには見出せぬ、あの小さな体から豊かな泉のように溢れでてくる才能、美への感応と表現の技術をこの妹は持っている。熱に火照(ほて)った意識のなかに音楽を融かし込みながら、悠太は思った。

「おや、雨が上ってきたね。そろそろ出掛けようか」と母が言った。

## 3

バスを降りたとき、意地悪く雲が裂けて日が射(さ)したため、悠太は目くるめき、橋の欄干にすがってどうにか身を支えた。頭が金槌(かなづち)でがんと打たれたみたいに痛み、喉の奥に棒を差込まれたように絶えず吐き気がする。咳が熱気を噴火した感じでおきた。吐いた。葛湯と粥の混ったものが足元に落ちた。地面が近い。うずくまっていた。咳込むたんび、なおも黄色い液が噴き出した。

　歩き始めた。何とかして時田病院まで行き着かねばならぬ。歩いているというより、雨でぐしゃぐしゃの道をやっと足裏で探り、軒が破れ柱が傾いた貧民窟(ひんみんくつ)の家々が、明るさゆえに汚なさを際立たせて川岸に続く道を、それらが吐き気を誘うのに堪えながら、痛みの塊りの重い頭をふらふらさせて、進む。

バスのなかで段々に様子がおかしくなった。悪寒も吐き気もひどくなった。登り坂にくると案の定、木炭エンジンの出力が不足してのろのろと進み、時には後退してしまい、やたらエンジンを吹かすので異臭が車内にも立込めて、悠太の内部からも何かが噴き出しそうになった。気持が悪いと母に訴えず、必死で我慢したのは央子の前だったから、膝にヴァイオリンをかかえて行儀よく坐っている小学校一年生の前で無様な中学生を演じたくなかったからだ。それが母や央子と別れて、バスを降りたとたん、堰が切れた。

襟巻に外套と、厚く着込んだのに寒い。震えが止らない。考えてみれば、この震え、宮殿下の前で尿意のせいにしたのは間違いだった、あのときからもう熱があったのだ。まっすぐ行けばよい、三之橋から細い道をまっすぐ大通りに突き当り、左折すればすぐ時田病院だと知っているのに迷ってしまった。工場がある。扉が閉じている。いや、毀れている。何もかも毀れている——扉も屋根も柱も窓も。そして内部はがらんどうだ——機械も人間も廃品すらも無い。それは昔ビスケット工場だった——作りたてのビスケットを売った販売所の跡が、まるで化石から元の植物を判定するように見分けられた。すると、自転車屋が隣にあったはず、いや、これも廃業したらしく、戸を閉じていた。薬屋、染物屋、雑貨屋、本屋……ナアンダ、時田病院は目の前にあった。三階、四階と上に重なり、あんまり大きく過ぎて、俯いて歩いてきた自分の目に入らなかった。

薬局から出てきた薬剤師のお久米(くめ)さんが叫んだ。

「ま、悠ちゃん、どこか具合悪いのね、顔中腫れちゃって、苦しそう。あ、ひどい熱。ちょっと」通りがかりの看護婦に、「おお先生はどこ、小暮の坊っちゃんが病気でいらしてるって伝えてちょうだい」と言い付け、外来診察室のベッドに悠太を横にならせ、体温計を手渡した。

時田利平院長が末広(すえひろ)婦長を従えて現れた。角刈りの頭が白衣と同じように白い。二週間おきに父の目薬を取りに来るのでお馴染(なじ)みの祖父なのだが、近頃(ちかごろ)は来るたびに年寄り染みて見える。縮まって小さくなった感じの体軀(たいく)と瘦(や)せて皺の増えた顔、何よりも古壁のようにざらざら乾いた肌。もっとも謡(うたい)で鍛えた声だけは朗々としている。

「オウ、悠坊。上だけ裸になれ」

体温計を見る。打聴診をする。喉を覗(のぞ)く。脈を取る。「レントゲンじゃ」と末広婦長に命じる。

レントゲンは怖い、嫌(いや)だなと悠太は思った。時田式レントゲン撮影機は、スイッチを入れるとドカンと雷でも落ちたような音をたてる。幼い時から聞き慣れた音だが、さて自分が撮影される身となると怖かった。

予想通りドカンと音がしたとき、ぎくりとした。青白い稲妻が機械の中央を割くように輝いたのにもおののいた。が、悠太は声も立てず、じっとしていた。何か言うのも億劫(おっくう)なくらい、ぐったりしていた。咳がまたぶり返し、吐き気がした。震えている悠太に末広婦長が毛布を掛けてくれた。

　まだ濡れている写真を調べた利平院長は、「ウーム」と唸ると、「こりゃいかん、入院じゃ」と言い、婦長に何事か命令した。

「入院は困るよ」と悠太は咳の中で声を振絞った。「あさっては学校があるもん」

「悠坊や、学校どこではないわ」と祖父が睨んだ。「肺炎じゃからのう」

「ああ……」悠太は目を瞑り、肺炎なら仕方がないと思った。肺炎が急激におこる重病であり、慢性におこる結核性の肺病とは違うという知識はあった。しかし、肺炎は恐ろしい病気でよく人が死ぬという話も耳にしていた。

　末広婦長に先導され、お久米さんに付き添われて悠太は病室へ行った。二階へ登ったので、祖母の〝お居間〟かと思ったら、一番奥の古い建物へと向った。通称〝花壇〟という大広間の近くに並ぶ病室の一つだった。その昔の日本間を、床にリノリウムを敷き、壁を白く塗り替えて洋間にしつらえてあったが、廊下に面した窓には障子が残っていたし、押入れも残っていて、何となくチグハグな感じだった。以前の鉄製のベッドは物資回収に供出され、かわりに木製の新ベッドが置かれて、木の香が強くした。

「西大久保にお電話したら、お嬢さま……おかあさま、いらっしゃらないの。女中さんに聞いたら白金ですってね」とお久米さんが言った。

「うん、あとで来るってさ」

「あらそうだったの。じゃ、寝巻もご用意なさってるのかしら。当座はこれをどうぞ。倉庫にあった新品よ」

お久米さんは浴衣(ゆかた)を置き、悠太が着替えるあいだ、部屋から出ていてくれた。ベッドに潜り込むと、自分がすっかり重病人になった気がした。飲み薬と注射薬が効いたらしく咳は治ったが、寒気と震えは相変らずだった。久米は出たり入ったりして、色々な物を持ってきてくれた。タオル、鼻紙、鏡、目覚時計。四時十分だった。睡(ねむ)くなってきた。目覚めると七時半で、電灯が点(とも)っていた。灯火管制用の黒い布のあいだから洩(も)れた光の中に母がいた。

「おや、目が覚めたね。睡たければもっと眠りなさい。ところで、お前、お腹空かないかい」

「ううん……」と悠太は顎(あご)を横に振った。

「何か食べないと病気がよくならないよ。おとめさんにスイトンを作ってもらってあるよ。今温めるから、すこしでもお食べ」母は煉炭焜炉(れんたんこんろ)に小鍋(こなべ)を置いた。

「おかあさん」と悠太は言った。「肺炎って長くかかるの?」

「おじいちゃまのお話だと、うまく行けば一週間ぐらいで熱が下がるんだそうだけど……とにかく、うんと安静にして、お薬と注射をして、栄養をつけて……」

「一週間も長く……もうすぐ期末試験なのに……ぼく困るよ」

「悠太は幼年学校に合格するんだから、中学の試験なんて、もうどうでもいいでしょう」

「合格する……でもさ、憲兵がまだ来ないじゃない。坂田君ちにはもう来たんだって」

「おや」母の顔に不安がよぎった。が、無理に笑顔を作ってみせる。「そのうち来るわよ。

大丈夫よ」自信の無いとき母の声は大きくアクセントをつける。今もそうだった。〝大丈夫〟の〝大〟を爆発するように発音した。

温まったスイトンをすすってみると、結構喉を通るのだった。病人用にすべてが細かく作ってあり、団子は耳たぶほどにちぎり、大根や馬鈴薯も賽の目切りにしてあった。

母は病室を見回して、口を尖らせた。

「何てうらぶれた所だろうねえ。壁はぼろぼろ、障子は染みだらけ、それに隙間風が寒いねえ。まあ、これは病院中そうなんだけどスチームは毀れているし、と言ってストーブの煙突穴もないし、さ。火鉢だけだったのを、やっと煉炭焜炉を持って来させたんだからね。前だったら〝お居間〟に堂々と寝られたんだけどねえ。一応は〝お居間〟にでも寝かすよう取り計らってくれって交渉したんだけど、あそこは今、おいとさんが住んでなくって、大日本婦人会の事務所になっているんだって。では、もっと上等な病室をと言って、二、三見せてもらったんだけど、驚くじゃないかね、病院中がすっかり傷んだ部屋ばかりで、ここがむしろ一番いいほうなんだよ。おじいちゃまのお部屋も看護婦室も近いし、まあほどほどに広いし……」

「この部屋でいいよ」と悠太は言った。

「その大日本婦人会てのはねえ、一昨年だったか、国防婦人会と愛国婦人会なんかが統合してできたんだけど、おいとさんがこの地区の会長でね、今も大勢集まって、品川駅で英霊を迎える相談中なのよ。しょっちゅう夜遅くまで集会やら相談やらが続くんで、おじいちゃま、ゆっくり夕食もできず、お休みにもなれず、ですとさ」

しばらくして、母は枕元に顔を寄せた。大きな目は、白目の部分が潤んで光り、今にも涙でも零れ落ちそうだった。

「悪いけど悠太、おかあさん、ずっと付いてあげられないの。オッコを連れて帰らないといけないし、駿次の受験もあるしね」

「いいよ。ぼく独りで大丈夫だよ」

「おじいちゃまの、おっしゃる通りにしていれば治るわよ。でもね、肺炎は重い病気なのよ。本当はおかあさん、毎晩泊ってあげたいんだけどね……こんな病室じゃ、付添いの寝る場所もありゃしないしね……」

「いいってば、ぼくもう子供じゃないよ」と悠太は強く言い、たちまち咳き返した。

「喋っちゃ駄目よ。安静に、安静第一とおじいちゃまがおっしゃるの」

「おかあさんは家にいてよ。憲兵が来るかも知れないから」

「そうだったわ。憲兵が来たら大変だった。わたしは帰るからね」

「オッコはどこにいるの」

「鶴丸と遊んでいるよ。そうだ悠太の看病は鶴丸にたのもう。鶴丸ならいいだろう」

「もちろん」悠太は頷いた。鶴丸なら幼いときからよく知ってもいる。一時、時田家の奥女中をしていたが、いと祖母と反りが合わず、今は隠退して看護婦寮でひっそり暮している。噂をすれば影で、央子に続いて鶴丸が入ってきた。『高砂』の姥のような白髪で、痩せているため猫背がごつごつ骨張っている。母が息子の看病を頼むと顔をほころばせ、「よろしいですよ。おまかせください」と耳が遠い人らしい、大声で、応えた。

「よろしくお願いしますね」と母は何度も頭を下げた。

「あのね、おにいちゃん」と央子が言った。「ゴロジちゃんたら、兎のほかにね、鶏も山羊も飼ってるの。山羊って、紙をむしゃむしゃ食べちゃうのよ。そしてね……」央子は鶴丸に案内してもらった院内の様子を、何もかも兄に報告したくて、急き込んで話した。大工の間島五郎は、動物好きで兎小屋の隣に鶏小屋を建てて、そこで卵を沢山取っている、看護婦寮の裏手の徳川邸は森の木を切り払ってすっかり畑にしている、ゴロジちゃんは古いオハジキを沢山持っていて、つるつるに磨かれた机の上で遊ぶと面白い……。

「さあさ、もう帰りましょう。おにいちゃんが疲れちゃうからね」と母が央子の手を引いた。娘はヴァイオリン・ケースを提げ、母と一緒に悠太に手を振ると出て行った。鶴丸も見送りのため去った。

独りになると悠太は改めて室内を見回した。古い病室である。白壁は方々が剝げて元の茶色の砂壁を露出させている。障子は破れ放題でもう何年も貼り替えてないようだ。とくに傷み具合のひどいのは柱で、無数の傷でささくれ立っている。この病室に入院した大勢の患者たちの息や分泌物があちこちにこびりついているようで、何だか薄気味が悪い。

近くの看護婦室で絶えず話している。誰彼の取沙汰らしく、秘密めかしたひそひそ声が、かえって神経に障った。壁のむこうから演説調の高声が聞えてくる。声音はどうやらいとのそれだ。壁のむこうが広間で、大日本婦人会の相談会がまだ続いているのだろう。方々の病室でも声が飛び交っている。人間というのは絶えず喋り続ける動物だ。人の声に較べれば、食器、水、物の音は大したこともなく、気にもならない。

悠太は小用に立った。足腰に力が入らず、一歩一歩を踏みしめながら廊下を行く。〝花壇〟の近くの便所を目差したのだが、そのあたりは暗く、しかも掃除もされてないらしく、スリッパの裏に塵埃を引き摺った。病室には空部屋が多い。以前はどこも満床で、〝花壇〟で宴会をするときは、付近の病室から患者を移動させるのが大仕事であったのに……。道を尋ねるため引き返して看護婦室に寄ろうとして驚いた。

詰めていた三人がすべて魔法使いのような老婆だった。しかもそのうちの一人、鶴丸よりも年上に見えるのが居眠りしていて声を掛けにくい。

見慣れた頑丈な扉があった。その先は時田家の居住区で、利平の居間がある。扉を開けば居間の隣の便所まですぐだと知っていながら、以前だったら平気でそこを往来していたのに、悠太はためらった。婦人会の割烹着の小母さんたちがわんさと詰めている気がしたし、いと祖母の咎めるような目付きも嫌だった。結局〝花壇〟近くの便所を使用した。

ちょっと歩いただけで、疲労が体中の筋肉を砂のように重くし、ひしゃげたように横になった。苦しい息を整えていると、ふわふわ漂っていた意識が沈澱してきて、やがて灰色の睡気があたりを鎖してきた。

四十度近い熱はまる一週間続いた。が、利平院長が予言したとおり、七日目（入院したのが火曜日だったから、月曜日）には嘘のようにすとんと下がり、そのあと、咳も胸の痛みも息苦しさも拭われたように消えてしまった。

一週間も寝込んだのは悠太にとって初めての経験だった。厳密に言うと、幼いとき、父のゴルフのクラブで頭を叩かれて頭に怪我をして入院したことがあるが、どのくらい寝ていたのか定かではなかった。

熱にうなされて、何度も何度もあの時のことを夢に見た。そして覚めてみると、あの時と今との差違をひしひしと思い知った。あの時は、菊江祖母や母や夏江叔母が代る代る付き添ってくれ、レコードを掛け、童話を読み、折紙を折り、吸い呑みで蜜柑ジュースを飲ませてくれた。駿次や研三、弟たちもいて、綾取りや紙相撲をして退屈をまぎらわしてくれた。要するに、入院というより、祖母の〝お居間〟に泊り込み、大事にされた感じであった。ところが今度は、歴とした入院で患者の一人として取り扱われた。

朝は看護婦の検温検脈で起された。胸苦しい咳を無理にして痰を検痰用のシャーレに吐き出す。まだ寝惚けている耳に、院内のざわめきが、大勢の人間の目覚めを告げる。鶴丸が来て洗顔と清拭と朝食を世話してくれる。ともかくあわただしい朝なのだ。そのうち院長の総回診が始まる。

前日の手術者や重症者を優先にするため、院長の一行が悠太の所に回ってくるのは大分遅くなる。自分の孫といえども患者として特別扱いはせぬという院長の方針は一貫していて、その点で毎日の日課に変更はなかった。いつ悠太の病室に来るか予想がつかず、診察の介助をしようと待ち構えている鶴丸は気をやきもきさせた。「ご自分のお部屋を出てすぐの場所なんですから、まっ先に悠太ちゃまのお加減を診て下さればいいのに」と立腹して見せるものの、目の前をおお先生がすたすた通り過ぎても、何も言い出せずにいるのだった。

さて、その総回診がなかなかのミモノであった。利平院長を先頭に末広婦長、西山副院長、医員たち、主任看護婦たち、上野平吉事務長が序列正しく一列縦隊で入ってくる。院長の診察を助けるのが婦長の役目だが、看護婦の服装をした鶴丸は元婦長の威厳を示して、末広婦長を払い除けるようにして前に出、悠太の毛布をめくったり、胸をはだけたりする。院長が聴診中に、誰かが私語でも交すと、不断見せぬ怖い顔で睨み付ける。あるとき、手持ち無沙汰になった末広婦長と上野事務長がちょっと立ち話をしたとき、一言、「お静かに！」と叱声を飛ばしさえした。もっとも、このあと、鶴丸は、「ちょっと言い過ぎたかね」と苦に病み、「でも、あの末広という人、婦長のくせにだらしなさ過ぎるからね」と自己弁護をぶつぶつ言った。

診察中の利平院長は、人を寄せ付けぬ威厳を備えていた。虚空をじっと見詰める瞳は、ギヨロリと大きく、縦皺を刻んだ眉根が強い意志を発散する。象牙の聴診器を持つ指は正確に動くし、悠太の胸を打診する指は小気味よい鋭い音をたてた。が、診察を終えると、にわかに疲労と老いが顔貌を覆ってくるのも毎度のことで、その急激な変容が悠太には不思議だった。間近で見ると、皮膚の皺は深く、頰のあちこちの染みが目立ち、ことにも首のあたりの瘦せが、何だかひらひらした紙のような肌の感じで、痛ましく思えた。とにかく、部屋に入ってくるときの堂々たる貫禄（かんろく）と、出て行くときの悄然（しょうぜん）とした後姿とが別人の趣きであった。

　末広婦長の肥満ぶりは、祖父と正反対で、滑稽（こっけい）なほどだった。歩くのさえ大儀らしく、入室してしばらくは笛を吹くような荒い息遣いをしていた。鶴丸によると、末広婦長は心臓が悪い上に高血圧で、「体は古くなった乾パンみたいにぼろぼろで、とっくに婦長の役を果せない病人」なのだが、「決戦下の看護婦不足をさいわい、婦長の座にしがみついている」のだそうだ。そう言われてみると、彼女の采配（さいはい）は万事投げ遣（や）りで、診察用具やレントゲン写真や検査結果を忘れたり、勤務表の間違いで看護婦に欠員を生じたりし、それを院長から時々叱責されていた。が、これも鶴丸の言では、「右の耳から左の耳へとオナラみたいに抜けてしまう」ので、一向に改まらないそうだ。

　医員たちの顔触れは毎日変った。結局、院長以外の常勤者は西山副院長だけで、あとの人は一日か半日勤務の臨時雇いだった。もう軍医に取られるおそれのない年寄が多く、中には利平院長よりも高齢で、よぼよぼして足元もおぼつかぬ人さえいた。そして医員たちは、院長の回診に、いやいやながら付き合っているという風を隠さず、あくびや余所見（よそみ）は無論のこと、病室にも入らず廊下で立ち話を平気でしていた。

　上野平吉事務長が、何のために総回診に加わっていたのか、悠太には判じかねた。肉付きのよい体に、きっちりした白衣を着、押し出しのよい医者という形で、院長の診察の手元を覗き込み、手帳にもっともらしく書き込み、婦長や医員と子細らしくささやき交わす。かと思うと、俄然（がぜん）ペタペタとスリッパの音高く室内から廊下へ歩み出、通りすがりの看護婦に声高に話し掛け、渋面を作ってぎろりと見ている院長の前に帰ってきて、ペコリと頭を下げた。

総回診の一行が去ると、悠太はぐったりした。大勢の視線に曝され、おのれの病状が不可解な外国語（ドイツ語らしい）混りで議論されるのが、心配と不安をつのらせた。が、反面、人々の顔付きや所作が珍らしく、気晴しにもなった。そのため、鶴丸が気の毒がり、「総回診はやめて、おお先生だけに診ていただくよう、お願いします」と言うのを、「これでいいんだよ」と止めたのだ。

母は毎日来た。大抵は昼前に現れ、鶴丸と交代して夕方までいてくれた。最初、教科書やノートを持ってきたが、息子の病状が重く、勉強どころではないと見ると、気軽な読物、息子の好きそうな『宇宙の謎』とか『驚異の科学』とか『数の不思議』などという本を買ってきてくれた。扉の内側にカーテンをつけたり、灯火管制用の黒幕に花柄の布を縫いつけたり、何かと室内の飾りに気を配る。そして、腰掛けると、本に読み耽った。大正時代発行の『トルストイ全集』が母の愛読書である。家で縫物や編物をするときと違って、本に向うときの母は、話し掛けては悪いような集中と真剣さを示した。熱が下り気味になると悠太は、母と競うように本を読んだ。一度、そんなふうに二人が本に夢中になっている折に、突然、祖父が入ってきて、「子供が横になって本を読むと近眼になるぞ」と、悠太にではなく、母に注意した。

母と一緒にお久米さんが、ひょいと姿を現わすことがあった。彼女は、薬局長のほか、利平院長開発の諸薬品の製造工場の監督もしていて、院内を忙しく飛び回っていたけれども、母の来院する時刻に薬局で待ち構え、何や彼や世間話に興ずるのを楽しみにしていた。そこでの話が切れないと、悠太の病室まで母に付いて来て、話の続きを、「あら、いけない、もうこんな時間だわ」と自分で呆れるまで続けるのだった。

　母がいるときを狙って来訪するのが上野平吉事務長だった。軽いノックをして、ドアの隙間より内部を偵察し、ほかに来客がいないと見ると、母の許しも待たずにずかずか入ってきた。まるで鬘のように整った髪をテラテラと光らせつつ、まずは悠太の枕元に来て、「やあ、どんな具合かな」と尋ねるのだが、朝の総回診に出席していた以上、病状はよく知っているわけだから、「うん」とか「まあ」とか悠太はよい加減に答えた。それから彼は母に向い、「早くよくなるといいですな、お大事に」と頭を下げ、と思うと一転して、「東条陸軍大臣が参謀総長を兼任しましたな。あの人はえらいもんですなあ」と言い、政治に疎い母を困惑させた。平吉は、母の反応に鈍感なのか、それを無視するのか、さらに、「敗けた国の惨状はひどいもんらしいですな。イタリアでは、大量失業、飢饉、淫売、犯罪の四悪がはびこり、赤ん坊の実に九十五パーセントが栄養不足で死に、婦人たちは続々売笑婦になっている。米英軍は知らん顔で自分たちだけは、たっぷり食べて肥え太ってる。ドイツ軍の占領時代にはこういう悲惨な状況はなかった。ね、そうでしょう」と独りで喋りまくり、ふといなくなった。やかましい彼が消えたあと、悠太は母とほっとした顔を見合せて苦笑するのだった。

　いと祖母は二度来てくれた。二度とも、母が帰った直後で、「おや、おかあさん、もうお帰りになったの」と残念そうに言う言葉まで同じであった。「悠ちゃん、大分よくなったわね。もうすこしよ。頑張ってよ」と言い本を二冊くれた。最初のときが、山中峯太郎の『大東の鉄人』、つぎが平田晋策の『新戦艦高千穂』で、本好きの悠太のために探してくれたものらしかった。二冊とも前に読んだ本であり、それに小学生向きのものだったが、熱で浮ついた頭には、まあ似合いの読物ではあった。いと祖母が来ると、鶴丸はそっぽを向き、二人の仲が悪い事実を印象づけ、いとが去ると、すぐさま、「悠太ちゃまはお孫さんでしょう、お孫さんが来たというのに、あれではそっけなさすぎますよ。それに央子ちゃまが病気のときは、〝お居間〟に泊めて自分で看病したのに、悠太ちゃまには冷たい。それにつけても前のおばあちゃまはよかったですねえ。レコードも絵本もお菓子もどしどし買って下さいましたねえ」と昔を懐かしむのだった。

悠太は、幼いとき、鶴丸に遊んでもらった経験があるが、小学生になってからは、彼女がいと祖母付き奥女中になったためもあり、ずっと離れていた。今、中学生になって、鶴丸に付き添ってもらうと、彼女のほうはまだ彼を幼い子のように扱い、しきりと昔話をしたがった。かと思うと、悠太を一人前の男性と見なし、いと祖母の陰口をたたいた。「前のおばあちゃまは人形作りがお上手でしたね。お芝居の俳優なんか顔や肩の形までそっくり、六代目菊五郎やら九世団十郎やら、ほんとに生きてるみたいでしたもの。悠太ちゃまが双葉山の人形を作ってとねだられたら、裸の人形はつくれないなんて、おっしゃって……」菊江祖母の生きていたとき双葉山はまだ世に出ていなかったから、これは鶴丸の記憶違いらしかった。
「それに較べると、今のおばあちゃまは、お人形は作れませんものね、長唄もできないし、できるのは、お百姓仕事。おかげで病院内の空地は、みんな畑になってしまいましたよ」

夕食が終り、夜の投薬と検温が終るや、八時過ぎにはやばやと消灯になった。服薬直後は咳がおさまるので息遣いも楽で、本を読みたいのだが、なにせ電灯が暗過ぎて活字を辿れないのだ。これは院長の指示で、全病棟の電圧を下げてしまったせいだった。鶴丸は気の毒がってどこからかスタンドを持ってきてくれたが、コンセントの電圧も下がっていて使い物にならなかった。あきらめた悠太は、薄暗がりのなかで、物音を聞き流していた。

看護婦や患者の話し声は、馴れてしまうと気にならなくなった。大日本婦人会のほうは、さすが消灯以後は遠慮するらしく、広間や〝お居間〟のほうは静かだ。むしろ、利平が声高に話したり、謡の練習をしたりするのが、壁越しに聞えてきた。会話の断片を何か聞き取ろうと思い、注意深く聞き耳を立ててみるのだが、言葉の内容まではつかめない。ある夜、鶴丸が座を外したあいだに耳を壁に密着させたところ、これは効果があって、利平の声がはっきりと聞えた。ただし、謡曲の一節らしく、意味不明の音節が繰り返されたのだ。

「……オイノサイワイミニコエエ、ヨロコビノナンダ、タモトニアマルウウ、サレバコノミナガラ、アンラッコクニ、ウンマルルカトオオ、ムヒノカンギヲナストコロニ、リンネモオシュウノエンブノナオオ、マタアラタメテナノランコト、クチオシュウコソ、ソオラエトヨオ……」

五回、十回、同じところをさらっている。最初は鶏が締められたような声がおかしかったが、何度でもやり直す熱心さに感心しているうち、祖父の真剣な、診療時のような顔付きが彷彿としてきた。そして祖父が黙ると、しんと耳底が痛いほどの静寂が身に沁みて淋しく感じられた。いつまで待っても、こそりとも音がしない。祖父が倒れでもしたかと心配していると、また同じ個所のおさらいが始った。

品川操車場あたりの汽笛もはっきり伝わってきた。西大久保の家で聞く、新宿貨物駅の遠いかすかな汽笛と違い、近く大きく、シュッシュッという蒸気の噴出音も混っている。芝浦埠頭に発着する太い力強い船の汽笛も風に乗ってきた。ここが港の近くで病院を船形に作った利平の気持や感覚が悠太にはすこしわかる気がした。

ある夜、「痛い、痛い」という女の叫びが聞えた。か細いが絹を裂くような声で、いつまでも続き、あたりが静まった深夜になっても終らない。鶴丸は、「軍のトラックに轢かれたんですよ。まだ若いのにね、かわいそうにね」と言った。悠太は、重傷を負った少女が、幼馴染みの千束のような美少女であると想像し、しかしそんな想像をすると、今は外国にいる千束の運命をうらなうようだと急いで想像を打消した。翌朝、声は消えていて、鶴丸は、「死にましたよ、かわいそうにね」と言った。悠太は千束の身に何か不幸があったように、その不幸の原因は自分にあるように思い、ひどく気が咎めた。

土曜の午後、母は弟や妹を連れてきたが、肺炎は移る怖れがあるというので病室の入口で足止めにした。央子は、千羽鶴をくれた。あとで数えてみたらきっかり百羽あった。折紙を持ってき、「おにいちゃんのとこでもっと折る」と言い張るのを母から制止され、べそをかいていた。日曜日には父も来てくれた。のっけから、「お前は体が弱いなあ」と嘆き、「そんなんじゃ、将校になれんぞ。もそっと体を鍛えねえと駄目だ」と小言のような口調で言った。父がすぐ去ると、母は、「おとうさんは、あれでひどく心配していなさるんだよ」と慰めてくれた。

　月曜日の夕方、急にものすごい汗が出た。体中の水分を一時に絞り出したかのようで、鶴丸は、ぐっしょりとなった寝巻を取替え、体中をタオルで拭ってくれた。やたらと喉が乾くので白湯を飲んだ。するとまた汗が出た。「どうしたんだろう」と悠太は不安になった。「これでいいんですよ。治ってきたんですよ」と鶴丸はにっこりした。利平院長が来て、体温表を見ると、「ようし、ブンリじゃ」と言った。「もう一日は安静にせい。今夜あたり発熱がなければ、あしたは入浴許可じゃ」と言った。「おじいちゃま、ブンリってなあに」と悠太は尋ねた。「ブンリか、分配の分に利益の利と書いてのう、肺炎の特徴なんじゃ。大体一週間で熱がどんと下るのをいう」「じゃ治ったのね」「大体はな。ただし、まだ体力がついちょらんから、あと一日は寝とれ」「それから起きていいの」「よし」

　治ったと言われてから俄然食欲が出てきた。それまで一杯がせいぜいだった御飯をお代りし、おとめ婆さんが特別に作ってくれた牛肉野菜炒めを全部食べた。いと祖母がお祝いだと一籠贈ってきてくれた蜜柑を三個も食べた。夜、一旦帰宅した母が再来し、「よかった。よかった」と手放しで喜んでくれた。「肺炎ではね、一週間目に分利するもんなんだよ」と悠太は物知り顔に言った。

　翌日の夕方、母が見守るなかで悠太は起きてみた。今まで便所までの往復が辛くて大事であったのが、廊下の端まで歩いても平気だった。もっとも階段を登ってみると、まだ足に力がなくて、ひょろついてしまったが。

「風呂が沸きました、どうぞ」と、鶴丸が呼びに来た。時田家専用の風呂場へ行くのだという。病棟の長い廊下を通って行くと大分の遠回りだ。仕方なく歩き始めたところ、目の前のドアが開き、いと祖母が手招きした。広間を通りなさいと言う。悠太が喜んで中に入ると、鶴丸は入口の敷居で立止まり、くるりと向きを変えて去ってしまった。母といと祖母が顔を見合せ、いと祖母が、〝当然ですよ。鶴丸なんか家の中に一歩も入れやしませんよ〟というように微笑し、悠太は嫌な気がした。

　広間にも〝お居間〟にも〝夏江叔母の部屋〟にも、かなりの数の女たちがいて、女が集った場合の常として、切れ目なしの、一人が喋り終る前につぎの誰かが喋り始めるので、不必要に重なり合った会話が、引っ掻きまわされた鶏小屋のように充満していた。中には割烹着の人もいたが大方は黒っぽいモンペを着て、縫い物やら書類書きやら、何かの手仕事をしながら口は開きっぱなしという具合だった。悠太や母は、彼女たちにとって異分子に違いなかったが、いと祖母に案内されてきた人々と言うだけで安心したらしく、お喋りを続けていた。〝お居間〟には、墨痕鮮か（この表現も国語で習ったばかりだ）に「大日本婦人会事務所」と書かれた木札が掲げてあった。

　階段を降りる。食堂の脇をかすめて行く。その先が風呂場だ。引戸を開けたときの軋みが腹に響くと、胸をきゅっと締めつける懐かしい思いが起ってきた。黒布に覆われた電灯が丸い釜口を照らし、周囲は闇に包まれている。幼年時代、菊江祖母に抱かれて入浴したのと全く同じ五右衛門風呂だった。底板を沈めると、熱い湯が足裏にまつわりついた。あの頃、背伸びしてやっと首が湯の上に出たのに、今は悠々としゃがんでいる。湯が溢れ出た。その大量の湯が過ぎ去った時間の量に思えた。釜の鉄のごつごつした表面が、祖母のふっくらとした白い手を思い出させた。孫を抱き上げ、水鉄砲や噴水にたわむれた手だ。体をヘチマでこすると一皮剝けたほど垢がぼろぼろと出た。懐かしいシャボンの香りだ。そう、しきりと懐かしい思いが浮び上るのは、このシャボンの香り、西大久保のわが家で使っている鯨油石鹼とは違う、昔ながらの香りだった。ここでは何もかも昔のまんまに保たれてある。風呂釜だって、町会から鉄の回収を強要されたとき、傷病兵の医学治療上必要だからと利平院長が突っ撥ねた結果、撤去されなかったのだ。湯加減はどうですか、と鶴丸が尋ねた。ずっと、外の寒い焚き口前に坐っていてくれたらしい。ふっと、奇怪な記憶が甦った——母が焚き口をじっと覗き込んでいる。不思議に思った悠太も覗くと人間の片脚が真っ黒になって炎の中に浮いていた、それは祖父の手術によって切り離された脚だった。あのとき、なぜ母は人間の脚の燃える様子に興味をもったのだろう？　それは問うてはならぬ、しかし、不可解な記憶であった。再び鶴丸が、湯加減を尋ねた。悠太は、「ちょうどいいよ」と言いつつ湯に体を沈めた。白いものが一杯に浮いている。垢だった。桶ですくってみたが、なかなか取れない。

「ねえ、鶴丸、垢が浮いてて、きたなくなっちゃった」「ご心配なく。あとでお湯を流しちゃいますから」燃える脚の気味悪さが呼び覚ましたのだろうか。悠太は、いつか見た菊江祖母の幽霊の夢を思い出した。祖母と湯に入っていると、「悠ちゃんも大きくなったねえ」と祖母が言い、淋しげな顔付きとなると、死体のように冷たくなり、段々に透明になって、消えてしまったのだ。そして不意に、悠太はぞっとして思った——今度の病気で、ぼくは死んだかも知れないのだ、肺炎でよく人は死ぬと言われているのだから、ぼくは危篤の重病だったのだ、ぼくを心配させないため、みんな、母もお久米さんも鶴丸もいと祖母も黙ってはいたけれども……。「悠太ちゃま、どうしました」と、長い間の沈黙に鶴丸が心配して尋ねた。悠太は、「いい気持なんだよ」と言い、平手でバシッと湯を撥ねた。

湯からあがって、中学の制服を着込んだ。垢が落ちた分だけ体が軽くなった気分で階段を上がると、もう足もしゃんとしていた。母が祖父の居間で待っていた。祖父もいる。母の目くばせで悠太は祖父に頭を下げた。

「おじいちゃま、どうもありがとう」

「ウム、もうすっかり元気か」

「うん、あしたから学校に行けるよ」

「それがね……」と母が口を挟んだのに重ねて祖父が言った。「まだ退院は無理じゃ。分利ちゅうのは、ときたま再発する例があるからのう、用心のため、もう一週間はおれ」

「まだ一週間も……」

「そうじゃ。肺炎ちゅうのは、大病じゃ。油断は禁物じゃ」

「ぼく、死ぬとこだったの?」

「まさか……」と叫ぶ母に祖父はまた重ねて強く言った。「そうじゃ。危かった。よう助かったわ。助かった命は大事にせい」

「はい」悠太はしっかりと大人びた返事をした。

## 4

いと祖母の計らいで、三階の小部屋、母の昔の勉強部屋でその後納戸に使われ、今は大日本婦人会の宿泊所である三畳間に、悠太は寝泊りすることになった。ここから秘密の倉庫へ抜けられるのでよく知っている部屋だ。ところが、倉庫の入口だった、白壁に擬した襖に触ってみると、固い本壁に変っていた。首を捻っている悠太に、いと祖母は、「いろんな人が泊るからね、入口は閉めちまったんだよ」と言った。「じゃあ、もう、倉庫の中に入れないの」「ああ……どうせガラクタばかりだからね」そのガラクタこそがぼくの目当てだったのにと悠太は残念がった。そうと知っていれば、取り出しておきたかった物が沢山あった——曰くありげな古い手紙、エジソン社製の円筒形の蓄音機、アメリカRCA社製の古いラジオ、大型の砂時計、各種外科用手術具、組合わせれば望遠鏡となりそうな大小のレンズ、さまざまな電動モーター……。

　時田家の居住区に入ってしまったため、鶴丸とは別れた。職員食堂へ行くと、鶴丸が待っていたように近寄り、「悠太ちゃまのお世話を楽しみにしていたのに、おいとさんはつれない」と散々嘆いた。が、久米薬剤師が現れるとそ知らぬ顔で、世間話を始めた。そんな鶴丸をお久米さんは無視して、「よかったわね、早く治って……」と悠太に話し掛けた。

看護婦たちには婆さんが多かったし、顔触れも変ってしまっていたが、そして以前の食堂のように陽気な笑い声はなくて、毎度強行軍の休息に似た疲労がにじむ陰気な雰囲気ではあったが、食事の質だけはあまり落ちていなかった。大麦入りの七分搗き米も、魚や肉がついたお数も、何よりもテーブルの穴に入れたお櫃から各自が自由によそう方法も昔のままであった。食べ盛りの子供四人をかかえ、田舎に親戚もいないまま、配給品と闇の買出しでやっと食事の体裁をととのえている、したがって、大豆やトウモロコシなどの代用食に魚や肉抜きの野菜汁、たまに御馳走なのは卵入りが普通の西大久保のわが家に較べると、三田の料理はまるで支那事変前の時代を思わせるほど豊かだった。それに、賄方のおとめ婆さん（この人の年はわからないが、幼いときから知っていて、すこしも変らない下脹れの顔付きだった）は、悠太のために特別に卵焼きやらコンビーフ炒めなどを作ってくれた。朝食のときなど一人一個の生卵をわざわざ二個つけてくれた。悠太が、下熱後二日ほどすると、足腰も定まり元気を回復したのは、この栄養豊富な食事のせいかも知れなかった。

床上げはしたものの、なるべく安静に過せという祖父の命令を守り、食事どき以外は部屋に籠って本を読む、野沢先生の形見分けにもらった『宇宙の構造』という本を母に持ってきてもらい、ともかくこの一週間に読めるだけ読んでみることにした。方々に数式が挿入された難解な本で、おそらく物理学専攻の大学生向きのものらしかったが、一九二九年（つまり悠太の生れた年）に、アメリカの天文学者エドウィン・ハッブルが宇宙の膨脹を発見した場合の観測法の詳細や、アインシュタインの相対性理論の発想、光速度より速いものはこの世に存在せずという断定が生れる物語など、野沢先生の、天体観測ドームに響く呪術者のような声に語られているかのようで面白く、夢中になって読み進み、天空を駈けめぐる空想に時を忘れた。つい昼食時をはずしてしまい、降りてみると食堂はすでに無人となっていた。蠅帳から、料理を載せた来客用の箱膳を出し、目の前のお櫃から飯を盛ると、悠太は今読んだ本の、宇宙の不思議についてまた考え込んだ。

電灯は消えていて、天井の明り窓から黄ばんだ光が落ちてくる。光が黄ばんでいるのは午後の陽のせいではなく、防空用の古紙のテープが縦横十文字、襷掛けのガラスのせいだ。窓の四周の換気口と見える隙間は、実は天井裏の倉庫に通じている。入口が塞がれた倉庫に入るには、あの隙間から潜り込むより手はないが、さてあんな高い所に攀じる手段はありそうにない。

「何を見てるんだい」と、不意に声を掛けられ、悠太はぎくりとした。大工の五郎のどす黒い顔が、異様な動物の鼻面のように、熱い息を吐きながら迫っていたのだ。傴僂の五郎は背は悠太より小さかったが、顔は大人で大きかった。

「あそこの隙間さ」と悠太は指差した。「あれ、倉庫に通じてるんだ。あそこから倉庫に入れないかと考えていたの」

「なあんだ。そんなの、お安いご用だ」

「えっ？　入れるの？　だって三階の入口は壁で塗りこめられちゃってるよ」

「別な入口があるのさ。おっと、こいつは秘密だよ。悠ちゃんだから教えてやる」

今すぐ教えてやるというので、悠太は大あわてでコロッケを頬張り、御飯はお茶漬けにして掻っ込んだ。五郎が先に立った。悠太は、ボールのように丸く突出した背中を追った。炊事場を抜け、病棟への渡り廊下へ出、途中から造り付けの梯子を登って廊下の屋根を歩き、羽目板の一枚をずらすとぽっかりと穴があき、くぐって入ったところがもう倉庫の中だった。堆く積みあげられたガラクタは以前のままだが、埃が払われ、床も綺麗に掃除されてあった。

「ほら、入れたろ」

「うん」

「これで悠ちゃんの好きな物、取り出せるだろ」

「ああ……でも」悠太は、せわしく息衝き、首を傾げた。垂直の梯子はぐらぐらして怖かったし、屋根の上も滑って危険だ。とても五郎のように身軽に大胆に登ってこれやしない。

「この入口は絶対秘密だぜ……何だか苦しそうだね。肺炎だったんだって。見舞いに行こうと思ったけど、常時鶴丸ババアがひっついてやがんでやめたんだ。本当に大丈夫か」

「大丈夫だよ。もう病気治ったんだもん。治ったって、おじいちゃまが言ってたもん」

「おじいちゃまか」五郎は、フンと鼻孔を開いて笑った。何だか祖父を莫迦にされたようで悠太は腹を立てた。

「おじいちゃまが、どうしたのさ」

「あ、いや」五郎は、瞬時に真顔に返った。「おお先生が治ったと言うなら、大丈夫だろうさ」

羽目板を元に戻すと、二人は梯子を降りて渡り廊下に出た。病棟の中へ入る。入口の扉がコンクリートで塗り固めてあった。

「防火扉だ」と五郎が言った。よく見ると、扉を付けた柱もコンクリートだった。「空襲に備えてな、建物をいくつかのコンクリート壁で仕切ったんだ。大工事だったぜ」

「空襲って、ほんとにあるのかなあ」

「あるさ。敵は着々と本土攻撃の準備を整えてやがる。かならず来るさ。だから、こっちも着々と防空対策を整えてるわけさ」五郎は誇らしげに、コンクリート扉を撫でた。

「来な」五郎は悠太を誘った。病棟の外壁に取付けられた木製の坂道を登って行く。「階段だと担架を運べねえからな、こういう斜面にしたんだ」坂道には、滑り止めの板が打付けられて、歩きやすい。二階、三階へと難なく到達した。三階の扉を鍵で開くと、雑品倉庫や病室や便所が左右に並ぶ曲りくねった廊下だ。さらに急階段を登ると、ふと開けた高台に出た。悠太には見覚えのある〝露台〟と言う院内で一番高い場所で、以前は鉄製の螺旋階段で登って来た所だ。

四周の手摺に、荒縄で土嚢がくくりつけてある。どこかで見たような情景、そう、待合室にある東城鉦太郎画の『三笠艦橋の図』にそっくりだった。聯合艦隊司令長官東郷大将、参謀長加藤少将、艦長伊地知大佐が居並び、檣上に四色彩旗がひるがえり、「皇国の興廃此の一戦に在り各員一層奮励努力せよ」と告げている。敵バルチック艦隊が迫っている。安保砲術長が測距機で敵旗艦スウォーロフまでの距離を測っている。距離八〇〇〇メートル。すると東郷大将は、「取舵一杯！」と命じる。有名なT字戦法を発令する直前の光景だ。東郷大将の立つあたりに悠太は立ち、ぐっと前方を睨んで見た。冬ざれの焼けただれたような森が拡がっている。慶応義塾の校舎のむこうはイタリア大使館、その左に三井邸、ポーランド公使館、徳川邸と樹木の多い大邸宅が展開している。そして、時田病院の建物は、おびただしい改築や増築を重ねたため、複雑な突出や外階段や屋根を持ち、何だか戦艦の外観に似ている。まさしく、この露台が艦橋なのだ。そして、隔離病棟、看護婦寮、製薬工場などは、戦艦を護衛する駆逐艦のように見える。二列の丸窓を備えた工場などは、あきらかに小型の艦艇の形を模している。

そう、あたりの森を波に見立てれば、時田病院は大海に浮ぶ戦艦なのである。ひょうひょうと風を切って進む旗艦三笠である。耳を切る氷のような風をもろに受けて立っていても、母の言い付けで駱駝のシャツにセーターを重ね着していたため寒くはなかった。

「いい景色だねえ」と悠太は叫んだ。

「な」と五郎は頷いた。「ここはな、防空監視台だ。空襲になったらな、ここで敵機の来襲を監視し、半鐘で合図をする。この紐を引っ張りゃいいんだ」台の端に太い木の柱が檣竿のように突っ立ち、その天辺に半鐘が、〝興国の鐘〟を無理に吊り上げた形で揺らめいていた。

「これはなあに」と悠太は、台の中央に、大砲のようににょっきりと立つ銅製の円筒に触った。

「高射機関銃の台座だと言いたいが、実はおお先生がそこに望遠鏡を据えて、天体観測をするんだ」

「おじいちゃまが……なるほど、ここなら最高の天文台だね」

〝防空監視台〟で星の観測をしている祖父の姿は、どことなく滑稽である。一昨年春の東京初空襲の情景が鮮かに甦った。わずか一機の爆撃機が西大久保に飛んで来ただけであれだけの火事になったのだ。しかも旧式の双発のノースアメリカンB25に対して、日本側の対空射撃は為すすべもなかった。もし敵機が大挙して、しかも新式の四発の大型機で押寄せてきたらどうなるか。アメリカは、宇宙の膨脹を発見したエドウィン・ハッブルという大天文学者を生んだ国だ。そしてウィルソン山天文台の一〇〇インチ反射望遠鏡は世界最大で、何しろ一時間露出で二十一等星まで見えるのだからすごい。そんな国から来襲する爆撃機を監視する高台で、時田利平が星を観測している様子が、何だか滑稽なのだ。実際の空襲となったら天体観測の優雅は許されず、現在視野一杯に拡がる邸宅や森、つまり平和な景色の一切が、ダンテの地獄のような様相となるのだろう。

ふと気付くと、五郎が階段を滑るように降りて行く。悠太は跡を追った。廊下をずんずん先へ進み、とある扉から屋上に出る。かつて、祖父の〝医学研究室〟だった木造の一軒屋へ五郎は入った。入口で戸惑っている悠太に五郎が言った。「はいんな」

自分には未知の世界が唐突に開けた、そんな驚きをもって、悠太は一歩踏み込んだ所で立止った。強烈な臭いが鼻の奥につんと来た。そして思いのほか明るい内部には、おびただしい絵が、床にも壁にも卓上にも立て掛けてあった。風景画がある。〝防空監視台〟から見渡したらしい俯瞰図やこの界隈の家並みの写生だ。肖像画がある。男の顔だ。五郎に似ている。どうやら五郎自身の自画像らしい。鉛筆画や水彩画もあったが大部分は油絵だった。そして、奥の一角、磨りガラスの天窓からひときわ明るい光の落ちるあたりには、自画像がまるで立ち並ぶ群衆のように集められてあった。目を剝いてるの、細めてるの、睨んでいるの、薄笑いしてるの——さまざまな表情がある。パッチを穿いた大工姿、背広、国民服、裸、おや、大礼服のまである。画架には描きかけの一枚があった。白衣を着ている五郎だ。想像もしていなかったが、五郎の顔には医者然とした白衣が似合う。

「へえ、ゴロちゃん、すっかりお医者さんみたいに見えるじゃない」

「そいつは、まだまだ。未完成だよ」と五郎は絵を両手で匿す仕種をした。

「ゴロちゃんが絵を描くって、知らなかったなあ」悠太は、後ろ手を組んで部屋の中を一巡した。「みんな、えらくうまいじゃない。大したもんだ」ふたたび白衣の絵の前に来た。顔の部分はまだ半分塗られたばかりだが、半月形の目が丁寧に描き込まれ、こちらを無気味に見詰めている。何かにおびえたような表情である。

「まあ坐れよ」と五郎は、また絵を両手で匿すようにして、悠太に椅子をすすめた。卓上にはパレットや絵具や筆やナイフが箱の中の物をぶちまけたように散乱し、煉炭焜炉には薬缶がぐらぐらと煮立っていた。その蒸気があたりの強烈な臭い——絵具の臭いだった——を搔き混ぜている。

悠太は椅子に掛け、すすめられた茶をすすりながら、今度はゆっくりと周囲を見回した。沢山の絵に心を引かれて気が付かなかったが、造作が以前とすっかり変っている。

利平祖父の〝医学研究室〟だったとき、ここは薄暗く、棚には実験器具や標本が零れ落ちんばかり、大机は顕微鏡や試験管や培養基で満杯だった。今、当時を思わせるものは隅のトタン張りの流しだけで、棚は取っ払われ、代りに五郎の手作りらしい、荒削りの白木を用いた衣裳簞笥や食器戸棚や書棚が並んでいたし、低かった天井は無く、屋根裏の梁が剝き出しで、開閉できる明り窓が空の青に染まっていた。これも手作りらしい、五郎用の小さなベッドもあり、枕もシーツも真っ白で清潔だった。

「ここで、ゴロちゃん、暮してるんだねえ」

「はっは、おれの城さ」

「ゴロちゃんが絵を描くなんて、みんな知らないんじゃない」

「まあ知らねえだろうな」

「知らねえ……ここには誰も来ないの」

「来ねえな。誰も来られねえように、前にあった階段は取っぱらっちまったし、廊下のほうから来るドアには鍵を掛けてある。まあ、悠ちゃんが最初のお客さ」

「ぼくだけしか来ないとすると」悠太は、五郎と同い年の大人になった気で分別くさく言った。「ゴロちゃんて孤独なんだねえ」

「孤独……」フンと鼻先で笑い、「なま言ってらあ」

「だってそうだもん。屋上のお城にたった一人で立籠っていてさ、絵を描いてるんだろう。誰も来なかったら、夜なんか怖くないかなあ」

「一人なら安全じゃねえか。下の奴らは、みんないじわるで、わるさばっかしやがるからな」

「下の奴らって誰さ?」

「みんなだ」

「みんな……医者、看護婦、事務長、賄方……みんなかな」

「そうだ」

「お久米さんも、おばあちゃまも……それからおじいちゃまも?」

〝おじいちゃま〟で五郎はちょっと顔をしかめたが頷いた。

「じゃあ、ゴロちゃん、敵ばかりなんだねえ。可哀相」

「可哀相か」五郎は意外にも吹き出した。いつも彼が見せる皮肉な感じの含み笑いと違い、
あけすけに口を開き、尖った犬歯を刺みたいに光らせている。

「そんなにおかしい?」悠太はあきれて眺めていた。

「可哀相なのはおれだけじゃねえ。人間なんてみんな可哀相だ」

「じゃ、ぼくも……」

「そうさな」五郎は、真顔に返り、じっと悠太を見た。日焼けした額の皮が所々剝げて斑になっている。何だか見苦しいような皮膚の荒れにもかかわらず眼だけは白く澄んでいて洗い流した黒い宝石みたいだった。念力を発射して人の心を見透すような目だと悠太は思った。

「そうさな」と五郎はまた言った。「今のこの国に可哀相でねえ人間なんていねえんじゃねえか。戦争は殺し合いだ。負けりゃ殺され、勝てば殺人者だ。どっちみち浮ばれねえ。おれはこんな体で兵隊に行けねえけどよ、悠ちゃんは行くんだろ、行かにゃならねえだろ。殺生をやるわけだ。男たちはみんな殺す方法を軍隊で教わる。これは可哀相さ。しかしよ、女たちだって立場は同じだわな。銃後で戦争に協力しなくちゃならねえ」

「どうして、それが可哀相なんだよ」相手の言い方に嘲笑の響きがあったのが気に入らず、悠太は何だか舞い上った気味で突っ掛った。「戦争だもの。敵を殺さなきゃ、こっちが殺されらあ。アメリカ人はさ、惨虐で、狂暴で、動物みたいな人たちなんだろう。新聞には〝毒獣を撃て〟って書いてあるし、開戦の詔書にはさ、ちゃんと大東亜戦争は正義の戦だってあるよ。〝平和ノ美名ニ匿レテ東洋制覇ノ非望ヲ逞ウ〟する米英を破砕せよって天皇陛下がおおせられたんだよ。ぼく、陸軍幼年学校を受けたんだ。鬼畜米英と闘うんだ」

「幼年学校……そんな噂を聞いてたけどよ、本当だったんだな」

「日本男子だもの。立派な軍人になって……」と、誇らしげに言いかけた悠太は、ふと、口を噤んだ。五郎は兵隊になれない、傴僂で身長も兵隊検査の最低基準である百五十センチ以下だ、その人の前で幼年学校を話題にすべきではなかった。それに、自分の発言も、どこか本心ではない場から飛び出しているようだった。

「心配しなくていいんだよ」と五郎は、優しく微笑した。「悠ちゃんは立派な軍人になって、敵をやっつけてくれ。頼もしいよ。しかしな、言っとくけどよ、おれは兵隊になれないのを引け目にゃ思っちゃいねえ。殺し合いに参加できねえけど、銃後でこうして防空対策に挺身してるわけだからな」

「でも下の奴らはみんな敵なんだ」

「それとこれとは問題が別さ。人間てのは国と離れて生きていけねえ。国が戦争している以上、国に協力しなくちゃなんねえ。でもよ、だからと言って、みんなと仲好くする必要もねえ。まあ、そういうわけだ」

「だから、人間はみんな可哀相なのか」と悠太はそう言ってみたが、実のところ五郎の言葉がよく理解できずにいた。

「そうだよ」と五郎は悠太の発言をまっすぐに取ってくれ、大きく頷いた。「そうよ、ゴカイを破らにゃ生活できねえからよ」

「ゴカイ?」

「五つのいましめさ。仏教の五戒さ。生きものを殺すなかれ。盗みをするなかれ。不倫をはたらくなかれ。嘘をつくなかれ。酒を飲むなかれ。この五つを守れる人間なんていねえのさ。日本中の人間が、いやまあ、アメリカもイギリスも第一の殺生戒に反していやがる。あとの戒律には、誰でも多少とも違反してらあ。この病院じゃことにひどい」

「おじいちゃまのお酒がそうだよね」

「あ、あ」と五郎は叫び、片目を瞑った。「おお先生だけじゃない、みんな多かれ少かれ違反してるさ」

「下の奴らはみんな、ね」

「下の連中だけじゃねえ、おれだって同じ穴のムジナさ」

「ゴロちゃんて、坊さんみたいだね」

「どうして」

「悟ってるもん」

五郎はまた吹き出し、犬歯を光らせた。

「悟っちゃいねえよ。ゲコンノボンプ、イチモンフツウノモノさ」

「何さ、それ」

「ザイアクジンジュウ、ボンノウシジョウノシュジョウ」

「それお経？」

「タンニショウという本にある言葉さ。要するに何も知らない、罪深くて悪い欲望のかたまりの人間ということさ。そんな人間でも救われるという」

「どうやって救われるの」

「信ずることによって。しかし、こんな話をしても仕方ねえな」

「ゴロちゃんて、やっぱり坊さんみたいだな。人の世から離れて、山奥で修行してるんだ」

「はっは、下の奴らは人の世かね。まあそうかも知れねえな」

「わかったよ。下の奴らは敵じゃないんだ。ゴロちゃん、憐れんでるんだ。地獄を見ているダンテみたいなもんだ」

「地獄だって……」

「『神曲』の地獄だよ。地獄の底には、いろんな人がうようよいるんだ。でもダンテはいつも上にいて憐れんでいるんだ」

「そんなんじゃないさ。おれも地獄の底に落ちた男だからな」

五郎がそう言ったとき、変に凄みのある口振りだったので悠太はぎくりとした。しかし、五郎はすぐ表情をゆるめ、「もうこんな話はやめよう。それより、おれが作った時田病院の防空設備について説明してやろう」と言い、棚から筒巻きにした青写真を取出して机にひろげた。

「すごいねえ、精密なもんだね」と悠太はすっかり感心して眺めた。病院全体の詳細な三面図に加えて、それを正確に立体化した透視図もある。さすが絵心のある人の手に成ったらしく、建物の構造が巧みに描き出されていた。

「まあな」と、五郎は青写真の巻き癖を直しながら微笑した。「これを描くのは苦労したさ。長い長い年月のあいだに、岡田棟梁があっちゃこっちゃ直したり毀したり、この病院は継ぎ接ぎだらけだからな。だからよ、この病院の防空対策はむつかしいや。まず患者の避難路が作りにくい、曲りくねった変な階段に替えて、担架を運べる斜面の避難路を作ったが、それにも限度がある。コンクリートの防火壁をどうしても設置できない場所も多い。外側に出っ張った部分、出格子とか軒蛇腹とか戸袋にはモルタルや漆喰を塗ったが、それも全部とは行かねえ。それに、握り屋の事務長が費用を出し渋りやがる。避難路を金を掛けて作るよりも、どうせ医者も看護婦も足りねえんだから、患者を減らすのが早道だっちゅう頭よ。担架で運べる坂なんか作るより、担架で運ばなくちゃならねえ重症患者を入院させなきゃいいって言いやがる。平吉って野郎は、病院が何のためにあんのかまるで考えてもみねえ、いい玉さ」

「あの人……事務長さんて、ぼくも好きじゃないけどさ。でも、あの人、おじいちゃまの子なんでしょう」

「ヒュウ」と五郎は、弾丸が空気を貫いたような異声を出した。「知ってたのか」

「ああ、知ってたよ。あの人、自分で言うんだもの、自分は時田利平院長の、前の前の奥さんの子で、悠ちゃんの伯父さんなんだぞって。ぼくに話すとき、自分のことを〝伯父さんは〟なんて言うんだよ。でも、ぼく、あの人を伯父さんなんて呼ぶと、おかあさんが嫌がるんでさ、〝事務長さん〟って呼ぶことにしてるんだ」

「あんな野郎、伯父さんじゃねえさ」

「さっき、ゴロちゃん、下の奴らみんないじわるでわるさばっかするって言ったけど、それ平吉のこと?」

「そうだよ。平吉と平吉に動かされている連中、みんなだ」

「じゃ、おじいちゃまは違うんじゃない？」

「おお先生は違うさ。でもよ、平吉に動かされてる所があらあな。たとえば病院の防空設備じゃ、おれの意見を入れねえで、患者を減らしゃいいなんて考えてる。ただ、おお先生の偉いとこは、重症の患者だけは絶対断らずに引き受けるとこだけど、そうなると設備が必要になるんだ。おお先生は矛盾してる。その矛盾に気がつかねえとこだけ、平吉にたぶらかされてる訳よ」

「空襲って、いつ始まるのかなあ。おかあさんは防空頭巾（ずきん）を一所懸命作ってるし、ゴロちゃんだって、真剣に設備を作ってるけど」

「ま、今年中に敵機はかならず来襲する。敵は南からじりじり迫って来てるからな。バサブアの玉砕あたりから戦局はおかしくなってきた。ブナの玉砕、マキン・タラワ両島の玉砕、クエゼリン・ルオット両島の玉砕とくりゃ、つぎはもっと近い島に上陸してまたまた玉砕で、飛行機の往復の航続距離の範囲まで近付いたときに、空襲が始まる。それがわかってるから、最近防空演習、防空服、防空壕、防空食と、何もかも防空なんじゃねえか。軍のお偉方も大日本婦人会も学校も会社も隣組も新聞も雑誌も防空防空で、頭の天辺（てっぺん）から爪先（つまさき）まで一杯だあ。だからよ、病院だって防空で一杯でなくちゃなんねえのよ。それにしちゃ、おお先生も平吉ものんきすぎらあ。いいかい、この病院は、ほとんど木と紙でできていて、やたらと中に沢山の部屋を、つまり燃えるために必要な空気を貯蔵してる。まるで巨大な燃料の塊なのさ。おおとし改正された〝防空建築規則〟に違反するから改築せよと警視庁消防課から何度も注意されたんだが、ちょっとやそっとの改築じゃ、どうしようもねえのさ。だけどおれとしちや、放っておく訳にも行かねえやな」

「ゴロちゃん、この病院が好きなんだねえ」

「どうかな」五郎は腕組みして、丸く突き出した背を振った。「形ある物は滅す。こんな古い奇妙な木造建築にあんまり未練はねえよ。でも、おお先生にとっちゃ、三十年以上、営々と作りあげた、たっぷりと思い出の沁み入った建物だろう。おれはな、おお先生のために、この病院を惜しむんさ」

「つまり、ゴロちゃん、おお先生が好きなんだ」

五郎は黙って、大きな二皮眼、色黒で日焼けしているためあまり目立たなかったが、一杯に開くとギロッとして強い意志を示す眼（どこか利平に似た眼だと初めて悠太は思った）でこちらを睨んだ。悠太は、負けないぞと相手を見返したが、すぐ負けてそっぽを向いた。

「おどかすよ」と五郎は言った。「悠ちゃんは、おれをおどかすよ、時々」

「ぼく、何か変なこと言った？」

「まあいいさ」と五郎は急に朗らかな口調になった。「悠ちゃん、おれの作った防空設備の傑作、防空壕を見せてやろうか」

「うん」と悠太も明るく答えた。

二人は来たときの道を逆に辿って病棟の一階に出た。廊下の突き当りに、防火壁にあるのと同じコンクリート張りの扉があった。五郎が鍵で開くと、その先にコンクリートの階段があり、降りた所が地下道で、天井の部分が半円のアーチになったトンネルだった。天井も壁も、びっしりと煉瓦を積み重ねて、堅固に構成されてあった。薄暗い裸電球でぬらぬらと湿った壁が照らし出された様子は、『レ・ミゼラブル』でジャン・ヴァルジャンがマリユスをかかえて逃げて行くパリの地下水道さながらであった。が、このトンネルは二十メートルほどで行止りとなり、ふたたびコンクリート扉を鍵で開いた先が真っ暗な空間で、五郎がどこかでスイッチを入れると、パッと奥深い広間が浮び出た。横幅が四メートル奥行きは十数メートルはあるだろう。半円の天井が煉瓦で固められてある様子が、防空壕と言うより、地下の要塞か牢獄を思わせた。床のコンクリートが歩くたびコツコツと反響し、両側に設えられた木のベンチの坐り心地がよさそうだ。

「なかなかのもんだねえ」と悠太はベンチに腰を下してみたり、後ろ手を組んで歩き回ってみたりした。ここには、いざと言う場合、全職員と全患者を収容できるように設計されていて、折りたたみ式の寝台や机や椅子を始め、薬品、手術用具、蒲団、毛布、非常食、水などが常備してあると五郎は説明しながら、横の倉庫の鍵を開けて見せた。出入口は四つあり、縦長の部分のが発明研究室と勝手口（つまり炊事場と食堂）、入口と奥の部分のが病棟と製薬工場に通じている、つまり院内のどこからもこの地下室に逃げ込めると言う。

「ぼくんちにも防空壕作らなくちゃいけないのかなあ」

「ええ？　まだ作ってねえのか。そりゃ絶対にいけねえ」

「一度、おとうさんが作ろうとして、庭を掘ったんだ。でも、おとうさんって眼が悪いでしょう、あんまり無理すると、眼底出血が再発するんで、途中でやめちゃった。雨が降ると穴に水が溜って、オッコが落ちると危いってんで、また埋めちゃった」

「悠ちゃんとこ、一家六人だったな」

「ときやがいるから七人」

「七人分の壕というと幅一・五メートル長さ三メートルは必要だな」

「そんな大きなもん、ぼくんちじゃ無理だよ」

「おれが作ってやろうか」

「そんならすごいけど、おとうさんが何と言うかなあ」

「おれじゃまずいのか」

「そうじゃない。人に頼むとお金がかかるのが困るんだって」

「ただで作ってやるよ。余った板や角材や煉瓦があるから持ってってやる」

「ほんと？　頼むよ。こんなのが家にできたらすごいなあ」

五郎は軽く頷くと横の扉を開いた。階段を登った向うに畑が開けた。冬場のこととて何も植わってないが、全面耕され、畝が綺麗な縞を成していた。そこは病棟への渡り廊下の近くで、さっき秘密の倉庫に登った梯子が目の前に立っていた。つまり勝手口のすぐそばだった。

「あれ？」と悠太はあたりを見回して面白そうに鼻を鳴らした。「この病院はまるで迷宮だねえ。どこからどこへどう行くんだか、まるでわからない」

畑は、いと祖母が看護婦寮に住む看護婦たちを指揮して作らせたもので、史郎叔父の運動場に製薬工場を建てたとき、余った空地だった。そして、運動具の倉庫だった建物が五郎の仕事場になっていた。鞍馬や飛箱や平行棒が片隅で埃をかぶっている前に、板や角材が山と積まれ、架台の材木のまわりには大鋸屑や鉋屑が散っていた。五郎はシャツ一枚になると、鉋で木を削り出した。痩せて非力に見えた彼の腕が、急にポパイのように盛り上り、たちまち材木はなめらかな表面と化して行く。悠太は木屑の中で、何かの細工に使えそうなのをもらいたいと思ったが、口を一文字に結んで仕事に精を出す五郎を見ると、そっとその場を去った。

　仕事場とコンクリート塀との間に、錆びた金網を張った兎小屋、鶏小屋、豚小屋があり、山羊が木柵のなかに四頭飼われていた。塀のむこう、徳川邸は、前には鬱蒼とした森であったものが、今は開墾されて、やはり畑と化していた。動物の体臭や糞臭、それに畑の下肥の臭いが漂い、あたりはすっかり田舎じみた感じになっている。不意に雄鶏が時を作った。すると山羊が鳴いて返事をした。

　この田園風の雰囲気にそぐわないのが、病棟と競うように建てられた製薬工場の、茶や緑に迷彩をほどこした壁と、中から響く機械の音だった。白帽白衣白ズボンの女工たちは、大体が中年の主婦で、泥棒でも発見したような険しい視線を送ってき、悠太がかまわず中を覗いていると、一人が入口まで出てきて、「ここへ入ってきちゃ駄目よ」と手を振った。その権高な態度にむっとした悠太は、院長の孫だと言おうとしたが、とっさに口から飛び出したのは、「なぜですか」という質問だった。

「だって、ここじゃ軍御用の薬品を作ってるんだからね。見学は厳禁なんだよ。あんた、どこの子？」

「患者です」

「ここで何をしてるの」

「散歩です」

「散歩なら、病院のほうでやりな。ここは立入禁止地区だよ」と立札を指差した。なるほど、「軍の御用工場に就き立入厳禁」の立札があった。悠太は、威張って立去って行く主婦の、ゆるんで三重四重に重なった腰を見送りながら、一体、祖父利平の発明した〝完皮液〟や〝完皮膏〟が、いつ軍事機密になったのかといぶかしがった。

待合室には人気がなかった。ガラスケースは汚れて曇り、中に展示された装甲巡洋艦八雲にも白い埃が積っていた。ボートが二隻欠けていたし、三本の煙突の一つが根元から抜けて下に落ちていた。せっかくの精巧な模型もこれでは台無しだ。これをぼくにくれないかな、そうしたら綺麗に完全に直して部屋に飾るのだけどな、と悠太は思った。『三笠艦橋の図』の油絵模写はすっかり罅割れし、東郷大将の白髭に煤か何かがこびりついていた。そして、待合室を堂々と見下ろしていた軍服の時田利平の写真は、芥子色にぼやけてしまっていた。病室にしろ、この待合室にしろ、何と老朽化のはげしいことか。それは、防空壕や製薬工場の整備された状態と、あまりにも極端な対照を示していた。

薬局も閉っていて、ドアを叩いても誰も出てこなかった。ちょっとお久米さんの顔を見たかったのに残念である。外来の診察室や手術室のあたりも静まり返っている。しかし、どこかで男の話し声がしたので近付いてみると、診察室の隣の、歯科用の寝椅子の並ぶ蔭で、上野平吉事務長と西山副院長が小テーブルを挟んで、将棋を指していた。

「すっかり元気になってよかったね。おめでとう」と上野平吉は立上り、悠太の頭を撫でようとしたが、悠太がよけたので、手で空を切り、将棋盤を振り向くと、「ちょっと待って先生。銀を進めたね。そいつは困った。困った、困った。やっぱり角成りを先にやるべきだったか。ウーン」と、また腰掛けた。しかし、悠太が行こうとすると追ってきて、「そうそう、悠ちゃん、おかあさんが見えてるよ。おばあちゃまの所よ。あっちこっち散々捜してたよ。病み上りのくせにどこかへ遠出したんじゃないかって、それはそれは心配してたよ。決めた。先生、金打ちとくらあ。どうだ」上野平吉は、立ったまま駒を盤上に叩き付けた。

「ほほう、なかなかやるね」と西山副院長は額の髪を掻き上げると、歩をパチンと置いた。

「まいったね。これで銀は取れねえ。角もあぶねえ」上野平吉は腕を組み、首を張子の虎のように上下に揺らめかし、と思うと悠太を振り向き、「どこに雲隠れしてたの。伯父さんも捜したんだよ。病棟のなかを走り回ったよ。はいはい、先生、逃げましょう。角は大事ですからねえ。ほらっと」と、また盤面に向った。

その隙に悠太は遠ざかった。上の空でお追従だけをペラペラ言うような上野平吉が好きになれなかった。

二階に、今日は婦人会の女たちの姿が見えなかった。院内の〝花壇〟で防空食の講習会があるので出払っていたのだ。きのうなど、いと祖母はその準備に大童で、広間や〝お居間〟

に七輪を並べ、野菜と小魚を小麦粉にくるんだ〝野菜饅頭〟、冷御飯に野菜屑を混ぜて焼いた〝五色焼〟、卯の花と小麦粉を混ぜて蒸した〝卯の花パン〟など、空襲用の非常食をあれこれ試作して、悠太にも味見をさせた。

女たちがいないと、静かで、そして広々として見える。菊江祖母が生きていたときの、ほんの子供であった悠太が弟たちと走り回って遊んだ空間がよみがえり、史郎叔父の部屋、夏江叔母の部屋、利平祖父の居間、寝室と、自由に出入りしてみたくなった。悠太の足音を聞きつけたのだろう、母が三階から顔を出した。何やら切羽詰った面差しで、「どこに行ってたの。早くおいで」と叫んだ。母の気振りにびっくりして急階段を駆け登ると、部屋の中にはお久米さんがいた。と、母がいきなり目を輝かしてにこやかに、「おめでとう、名古屋よ」と言い、ハンドバッグから電報用紙を大事そうに取出した。「ナゴヤエウネンニサイヨウヨテイヰサイフミスグヘンケウイクソウカンブ」とあった。合格ではなく採用予定とあるのは四月初めに身体の再検査があって、それに通れば合格だという意味だ。

「おめでとう。いよいよ陸軍の将校ね」とお久米さんが、不断はしない握手を悠太にもとめてきた。

「よかったよ。本当によかったよ」と母は引攣ったように言い、突如噎び泣きを始めた。「お前、これで安心だよ。何しろ、天下の幼年学校、だからねえ。一流の学校、だからねえ。立派な軍人に、なれるんだものねえ。お前も頑張って、よくやったよ。おかあさん、本当に嬉しいよ。すぐおとうさんにお電話して、返電を打ちに行って、明治神宮にお礼参りして、お前にも電話しようと思ったけど、電話より、顔を見たくてねえ、飛んで来たのよ。悠太、おめでとう」

「うん」悠太は、正直に喜色をあらわす母を当惑して眺めた。合格は嬉しい。これで坂田に引け目を覚えずにすむし、クラスの連中もまぶしげに見るだろう。が、軍人という未来に不安も大きかった。泥水の中を突撃しただけで肺炎になる弱い体だし、運動神経は無いし、幼年学校という、きつい軍事教練をやる学校生活に耐えられるかどうか。野営、駆け足、強行軍、そして四角四面な規律のもとでの集団生活。どれも中学校では想像もできないほど厳格なものらしい。

「どうしたのよ。嬉しくないの」と母が言った。

「びっくりしてるのよ」とお久米さんが言った。「ねえ、悠ちゃん。おかあさんがこんなに泣いてちゃ、びっくりだわねえ。そりゃ嬉しいわよ、ね」

「うん」と悠太はやっとにっこりした。すると心も定まった。この二年間の受験勉強がやっと実ったのだ。身体検査だって通ったのだから体の心配はしなくてもよい。第一、母がこんなに喜んでくれている。嬉しいと思うべきなのだ。ようやく歓びの情が胸に涌いてきた。

母は涙を拭い、赤い目で笑った。

「おじいちゃまも大喜びよ。さっき往診でお出掛けの前にお話したら、よくやった。陸軍も海軍も、陛下の軍隊だから同じだっておっしゃってた」

「ほんとよ、おお先生喜んでらした」とお久米さんも言った。「日本を守るのは、これからは悠ちゃんたち、若い人たちだものねえ。頑張ってね」

「あ、それからね」と母が言った。「悠太は、もう退院して大丈夫ですって。きのう撮ったレントゲンでも肺炎の気はもう無いし、体力も回復したし、あしたは学校へ行って大丈夫ですって」

「あしたは土曜日だね」悠太は時間割を思い出した。英語、漢文、理科……英語はこの十日間で大分進んだろう。単語を引いておかねばならない。退院と決ったらすぐにでも帰宅したい。

母とお久米さんが下に降りたあと、悠太は本や下着や洗面用具を集め始めた。母やいと祖母にもらった本をまとめ、分厚い『宇宙の構造』を手にしたとき、このところずっと天体観測をしておらず、せっかく三田にいるあいだに、あの〝防空監視台〟で祖父と一緒に望遠鏡を覗いて見たかったと思った。このところ、武蔵新田(むさしにった)の祖父の別荘の天文台にも行っていない。一度、『宇宙の構造』の疑点についてじっくりと祖父に質問してみたくなった。小学生のとき、祖父は広大な宇宙の、銀河や星雲や膨脹(ぼうちょう)について語ってくれたものだった。それが、悠太が中学生になってから、すっかり疎遠(そえん)になってしまっていた。全部を風呂敷(ふろしき)に包もうとしたがなかなかうまくいかない。やっと包んだとき、悠太は自分の指からシモヤケがかけらもなく消えているのに気付き、何だか自分の体が新品に改造されたように感じた。

下が騒がしくなった。講習会が終って女たちが帰ってきたらしい。悠太が大きな風呂敷包をかかえ、急階段をそろそろと降りたところで、あたりがしんと静まった。割烹着(かっぽうぎ)の主婦たちが横一列に並び、いと祖母が中央に立ち、「悠ちゃん、合格おめでとう」と言うや主婦たちが、「おめでとうございます」と揃ってお辞儀をすると、わあと歓声をあげて拍手した。

悠太は、風呂敷の結わきめから汚れたパンツの端が出ているのを恨めしげに見ながら、顔を火照らせて、「どうも」と頭を下げた。

「素晴らしいじゃない」といと祖母が言った。「難関突破ね。いよいよ、帝国陸軍軍人ね。悠ちゃん、この方はね、××さんで、御長男が幼年学校を出て、今は陸軍少尉になってらっしゃる。新しい将校生徒にぜひお目にかかりたいって言ってらっしゃる」

中年の主婦が進み出て、悠太に挨拶した。

「ほんとにね。うちの子もこんなに小さかったんですね。幼年学校は立派な学校です。頑張って下さいね」

主婦たちが笑顔で口々にお祝いを言った。こういう場合、どう応じたらよいのか見当もつかず、悠太ははにかんでいたが、それに対して、「ま、かわいらしい」「ういういしいわ」と評言が飛んだ。

「悠太」と母が救い出すように声を掛けてくれた。「おじいちゃまが、お喜びよ。ちょっと院長室に顔を見せなさいって」

祖父は往診から帰り、着物に着替えたところだった。脱ぎ捨ててあった背広を、母は洋服箪笥のハンガーに懸けた。

「おお悠坊。幼年学校合格、よかったな。祝着至極じゃ。まあ坐れ」

悠太が机の前の椅子に坐ると、祖父は、自分用の回転椅子に腰掛けて、ギョロリと大きな目をこちらに向けた。

「軍隊は初めてじゃから、いろいろ戸惑おうがのう、おじいちゃまは、昔軍隊にいたから、よう内部を知っちょる。軍隊ちゅうのはな規則を守るが第一じゃ。一遍規則を犯すとかならず目を付けられるから、よくよく気を付けるんじゃ。軍隊の飯は早飯で、はよう食べんと日課に遅れる羽目となるから、みんなよう噛(か)まんで飲み込むから胃腸を害す。一度胃腸を害すると中々恢復(かいふく)がむつかしいから要注意じゃ。入浴は大勢がいっしょにするからインキンに感染する。陰嚢(いんのう)がかゆくなったら要注意でサルチル酸で早いとこ治す。入浴後は足の指のあいだを充分に拭って湿気の無いように心掛けるんじゃ。湿気があると水虫ができて難儀じゃ。それからな、金をケチケチしてはいかん。金に困ったら、他人に借りてはいかん。困ったときは、このおじいちゃまに言うてこい。それから女じゃが……」

母は、途中でくすくすと鼻を鳴らしていたが、女に来て、「まあ、幼年学校には女なんて関係ありませんわ」と笑った。

「笑うな」と祖父は、そう怒った様子もなく言うと、悠太に大きく頷いた。「今、言うたことは軍隊では最も切実な注意じゃからな、忘れちゃいかん。とくにインキンと水虫と金は肝に銘ぜよ」

「はい」と悠太は、自分がもう軍人になったような気持で言った。

「よし、それじゃ、悠坊にこれをやろう。合格祝いじゃ」と祖父は、洋箪笥の上の硝子鐘(ガラスしょう)をのけ、金色の懐中時計を取ると、「ほれ」と机上に置いた。

「まあ、おとうさま、これ、記念の大事なお品じゃありませんか」

「悠坊、これはな、おじいちゃまが日本海大海戦のとき、ロシアの士官の重傷を治してお礼にもらったものだ。金側でドイツ製じゃ。まだ立派に動く。日露戦争のあいだずっと使っておって、この三田に開業したとき、ここに飾っておいた。しかし、今でも戦勝記念祝賀会とか観艦式には持って行く」

「そんな大事な物を、いただいちゃ……」と母が手を振った。

「ええわ」と祖父は笑った。「史郎の出征に際してやろうかと思うたが戦地ではこんな贅沢品は不用じゃろう。帝国軍人の門出に、悠坊の門出にこそ相応しい。何しろ、身内で初めて出た職業軍人じゃからのう」

　母が目くばせしたので、悠太は「おじいちゃま、ありがとう」と言った。手に取ると、ずしりと重い。

「言っておくが、これは供出せんでよい品で、ほら日露戦争戦利品の証明書がついちょる」と祖父は古い紙切れを封筒から出して示した。金製品は軍事貴金属として供出させられ、小暮家では前田侯爵から拝領の金盃も母の結婚指輪ももう無かったのだ。

　看護婦が入院患者の病状急変を報告に来たのを潮に二人は院長室を出た。懐中時計のずしりとした重量を掌に感じながら、悠太は自分がちょっぴり偉い人間になった気になった。みんなが祝ってくれる。幼年学校合格とは大した出来事らしい。そこで、玄関口で上野平吉が、駆け寄ってきて、「万歳、よかった。おめでとう。いよいよ軍人さんだねえ。大したもんだねえ」とペラペラ喋(しゃべ)り掛けて来たときも、落ち着いてにこにこしていられた。そこへ五郎が、何だかひんやりとした感じで入ってき、悠太が手をあげて合図をしたのに、知らん顔で行ってしまった。

　田町駅まで歩く途中、母が訊(たず)ねた。

「さっきはどこへ行ってたの。お久米と二人で、方々捜したのよ」

「ゴロちゃんに防空設備見せてもらってたんだ。すごいんだよ。防空監視台も、防火壁も、避難路も、防空壕(ぼうくうごう)もあるしさ。おかあさん、防空壕見た？」

「見たわよ。大きなものね。おじいちゃまの設計でしょう。一トン爆弾の直撃でも平気なんですって」

「おじいちゃまの設計か。でも作ったのはゴロちゃんでしょう。ねえ、家にも防空壕作ろうよ。あのね、ゴロちゃんがね、作ってやるって。煉瓦(れんが)や板なんか余ってるから持ってってやるって」

「それはありがたいけど、わたしは反対よ」

「どうして」

「ああいう人には物を頼みたくないんだよ」

「どうして」

「どうして、どうしてって、うるさいわねえ」と母は突如つんけんとした。しかしすぐ、そうした自分を恥じて諭すように言った。「ああいう人は根性が捩じ曲っていることが多いんですよ。見るからに陰気な顔付きで、いつもむっつりして、腹に一物あるっていう感じでしょう。ああいう人に物を頼むと、えてしてあとが面倒になるんですよ」

「そうかなあ……」悠太は、母の語調に奇妙な険があるので何も言わなかった。そして、五郎の油絵や五郎と平吉の確執などは母に言うべきでないと思った。

## 5

三月中旬、冬が拳を握り締めるようにして続いていた寒気が急にゆるみ、すっかり春めいた暖かい日曜日に、小暮家の防空壕を五郎が作ることになった。初め、五郎に頼むのを嫌がっていた母の初江も、父の悠次が、「おれは力が出せないし、材料費も手間賃もただで間島がやってくれるというのなら、そういう本職にまかせるのが得策だ。とにかく防空壕は丈夫で安全なのが第一だからな」と言うと、「子供たちの安全が第一ですわね」と納得した。

一週間ほど前に、五郎から、地下式掩蓋付防空壕の青写真が送られてきた。幅一・五メートル、長さ三メートル、深さ一・八メートルで、壁は厚さ二センチの板張り、天蓋は梁を渡した上に厚さ五センチの板を付け、さらにその上に耐熱煉瓦と土盛りをする。床は中央に排水溝を掘り、左右に腰掛けをつけ、向い合って坐れる。細かい所では、天蓋を少し斜めにして雨水が横に逸れる、入口の階段を曲げて爆風の直撃を避けるという配慮がなされていた。

また入口が塞がれても外へ逃げられる脱出口が用意されていた。

「さすがは大工だ。よく考えてある」と父が唸った。

「だって、ゴロちゃん、その道の専門家だもん」と、悠太は、自分の仲介で事が成就するのを嬉しがった。

朝、一家が食事中に、自動車のエンジンが響き、「おや、もう」と母が驚くうちに角材を肩に担いだ五郎が現れた。パッチをはいて時田病院と白抜きの印半纏を羽織って、いかにも大工らしい出で立ちだ。子供たちは外へ走り出た。「軍御用国防薬製造元　時田病院」とドアに大書した小型トラックに煉瓦や板や角材や大工道具が積み上げてある。ときやが手伝うと申し出たのを断って、五郎は、父なんかとても担げそうもない重い荷を軽々と、十往復ぐらいで運び終えた。そういう五郎には、他人の手出しを許さない威光が備わっていて、ときやも父も母も、すこし離れて、つまり敬遠して、五郎を見守った。

まず防空壕の位置を定める。捲き尺で縁側からの距離を測り、以前父が穴を掘った場所より、ずっと垣根沿いを杭に紐を張って区画すると、印半纏をパッと脱ぎ、白シャツ一枚となってシャベルで素掘りを始めた。シャベルが大きく見えるほどの小男が、巧みに大量の土を放るさまは迫力があり、央子は、「ゴロジちゃん、すごおい」と嘆声をあげた。父が一日がかりで掘削したのより、はるかに大きく深い矩形の穴が二時間ほどで掘り上った。中央の排水溝まで綺麗に仕上っていた。杭打ちが始った。あらかじめ壁を縦に削った所に具合よく角材を打ち込んでいく。杭に壁板を打ち付ける。排水溝の蓋や腰掛けが形を成して行く。一応内装が終ったところで階段掘りが始った。シャベルが横に縦にひるがえると階段の形が、彫刻師が鑿で木を削るように現れてくるのだった。

昼飯となった。ときやが用意した握り飯と鰺の干物に、五郎はすこし手をつけただけで、もう結構ですと言う風に頷くと、茶を飲んで立上った。父が、取って置きの葉巻きをすすめても手を振って断った。

棚を作り付ける。防火用のアスベストを塗った扉を蝶番で取り付ける。穴の内装が終ったところで天蓋の作業となった。これは簡単で、梁を渡して板張りの上に煉瓦を密に並べ、掘り土をそこに盛りあげた。土が雨を吸わぬよう藁屋根風に藁を並べて出来上りだった。五郎が黙って大工道具を片付けだしたので、それと知れたのだった。

五郎が、トラックに乗り、エンジンを掛けたとき、父があわて出した。「これを渡さなきゃ」と内ポケットから金一封を抜き出して渡そうとしたが、五郎は頑として受け取らず、発車させて去った。

「どうしても受け取らねえや」

「頑固ですねえ、誰かに似たんですよ」

「無愛想な男だな。来たときも帰るときも挨拶一つしやがらねえ」

「まったく、とうとう一言も喋りませんでしたね。でも仕事ぶりは見事でしたわ」

子供たちは防空壕の階段をおり、重い扉を引き開けた。おそるおそる中に入ると、はしゃぎだした。ベンチに坐り、駿次が空襲警報のサイレンの真似をすると、研三と央子は、学校で教わったように親指で耳をふさぎ、四本指で目を押えてじっとした。父が「どれどれ」と入ってきて懐中電灯であちこちを照らして吟味した。「板の部分にはニスを塗らんといかんな。この棚は中々便利だぞ。水と保存食と救急箱を置くか。電灯を点けたいな。しまった、電線を引き込む穴をどこかにあけといてもらえばよかった」父が出ると母が入ってきた。「おや、真っ暗で何も見えないねえ。空襲となったら、こんなお墓みたいなところに入るのかねえ、何だか陰気で湿気て嫌だねえ」母が出ると、駿次が、「シッケテイヤダネエ」と母の口真似をして、研三と央子がくっくと忍び笑いをした。

三月下旬、悠太の期末試験が終った翌日に駿次の都立六中合格の発表があった。悠太の幼年学校合格と駿次の六中合格に加えて、今般、脇敬助少佐が参謀本部参謀から防衛総司令部参謀に昇進し、親戚の慶事が重なったので、ぜひともお祝いの宴を張りたいと言いだしたのは野本桜子であった。三月二十六日の日曜日の夜、小暮家の全員は野本邸に招かれた。

脇邸の離れのほうは幼い時よりよく訪ねて知っていたが、脇礼助ゆかりの母屋に入るのは初めてで……いや、幼い時、脇礼助の葬式のときに一度だけこの母屋に来たことがあるが、天井の豪華なシャンデリアとか広々とした家の中の感じしか覚えていず……だから、ほとんど初めてだと言ってよく、悠太は、珍しげに、しかし、あまり視線を動かすのを悟られぬように、観察した。

磨かれてスリッパの滑る廊下、今張り替えたばかりの真っ白な障子、複雑な浮彫で飾られた欄間、滝や池や橋のある庭――落合の風間振一郎邸よりは狭いが、がっしりとした材木で木目細かに造作されている点は、こちらが優れていた。ガラス窓で二方向に庭を見渡す広間は洋風で、五角形の大テーブルに食器の用意が整っていた。悠太は、これと同じ型の、やはり五角形のテーブルが逗子の脇家別邸にも置かれていたことを思い出した。もっとも、あちらのはニスを塗っただけの素朴な作りだったが、こちらは黒漆に真珠貝の象眼で細密模様を付けた豪華なものだった。

五角形の各辺に子供は三人ずつ、大人は二人ずつ掛け、脇百合子だけは娘の美枝の世話をするために三人掛けになっていた。悠太の右に駿次、研三、央子、美枝、左に脇敬助、以下野本武太郎、悠次、脇美津、野本桜子、初江、脇百合子の順だった。十二人がこうやって坐ってみると、子供たちだけ別に座を占めている感じと、大人と同席している感じとあって、それはおそらく円卓では生じない、まして四角いテーブルでは全くおこらない、面白い現象であった。

野本武太郎が立って、敬助の昇進と悠太と駿次の合格を祝した。

「いよいよ、戦局は容易ならぬ段階に突入してきましたが、わが親戚から帝都防衛の第一線に当る防衛総司令部参謀と将来皇軍の中核となるべき将校生徒とが生れたことは心強いし、また軍関係の学校へ大量合格する進学中学生を一人加えたことは喜ばしい……」

大人の男たちは赤葡萄酒で、大人の女たちと子供たちは蜜柑ジュースで乾杯した。スープ、肉皿と出る西洋料理で、桜子は子供たちにナイフとフォークの使い方や料理の名前を教えた。

厚さ一センチはある牛肉のソテーや一羽丸々のローストチキンに悠太は目を丸くした。配給の塩鮭や塩鱈を御馳走と思う身には想像を絶する贅沢である。時田病院では、食材が豊かで肉、鶏卵、蒲鉾、薩摩揚などがよく出はしたが、これほどの料理は出たことがなかった。

悠太は、食べ物の優劣に関心を持つ自分を卑しいと蔑む心は持っていたけれども、最近、とくに退院後のわが家の食卓の貧しさが目につき、それに体の成長が要求するのか襲ってくる空腹にも苦しんでいた。田舎に親戚がなく、食べ盛りの子供四人をかかえて東京で生活する母の苦労も身に沁みてわかる。配給だけでは到底足りないので、母とときやは、交代で、リュックサックを背に千葉や埼玉に買出しに行っていた。母が桐箪笥の引出しを開いて、交換用の着物の品定めをする姿を何度も目撃している。

ときやは口減らしのため故郷の栃木県に帰ろうと申し出て、父と母とがひそひそ相談するのを耳にもした。だから、と彼は思う――ぼくが幼年学校に行けば、わが家では一人分の食糧が助かるわけだ。

子供たちは、素直に、御馳走に大喜びし、大人たちは、礼儀正しく、桜子の才覚と料理の腕を称賛した。とにかく、ここには世間と隔絶した奢侈と飽食が残っていた。

「いやあ、結構なお酒とお料理で、しばし戦争を忘れますなあ」と悠次が桜子に言った。「最近、玉砕と転進の報が相継ぎ、敵の空襲近しの声が巷間にささやかれていますが、日本にはまだまだこんな宴会ができる場所があるし、皇軍はまだまだ底力を持っていて、現に時田の史郎さんなんか、第一線にいながら悠々たる生活を送ってるそうじゃないですか」

〝その通りですわ〟と言うように、紅い唇を突き出して、桜子がこっくりした。「史郎さん、大層な暮し振りだって、これは風間の父が申しておりました。父は大東亜共栄圏の資源調査団に加わってスマトラの視察に参ったんですの」

「油田管理官となって、オランダ人の家を接収しているとか」と悠次は水を向けた。

「ええ、ええ、そうなんです」と、桜子は茜色のスカートの膝をポンと叩いた。「オランダ人は贅沢三昧に暮していて、庭では一年中花が咲き乱れ、蛍が飛び、プールやテニス場も備えてるんですって。台所には電気冷蔵庫があり、地下には年代ものの葡萄酒や食糧がうんとこさ蓄えてあって飲み放題の食べ放題……」

「戦場と言っても夢みたいなとこだな」と悠次が目を細めた。

「いや、オランダ人の植民地搾取がいかにひどかったかの見本でありますな」と敬助少佐が言った。「蘭印の現地人は悲惨な生活をしとるのが現実です」

「史郎さんはオランダ人と違って蘭印人の面倒をよく見るので、みんなに慕われていると か」と桜子が言った。「そして贅沢な生活ができるのは、皇軍の底力のお蔭ですわ」

「そう皇軍の底力、余力ですよ」と悠次が嬉しげに賛同した。「第一線で余裕を持って闘うというのは頼もしい限りじゃないですか」

「スマトラのどの辺なんでしょうね」

「それは軍機だから父も言えないんですって」

「パレンバン近くの製油所ですよ」と武太郎が平然と言い、〝あら、だめよ〟と言うように手をあげた妻を無視して続けた。「一年中暑い。製油所のまわりはジャングルで、猿や栗鼠が多い。自然に恵まれているが、蚊も多く、史郎さんも楽じゃないでしょう。風間さんの話だと、マラリヤやデング熱の病兵が大勢いるというので、その方面にも気配りしなくてはならない」

「楽な第一線なんぞ、ないわけですな」と悠次が言った。

「晋助さんはどうしているかしら」と、話題を変えるように、桜子が美津に尋ねた。「最近お便りありまして?」

「あの子は筆無精でね。さっぱり手紙を寄こさない」と美津は、半白の髪を風に揺らぐように横に振った。「去年の夏だっけね、サイゴンから手紙が来たのは。それっきりよ」

「そうだった」と悠次が頷いた。「突然サイゴンから手紙が来たんでびっくりした。歩三の主力は満洲のハルビンだとばかり思ってたからね。やっぱりフランス語の能力を買われて通訳を命ぜられたわけだろうが」

「転属の理由は書いてなかったわよ」

「通訳に違いねえさ。もっとも敗戦国のフランス相手じゃ、大して重要な任務じゃなさそうだけど」

「いやいやそうでもない」と敬助少佐が金色の参謀用飾緒(しょくしょ)を揺すった。厚い胸と盛り上った肩を、この飾緒はそれにふさわしく装飾していた。「南部仏印、泰(タイ)、ビルマ、この方面は皇軍の枢要(すうよう)なる勢力圏ですぞ」

「晋ちゃんは器用に立回れる人じゃねえ。まだ将校になってねえんだろう」と悠次。

「あの子は大学で教練の検定証をもらえなかったんで幹候を受ける資格が無かったんだよ」と美津が吐息をつき、細面（ほそおもて）を頼りなげにゆがめた。「あれほど言っといたのに、教練をさぼりっぱなしで配属将校を怒らしてしまったからねえ」

「でも、すくなくとも上等兵にはなっているだろう。出征してもう、かれこれ二年経（た）つもの」

「駄目（だめ）なんだよ。まだ一等兵。何かへまをやったらしいよ」

「たしか入営したのは一昨年の一月だったから現役兵で二年経った……」と百合子が訳知り立てに言った。「現役の期間は終ったわけですわね」

「そう」と悠次が言った。「だから敬ちゃんの顔で、除隊帰還と持っていけねえかね」

「これだけは、いけないな」と敬助少佐が頭を振った。その風に揺らぐような振り方が美津にそっくりだった。

「敬助さん」と桜子が正面を切って尋ねた。「空襲はいつ始まるんでしょうね」

不意に静まり返った。大人たちの会話から弾（はじ）き出されて、ふざけ合っていた子供たちもふと黙り、防衛総司令部参謀を見詰めた。

「ウム」と参謀は、骨張った頑丈（がんじょう）な顎（あご）を引き、幾分俯（うつむ）いて考え深げに答えた。「まず単簡明瞭（めいりょう）に言えるのは、いつ始まるかは特定できんということですな。何しろ、一億七千九百万平方キロメートルの太平洋だ。いくら皇軍の飛行機が優秀でも、敵を一機も入れんなど、できはしない。それに、一昨年のように、空母発進からのなら、虚を突いて、また可能である」

「頼りないお言葉……」と桜子がつぶやいた。

「現在、敵は空母発進より、もっと大規模の空襲を考えておる。そのための爆撃機を鋭意開発してきて、最近の情報によれば超大型のやつを完成したらしい。そいつは、〝空の要塞〟B17を一まわり大きくした巨人機で航続距離は九〇〇〇キロという。これは爆弾を積んだ場合短縮され、五〇〇〇キロほどになると推定される。つまり二五〇〇キロの地点に飛行場があれば、日本を爆撃して帰還できる。敵はそのような基地を求めて南より機動隊を北上させつつある。もし、どこかの島を敵に占領されたら、その時、大規模な空襲がおこるのであります」

「怖いお話ね」と桜子が首をすくめた。

「これが現実なのです」

「それじゃ、またどこかの島で玉砕がおきて、東京はいよいよやられる。これは大変、急がなくちゃ」

「何を急ぐの」と初江が尋ねた。百合子と桜子のあいだで、何だか塞ぎ込んだように黙っていた彼女の、これは初めての発言だった。

「疎開よ。東京は危いから軽井沢に疎開するの。もう荷物を大分送ってしまって、ここには大したものは残ってないの。今、ここが焼けても大丈夫……」と言ってしまってから、桜子はこの家が脇家の所有物件であると思い出したらしく、はっと顔を赤らめた。しかし美津は礼儀正しく無表情で遣り過した。

「いいわねえ、別荘のある人は。うちは東京以外に行き所がない。別荘なんかどこにも持ってないし、田舎に親戚はないし、ここを焼け出されたら一巻の終りよ」

「軽井沢に別荘を持ったらいいのよ。実はね、敵産として没収された米英人の別荘が安く入手できるの。風間の父が万平ホテルのそばに、アメリカの宝石商の別荘を買ったんで、わたしたちはその隣の銀行家のを買ったの。まだまだ空き家はたんとあるわよ」

「先立つ物がありませんわよ、ねえ、あなた」と初江は悠次に目くばせした。

「無理ですね、こちとらには」と悠次が桜子に言った。「あそこに別荘を構えるには、いくら安くても数千円はかかります。しかし、風間さんは、落合(おちあい)の御自宅の地下にジークフリート線みたいな防空壕(ぼうくうごう)を作ってるそうじゃありませんか。いまさら軽井沢に行かなくったって……」

「でも、防空壕より疎開が本筋だとおっしゃったのは、防衛総司令部参謀殿よ。風間の父もその進言に従ったのよ」

「敬ちゃん、そうなの?」と悠次が尋ねた。

「まあそうです」と敬助が答えた。「防空の真の目的は待避ではなく攻撃です。攻撃こそ最良の防衛です。防空壕に待避するだけでは空襲はふせげない。ここは考えを一歩進めて、女子供は疎開し、男は後顧の憂(うれ)いなく帝都防衛と敵機の攻撃に当る、これが理想の防空です。帝都防衛のため、すでに改正防空法による建物の強制取毀(とりこわ)しが始ってます。これにより類焼を防ぐ。他方、高射砲と陸軍航空隊の邀撃(ようげき)で鉄壁の陣を作る。とくに航空隊は帝都防衛のために温存してきた司偵隊と戦闘隊が、水も漏らさぬ配備を完了しています」

「ま、心強いお言葉……」と桜子が今度は甲高く叫んだ。

「そうです。帝都防衛の準備については軍は心強い。しかし民間がまだまだ軍に協力して防衛の実をあげるまでに到っていない。いいですか、疎開は、危険な帝都から安全な田舎に難を避ける消極的行動を意味していない。それは、帝都を効率よく守るための積極的作戦への協力なのであります」

「要するに、女子供は足手まといというわけね」と桜子が真顔で言ったが、何となく揶揄の気味が口裏にこもっていた。

「単刀直入に言えばそうですな」と敬助は恬として言った。「敵は必死、我も必死、こういう状況では後顧の憂いなきを最上とする」

「わかりましたわ。わたし、お国のために進んで軽井沢に身を引きますわ。でもね、あそこも問題があるの。今、中立国人と同盟国人の大群があそこに集っているでしょう。外国人の強制居住区になってるの。食糧不足がひどい。外国人を監視するため、憲兵だの特高だのも大勢入っていて、怖いみたいよ」

「でも、東京の食糧不足もひどいし、やっぱり安全なほうがいいわ」と初江が言った。

「疎開か……」と悠次が小量の葡萄酒で真っ赤になった顔を手の甲でこすった。「うちは本当に行き場所がねえ。困った。ねえさんとこは逗子に行けばいいしな」

「まあ一応そうしようかと思ってるよ。百合子も美枝も一緒に行こうかと考えてる。でも、逗子も結局は安全じゃないだろう。追浜の海軍飛行場や横須賀鎮守府が近いし、空襲や艦砲射撃のとばっちりを受けやすいし、最終的には金沢へ行こうかとも考えてる。黒田の神様が、金沢は安全じゃから来いとおっしゃるんでね」

「黒田の神様か」悠次は薄笑いを浮べ、葉巻の煙にむせた。

「悠ちゃんは莫迦にするけど、神様の予言はよく当るんだよ。大東亜戦争が始ったときも、きっかり日時まで予言してらしたんだからね」

〝黒田の神様〟には、悠太も何回か会ったことがあるが、粗末な黒っぽい着物を着た、ごく普通の小母さんで、どこにそんな神通力が潜んでいるのか理解できなかった。

「でも、金沢も大きな町で、あぶのうございませんか」と初江が言った。

「なに、黒田の家は金沢の端にあるし、それに金沢や京都みたいな由緒ある都市は爆撃しないと、神様が予言なさるんでね」

「まあ……」初江は反論したそうに口を尖らせたが、何も言わずに目をしばたたいた。

「時田さんはどうなさるおつもりなの」と美津が初江に尋ねた。

「病院があんなに大きくなると、おいそれとは疎開できませんでしょう。父はどうやら踏み止まって頑張るつもりらしゅうございます。全職員と全入院患者を収容できる地下室なんか作っていますし、貯水槽や防火壁も完成したようです。ただ、病院の建物は、いくらいじっても完全な防火はむつかしいらしく、警視庁消防課からいろいろお叱りを受けているようです」

「あんな風に複雑な木造の建物は、むつかしいでしょうね」

「ありゃ、どうしようもねえよ」と悠次が言うと、初江はむっとしたように唇を噤んだが、そのまま黙っていた。

「夏江さんはまだ八丈島ですか」と美津がなおも尋ねた。

「はい」

「透さんもまだ……」

「はい」初江は、この話題を避けたい様子で気乗り薄の返事をした。周囲の人々が聞き耳を立てていて、沈黙がしばらく続いた。叔父の菊池透がどこかの監獄にいること、叔母の夏江が夫の故郷である八丈島に帰っていることを悠太も知っていた。しかし、詳しい事実は両親が話したがらなかったし、今回三田に入院中も、叔母や叔父の消息は誰も、わざとのように話さなかったのだ。

　重苦しい空気を破るように、「ぼくんち、すごい防空壕作ったんだよ」と悠太は言ってみた。

「へえ、どんなの」と桜子が興味を示したので、悠太は、便箋を借りると、得意の細密画を描き、間島五郎がどんなに巧みに工事を進めたかを、すこし大袈裟に吹聴した。〝大型〟のトラックに資材を満載してきて、〝あっと言う間に〟、〝豪華な〟壕が完成した、ぜひみんな見学に来てほしいなどと言った。いつもだったら、息子の話を、「違うわ」「そんなことないわ」と打消す母が、にこにこと合点していたのは、息子が嫌な話題をそらしてくれたことを諒(りょう)としたせいらしかった。

　デザートには、蜜(みつ)の甘味がきいたカステラが出、そのあと、大人たちにはコーヒー、子供たちには紅茶が配られた。なんと、ちかごろは全く姿を消していた角砂糖が各自の皿に乗っているではないか。これは風間振一郎が南方視察の旅の土産物で、オランダ人が貯蔵していた物だそうだ。「砂糖だぞ」「本当の砂糖」と弟や妹は嬉々(きき)として、茶匙(ちゃさじ)に載せ、紅茶を浸(し)ませて、融(と)けて崩れるさまを見詰め、惜しそうに掻き回した。そうしている弟や妹が子供っぽく思え、悠太は角砂糖のキラキラ光る結晶をじっと見詰めた。

「悠太ちゃん」と桜子が呼んだ。「何だかぼんやりしてるわね。紅茶が冷めちゃうわよ。あ、そうか、幼年学校生徒はもう大人だもの、コーヒーでなくちゃあね」

　女中が紅茶を下げてコーヒーを配ってきた。砂糖なしでちょっとなめた悠太は苦さにびっくりしたが、コーヒーなど飲み慣れてるという顔付きで、大人のように無造作に砂糖を落し込んだ。実のところ、コーヒーは初めてだったのだが。

「コーヒー、どう?」と桜子。

「うまいなあ」と、悠太はませた口調で答えてみせた。

　食後の余興で、央子がヴァイオリンを弾き桜子がピアノで伴奏する予定だった。しかし、その場になって、央子が急に「いやよ」と言い出した。

「どうしたのよ、オッコちゃん、きのうは上手に弾けたじゃないの」と桜子がなだめに掛った。央子は、去年の春からピアノを習い始め、家にピアノがないものだから、桜子のを借りて練習をしていて、桜子にはよくなついていた。

「いやなの」「でもなぜ」「このヴァイオリン、音が悪いんだもの」「あーら、いい音じゃない。桜ばんちゃん（叔母さんを央子は〝ばんちゃん〟と発音していた）は大好きよ」「悪いの。友ちゃんなんか、とってもいいんだから……」

「友ちゃんというのはね」と初江が解説した。「太田先生のお弟子さんで、オッコより一つ年上だけど、イタリア製の高級品を持ってるの。そりゃ、オッコ、友ちゃんのにはかなわないわ。オッコのはありきたりの日本製だからねえ」

桜子が、子供用の小ヴァイオリンを央子に渡し、二言三言言ったとき、央子はいきなりヴァイオリンを床に投げつけた。ぐしゃっと音がして、顎当てが飛び、どこかが割れた。

「何をするの」と初江が叫び、桜子が楽器を拾い上げた。棹が胴から剝がれて、変な形になってしまった。「まあ大変、大事な大事な物を……」「いけませんよ」初江と桜子が女の子を睨みつけた。央子は色白の顔を桜色に染め、睫毛の長い目を一杯に開いて、大人二人を睨み返していたが、ビーズ玉のような大粒の涙を吹き出すと泣き始めた。力一杯の泣き声は絹を裂くようで、硝子窓をピリピリ震わせた。

「オッコ」と悠次が怒鳴り付けた。「もったいないことをする。悪い子だ」

〝おやめあそばせ〟と言うように初江が夫を手で制し、央子の涙をハンカチで拭ってやった。桜子がしきりに何か話し掛ける。央子はしゃくりあげ始めた。「大丈夫よ、このヴァイオリン直るわよ。わたし、知り合いの楽器屋に持って行ってあげる」桜子は、胴に棹を合せてみせた。そのときである。央子が桜子からヴァイオリンをもぎ取ると床に投げ、足で踏みしだいたのだ。破裂音とともに央子の足は瓢簞形の中央に突っ込まれていた。

悠次は飛んで行き、ヴァイオリンを摑んだ。腹這いの央子は足をばたばたさせた。しかしささくれ立った響板はなかなか抜けない。「ああ、こりゃ駄目だ。もう修理はきかんぞ」やっと抜けた。央子の足首から血が出ていて、桜子があわてて薬箱を持ってきた。

「莫迦」と悠次は央子の頰に平手打ちをくれた。央子は今度は泣かず、ぶたれた所を手の平で押えた。また打とうとする悠次の手を桜子が押え、傷の手当てをしながら言った。

「オッコちゃんはね、どうせ演奏するのなら、いい音で演奏したかったのよ。最初の十六分の一はドイツ製で音がよかったのだけど、この四分の一は日本製でしょう。みんなオッコちゃんの腕前に追いつかないんで、変な音しか出ないの。それでオッコちゃん絶望していたのよ」桜子は央子を抱き締めた。「桜ばんちゃん、二分の一のいいヴァイオリン知ってるの。イタリア製のストラディヴァリウス・モデルよ」央子は足の繃帯から血を滲ませて、しゃくりあげていた。

「よーし」と敬助が気合を入れた。「悠太将校生徒と駿次六中生の門出を祝して、今より不肖、防衛総司令部参謀が、ハナムケの詩を吟じます。悠太君、これはな、おれが幼年学校生徒時代に使った『雄風』という吟詠用の詩集だ。これをあげよう」とカーキ色の小冊子を悠太に手渡し、窓の前に行った。「なあ、悠ちゃん、その本の最初に吟詠の心得が書いてあるだろう。吟詠は邪穢を蕩滌し、放漫を斟酌し、精神を流通するものだ。貴様——これからは幼校の後輩としてこう呼ぶぞ――貴様も吟詠をやるといい。皇風六合に遍し、一声気高し、吟じ終って清風起る。ふむ、一吟天地の心。高杉晋作の『題焦心録後』をやるぞ。

内憂外患迫吾州　正是存亡危急時
唯為邦国為家国　焦心砕身又何愁

意味はわかるだろう」

拍手が起った。野本武太郎と悠次が「さすが」「いい声だ」と賞めた。〝音吐朗々〟と言うべきだろうと悠太は考えたが、詩の切迫した状況と美声を響かせた明朗な調子とがそぐわないとも思った。央子は、桜子がどこかに連れ出したのだろうか姿が見えず、母もいなかった。敬助は一礼し、つぎつぎと詩を吟じ、弟たちは退屈していた。梁川星巌『大楠公』、橋本左内『獄中作』、菅茶山『冬夜読書』……。

悠太の懐中電灯の光を頼りに、一家六人は夜の坂道を下って行った。灯火管制下、大通りでは警官に咎められる怖れがあるので電灯を消し、真っ暗ななかを、塀沿いにゆっくりと進んだ。二階の寝床にもぐりこむと、「あしたは早いんだからね」と母が声を掛けてきた。「早く寝なさい」

明日は母と名古屋へ行く。明後日から幼年学校の身体検査が始まる。それを通れば、いよいよ合格確定なのだ。悠太は枕元のボストンバッグをそっと撫でてみた。駿次と研三が横で寝息を立てていたが、悠太は興奮して眠れない。仕方なしに、そっと小用に起きると、子供部屋で、まだ不機嫌な央子をときやが宥めすかしつつ、寝かせていた。茶の間で両親の話し声がする。

「みんな疎開を考えてるな」

「桜子さんは、四月中に軽井沢に引越すんですって」

「姉貴は、荷物の半分を逗子に、あとの半分を金沢に送って、自分は結局百合子たちと金沢に行くつもりらしい」

「うちはどうしましょうか。悠太は、これで一安心として……」

「お前、子供たちを連れて金沢へ行ったらどうだ」

「いやですよ、おねえさまと御一緒だなんて、まっぴら」

「一緒じゃない。できれば一軒別に家を借りる……」

「でも家探しは黒田さんにお願いすることになるんでしょう。そうなれば、おねえさまに筒抜けですわ」

「とにかく、よく考えてみよう」

悠太は二階へ上った。疎開という言葉を、大人たちはボールのように投げ交していた。せっかく五郎が一家全員のために防空壕を造ってくれたのに、わが家も疎開せねばならない。敵の空襲は避けえない、確実な未来なのだ。転進と発表しながら皇軍は、じりじりと退却し、敵を粉砕撃滅し多大の戦果をあげているのに、つぎつぎに玉砕している。野本武太郎が言うように〝戦局は容易ならぬ段階に突入して〟いる。こんなときに軍人になる自分の将来はどうなるのか。やはり玉砕せねばならぬのか。闇黒の中で悠太は不安であった。四月の誕生日が来れば満十五歳の自分は、この先そう長くは生きられない予感がする。〝戦争は殺し合いだ〟と五郎が言った。自分は、もうすぐ殺される身だ。真っ黒な、血まみれのトンネルをぬらぬら終末にむかって滑って行く感覚とともに、悠太は気味の悪い眠りに落ちた。

翌日、九時発の特急つばめに、悠太は母と乗った。雨が降って、富士は見えなかったが、窓外の景色を熱心に眺め続けた。十四時十七分、正確に名古屋に着いた。城の近くの宿で、窓から金の鯱を光らせた天守閣が望まれ、宿の親父は「将校生徒さんのために特別に用意した部屋です」と自慢した。

翌朝八時に検査場の国民学校に集合だった。用心深く小一時間前に到着したのに、母子の二人連れがすでに大勢講堂内に待っていて、悠太たちは遅いほうだった。銀色の副官用飾緒をつけた中佐が現れると、一同ははっと静粛になった。一人一人呼ばれて将校の前に通達書を差出す。将校は三人の少佐で、写真と本人とを見較べる。これは生徒監と言って、生徒たちの訓育班の長たちだそうだ。軍人に名を呼ばれ軍人の前で吟味されながら、悠太は、自分が今軍人になろうとしている事実を、胸を抉られるように実感していた。

尿の検査、懸垂と握力検査、レントゲン検査でその日は暮れた。去年おこなった検査の繰り返しで、最近の新しい病気の有無を調べるらしかった。少年たちは体格がよく、利口そうな顔をして、おたがいに一瞥し合いながら話を交さず、待つあいだは不自然な沈黙に支配されていた。絶えず、どこからか動静を観察されていて、下手に私語でも交すと失点になる怖れがあるとみんなが理解していたのだ。呼び出し、誘導、引率と下士官や兵がきびきびと働き、動作の遅れや放心は鋭い目で睨まれるかのようだった。そして翌々日の午後一時の合格発表となった。

副官が番号を大声――敬助に似た、号令馴(な)れした軍人の声――で読みあげた。全員二百四十名、アイウエオ順で小暮は八十二番だった。七十八番、八十番、八十一番……八十二番。「はい」と悠太が立ったとき、母がハンカチで目頭(めがしら)を押えるのが視野の横に見えた。呼ばれた順番に横一列に並ぶ。悠太の左右は、彼よりも背が高かった。

特別仕立てのバスに分乗して幼年学校に着いたのは三時過ぎだった。幼いときより見慣れていた東京の幼年学校に較べると、木造板張りの建物は粗末に見えたけれども、庭も運動場も広々としていた。晴れて陽(ひ)は暖いのに風は冷たく、引率の下士官が「伊吹颪(いぶきおろ)しだ」と言った。

校門を入るとき建物中央に高く光る菊の御紋章に、みんなが最敬礼していた。悠太は、中学校の明治天皇御製にするように挙手の礼をした。すると、「こら」と怒声が飛んできた。さっきの下士官だった。「最敬礼をせい。挙手の礼は軍服を拝領してからだ」彼は、悠太が帽子を取って最敬礼したのを見届けると、自分は挙手の礼をして校門を入った。

寝室に案内され、模範生徒と呼ばれる上級生の指導で、素裸になって越中褌(えっちゅうふんどし)をしめ、軍服に着替えた。営内(えいない)靴(か)と呼ばれる突っ掛け靴(ぐつ)を引き摺(ず)って外に出たところに、母親たちが待っていた。悠太は母の前に走って行った。

「まあ」と母は、またハンカチで目を拭った。何度も泣くものだからぐっしょり濡れている。

「よかったわね、悠太。これで軍人になれるわね。おかあさん、嬉しいよ。お国のために頑張ってね……」あとは声にならず、母は泣き続け、そんなふうにあからさまに泣く母親がほかにいないものだから、悠太は当惑して立っていた。

## 6

六月中旬、ときやが栃木県今市の故郷に帰ることになった。昭和三年初江が西大久保の小暮悠次の所に嫁いできたとき、すでにときやは女中として働いていて、昭和十年に結婚のため一度故郷に戻ったあと、夫の屋根葺き職人が出征して戦死し、子供のないため昭和十五年の夏にふたたび小暮に来て、今日まで働き続けていた。つまり前後十年の余、小暮家にいたことになる。初江は、ときやの年齢を正確には知らない。自分より三つぐらい年上、とすればもう四十近くかと思っている。が、髪の毛は黒々としているし、化粧なしの肌は皺もなしに張っていて、段々に自分より若くなるような気もしていた。とにかく早起きの働き者で、清潔好き、小まめに体を動かし、長年の経験で小暮の人々の嗜好をよく知っていて四季に応じたお料理作りもなかなかの上手であった。いつも、慎み深く、冗談口はたたかず、脇にひっそりと引っ込んでいるのがときやの身上であった。

彼女のいない生活など初江には考えられなくなっていた。しかし、戦争が長期化するにつれ、東京の食糧事情は目に見えて悪くなっていて、食べ盛りの子供たちの分を闇で買出しするのが精一杯、とうとうときやのほうから、故郷へ帰り、すこしでも口を減らしてお助けしたいと申し出てきた。脇家のはるやも郷里の滋賀県へ帰した、野本家でも三人の女中を一人に、数人の書生を二人にした、そういう話を聞いていた初江は、もう仕方がないかと観念した。悠次は、向うから言い出してくれたのはもっけの幸いとただちに賛成した。ときやは今市の在に多少の田畑もあり、男が出征して人手不足の農家の手伝いをすれば自活の道もあると言うので、身の振り方も何とか目処が付いた。長い歳月いたと言っても女中部屋の押入れの中には大したものはなく、蒲団用の麻袋一つに全部が収った。それをチッキで送り出し、いよいよ今朝は出立となった。

「長いあいだお世話になりました」と、ときやが両の掌を揃えて深々とお辞儀をした。

悠次は軽く点頭し、「いやあ、御苦労さんだった」と言い、初江は三つ指の礼を返すと、「ほんとうにねえ、お世話さまでした」と涙ぐみ、「生憎の雨だねえ」と溜息をついた。唐楓の葉からはらはらと雫が落ち、樋の破れから注ぐ水が沓脱ぎ石を打っていた。

ときやが玄関に出たとき、初江は「ほら、ときやとお別れですよ」と子供たちに知らせた。ヴァイオリンを弾き止めた央子は、走り出てくるや、ときやの首に齧り付いておあわあと泣き始めた。「行っちゃいやだあ」と何度でも繰り返す。

「オッコちゃま」とときやも涙を流した。「また会えますよ。ときやはまた来ますからね」

「ほんと……」「ほんとですよ」

「じゃあ、さよなら」と駿次が西洋風に握手をすると研三が真似をした。ときやが黒い風呂敷包をさげ番傘を開いたとき、初江は、急に決心して東コートを着ると蝙蝠傘をつかんだ。

「待って。送って行くわ」「いいえ、奥さま」と遠慮するのを、かまわず門の外へ追って出た。

　さほどの雨ではないが、しとしとと小止みなく降ってくる。きのうまでのまぶしい夏を裏切って、暗く肌寒い。梅雨に入ったらしい。これからは洗濯物が乾かなくて困る。ときやは火鉢の周囲に金網を立てめぐらせ、濡れた物を根気よく乾かしてくれたものだった。

　都電の線路沿いに新宿駅まで行くのが近道だが雨の日はぬかって危い。改正道路を真っ直に伊勢丹の前まで行き、電車通りを駅の方角に折れた。映画館の帝都座、三越、中村屋といくつかのビルの谷間に商店街の低みが連なって屋根瓦が光っていた。何かを話しかけ、あれこれの思い出話をしようとするのだが、初江の頭にはとんと話題が湧いてこず、気が付いたのは、こんなふうに二人で並んで新宿の繁華街を歩いたのは初めてだったという事実だった。そしてもう、新宿駅の白い四角い建物に着いてしまった。入場券を買ってプラットホームまで送るという初江をときやは固辞し、さっさと改札口を通ってしまった。黒いモンペの丸っこい姿はあっと言う間に階段の下に消えた。

　ときやが去って行った、すっかり家族の一員だったのにいなくなったと淋しがっていると、ふと浮んできたのはこの駅の便所で起きた事件である。あれは、悠太がまだ三つぐらいの幼いときだった。初江が用を足すあいだ、ハンドバッグを悠太に持たして扉の前で待たしたところ、出てみたら誰かに盗まれてしまっていて、悠太がしょんぼりしていた。さいわい、中には大した金目の物も入っていなかったが一応届けておこうと交番へ行った。すると悠太が大声で泣き始め、とめどもなくなり、ついに引付けを起した。泥棒（どろぼう）が怖かったのか、巡査を恐ろしいと見たのか、初江は困り果てた。あの悠太も、もう家にいない。初江は、みんな去って行くと思いながら傘をひろげて歩き始めた。悠太が軍服を着て前に立ったときの姿が思い出され、子供子供した子が軍服を着て胸を張っていたのがいじらしくて初江は目頭を熱くし、涙を雨でごまかしながら、とことこと足駄（あしだ）を鳴らした。

　伊勢丹前から花園神社へと坂を下ってきたとき雨が繁（しげ）くなり、濡れたコートが足にからまって歩き辛（づら）くなった。石の鳥居の下に避難してみたけれども、役には立たず、いっそのことと社殿の高欄（こうらん）を登った。十銭玉を賽銭箱（さいせんばこ）に投げ手を合せると晋助の面影（おもかげ）がまざまざと脳裏に映じてきた。神社に詣（もう）でると晋助を想（おも）うのはよくあることで、この元旦（がんたん）から悠太の合格祈願に毎日早朝明治神宮に行った折も、どうかすると晋助の無事だけを祈って帰ってきてしまい、われながら苦笑したものだった。晋助が現役召集で満洲へ征（い）ったのは昭和十七年四月十九日の朝、東京駅頭から万歳の歓呼に送られてのことだった。その前日は東京初空襲の日で西大久保にも爆撃機が一機飛来し、火事で十軒ほどが焼けたし、野本邸で送別の宴が張られたので、日時をよく記憶している。入営したあと、一度会ったすえ、三月末に悠次に晋助との関係を見破られそうになってから、きっぱりと密会をあきらめたので、送別の宴で初江が晋助に会ったのはひと月ぶりだったが、彼の変りようには驚かされた。頭蓋骨（ずがいこつ）の形があらわに見透かせるほどに瘦せ、窪んだ眼は笑いを忘れたように丸く開いたままで、周囲の人々よりも遠くの虚空を見るようだったし、演習による日焼けよりも、帽子で覆われた部分の死人のような蒼白さが目立った。初江は思わず、「晋助さん、どこか病気じゃないの」と尋ねてしまい、「いいや、すこぶる元気だよ」という返事をもらって、そのひとごとのような、抑揚を欠いた声に、かえって心配をつのらせた。宴では南方軍参謀となって昭南、すなわち今や日本領土となったシンガポールにいる敬助の軍功が話題になり、もし晋助が関東軍ではなく南方軍に配属されるならば、兄貴の引きで万事都合がよいのにと残念がられた。もっとも敬助は、五月初旬コレヒドール島の米軍が降服した直後、南方作戦が一段落したとかで参謀本部付となって急遽帰国したので、その時の話も意味のないものになったのだが。ともかくあの宴のときの晋助の魂も精気も脱けた幽鬼のような顔を祈るたんびに思い出したのだ。若くて元気のよいときの(いや、晋助は今でもまだ二十七歳で若いのだが)、あの葉山の浜辺で自分を抱いたときの、まだ十九歳の一高生で、弊衣破帽に朴歯の気負いが可愛らしい紅顔が、どうかすると幽鬼の底にほの見えはするが、それも束の間で、ますます瘦せさらばえ、ついには本当に白骨化した幻がちらちらと見えてくるようで、初江は胸を衝かれるのだった。今もそうだった。去年の夏にサイゴンから悠次宛てに葉書をよこしてから、すでに一年近くも便りがないのは、もう彼が死んだ証しかも知れないのだ。

花園神社の裏手へ出た。四谷第五国民学校の前を通り、都電の踏切を渡ると登り坂の小道で、左右に建仁寺垣や大和塀に緑がはみだす住宅が並んでいる。この道で大きな邸宅と言えば野本武太郎邸と平沼騏一郎邸である。雨の日とて人通りもなく、交番の巡査が奥の小机に引っ込んで欠伸をしていた。道端の防火用水槽の水が青味泥に濁っているので空き家と知れる家々が多い。早々と疎開してしまった家で、玄関先に移転先を貼紙したり、窓に板を打ち付けて泥棒除けにしたりしている。人の住まぬ家は荒廃すると言われているが、事実、硝子が破れたり、軒が落ちたり、下見板に苔が生えたりしている。

野本邸の石門は急造したらしい厚い板壁で閉じられていたが、潜り戸が開いていた。野本桜子が女中一人と一緒に軽井沢へと疎開して行ったのは四月中旬だった。武太郎は仕事の関係で、書生二人と残ったという。が、玄関の戸は締め切ってあるし、砂利には楠の嫩葉が散っていて、人気のない感じである。外れの枝折戸の先が脇美津の家だ。いつもは簡単に開くのに、内側から鍵がかかっているらしく戸が動かない。蒲鉾板に移転先の逗子の住所が記されてあった。美津が敬助一家とともに逗子に引っ越したのは五月初めのことだった。敬助は逗子から防衛総司令部に通っているという。人々はあわただしくこの帝都を捨てて逃げて行く。けれども、わが小暮家には行き場所がない。どこかに疎開先を探さねばと気が焦っても思案に余るばかりだった。引き返そうと戸を離れたとき、生垣となっている突貫忍冬に、丁度人が通れるほどの隙間があるのが目に付いた。妖精が吹き鳴らすような深紅の喇叭が一杯に花開き、雨に洗われて朗らかな音を奏でているようだ。この生垣は美津の丹誠して育てたもので、ここへ来ると、よく自慢されたものだった。どこからかよい香りが漂ってくる。道の奥の泰山木かららしかった。晋助を訪ねに来た折の心のときめきが初江の胸を充たした。

はらはらと露を払いながら、生垣を横切った。泰山木を見上げる。真白に形よく出来上った花弁には黄の模様がつき、さかんに芳香を発していた。玄関の格子戸に触ったとき、電気が伝わったように初江は手を引っ込めた。主のいない家、桟に溜った埃、敷石の苔、潔癖な美津だったら決して見せない荒れようが、かえって美津の存在を、視線を、咎める気持を、まざまざと感じさせたのだ。

初江は傘を斜めにして、濡れるのもかまわず大急ぎで帰りかけた。すると、野本邸の庭で人影が動いたので心騒いだ。こんな所に忍び込んだのを書生に見咎められた場合、どう言い訳をしたものだろう。そっと泰山木の幹のうしろに隠れたところ、声が追ってきた。女の声だった。桜子だった。池の畔に立っていた。

「初江さんじゃない、そこにいるの……」

初江は仕方なしに姿を現した。「庭の木戸からいらっしゃい……」と指示された。そうだった、脇家の庭と野本邸の庭とは木戸で通じていたのだ。家を回って庭に出ると、桜子はもう木戸を押して入ってきた。

「書生がね、誰か変な人が侵入してると言うんで、双眼鏡で覗いたらあなたじゃないの。あらあらと思ったわよ」

桜子は蛇の目を振った。体の線を目立たせるピッチリしたモンペがあたりの緑に映えた。

「双眼鏡で覗くなんて……」と初江は恨めしげに相手を睨んだ。

「空巣が多いんで、監視用よ。でも、あなた何をしてたの」

「御近所まで来たら、ちょっとね、懐かしくなって……おねえさまが丹誠なさったお花がどうなったか見たくなって……」

「そうねえ」と桜子はそれで納得し、傘を掲げながらぐるりと一回転した。「本当に、このお庭、四季折々の花がにぎやかね」

紫や淡紅の紫陽花が中央に集まり、左手の生垣の続きの突貫忍冬と調和している。そして右側には金糸梅の可憐な黄が点々と竹垣の下に燃えている。

「このご時世に農耕など一切なさらず、お花一筋は見事だわ」と桜子は言った。「わたしは駄目、花の名前も知らないいし、第一、あの方みたいに、しょっちゅう鋏でチョキチョキする面倒なんてできやしない」

「でも、せっかくのお庭も、ご主人様がいらっしゃらなくて寂しそうだわ。ところで、桜子さん、いつ帰ってらしたの」

「向うで足りない物に沢山気付いて、取りに来たのよ。仮住いだからって物を制限したのが間違いで、どうせ空襲となればみんな焼けちゃうんだからと思うと欲が出てね、グランド・ピアノなんかも持って行こうと決めたの。そうそう、軽井沢って、今、まるで外国みたいなのよ。西洋人がうようよいる。家の向い側がドイツ人一家でシュタイナーという音楽家、有名な方よ。ほらヴァイオリニストのハインリヒ・シュタイナー……知らない？」

「知らない……」と初江は悔しげに言った。ヴァイオリニストについて無知なのでは央子の母として失格だと恥じてもいた。

「知らなくてもいいわ」と桜子は明るい眸をくるくるさせ、庭で立ち話もおかしいからと、初江を家の中へと誘い入れた。

硝子戸を締め切った広間には蒸し暑い空気が澱んでいた。藁や木の匂いがするのは、梱包された薦包や林檎箱が積み上げてあるからだ。立ち働いていた学生服の書生二人は、桜子の目くばせでどこかへ引っ込んだ。

桜子はグランド・ピアノの蓋を開くと、ふっくらとした指を鍵盤に映し、いきなり演奏を始めた。風間の四姉妹はみんなピアノを習っていたが末っ子の桜子が抜きん出て上手だという評判だった。たしかに彼女の弾き振りは見事で、重苦しい梅雨空を追いやるような、活気と明朗さとを放散していた。と、中途で弾きやめて、大きく頷いた。

「やっぱり音が違うわ。軽井沢にはアプライトを持って行ったんだけど、グランドの迫力は出ないわね。わたしね、そのシュタイナー先生の奥さんからピアノを習うことにしたの。よい機会でしょう。そしてね」と桜子は、笑顔の似合う彼女には取って付けたように見える真顔で続けた。「オッコちゃんをシュタイナー先生につけたらどうかと思うのよ。今、日本で見付かる最高の先生よ。オッコちゃんの技術と才能を磨く、よい機会でしょう」

「そうかも知れないけれど……」

「うちに空いてる部屋があるの。ピアノのほうは夫人に習えばいいわ。レッスン料は大したことないわよ。先生もお弟子さん探してるのよ。太田先生のほうは事情をお話しして、断ればいいでしょう」

「太田先生は近々奈良に疎開なさるの。何でも奥様のお里なんですって。それで困ってたとこなの」

「それなら渡りに船じゃない」

「でもね、あなたに迷惑が掛るわ。こんな食糧事情だし」

「迷惑なんかちっとも掛らない。わたしは子供が無いし、オッコちゃんとはピアノの面倒を見ているうちすっかり仲好しになったし、食糧なら、うちの会社は小型船舶だから南方や大陸と頻繁に往来していて、輸送品が入るから大丈夫なの。敵の潜水艦はもっと大きな輸送船を狙っていて、うちのように漁船みたいな小型船は見逃すのよ」

「でも……」初江は渋い顔で考え込んだ。まずもって央子と別れたくなかったのだ。悠太が幼年学校へ去り、その上、央子までいなくなるのでは寂しくて仕方がない。しかし、太田騏一先生がいなくなったあと、太田先生ほどの水準の先生が東京で見付かる可能性は少ないし、軽井沢なら、とくに桜子の所なら安全で食住の心配はいらない。「ともかく、うちの人と相談してみるわ」と初江はようやく答えた。

「よかったわ」と桜子は喜んで、目の高さで拍手をした。「来てくれれば、わたしオッコちゃんを大事にするわ。ヴァイオリンの伴奏だってしてあげられる。本当を言うと、それも考えてグランドを向うへ送ることにしたのよ」

　野本邸を出て、ふたたび繁く降り出した雨の坂を下って行きながら、初江はもう央子を桜子に預けようと心積りしていた。二箇月前に桜子が引越してしまってから、ピアノの練習を央子はできなくなった。三月末の悠太の壮行会の折、央子は癇癪を起してヴァイオリンを毀してしまった。それが日本製の四分の一サイズだったのが、桜子は、すぐさまイタリア製の二分の一サイズを探してきてくれた。央子はその音色が気に入って、練習にも身が入り、また一段と上手になったようだ。ところが今度は肝腎の太田先生が去って行く羽目となった。せっかくこの四年間、将来はヴァイオリニストにしたいなどと夢見て、毎週毎週央子に付き添ってきたのに、ここで中断させるのは残念だ。

初江が言い出すと反対する癖のある夫には何も言わぬまま、つぎのレッスンのとき、彼女は太田先生に尋ねてみた。すると、ハインリヒ・シュタイナーという名前を耳にしただけで太田騏一は、尊敬の念を髭面に表した。

「それはオーストリア、今はドイツの名演奏家です。フーベルマンの高弟で、たしかシゲティの教えも受けている。紀元二千六百年祝賀のためドイツ使節として来日してから、そのまま日本に居着いてしまった人だ。ぼくも時々、音楽学校に招いて学生を教えてもらったりしたが、学校という公的な場での教授を好まず、個人的な指導が好きな人で、いつしか付合いが無くなってしまった。その後戦争が激化して消息を聞かなくなったが……そうですか、軽井沢におられるんですか」

「央子の先生としては、いかがでしょう」

「最高の人だと思います。ヴィオッティやクロイツェルの正統的な技法を完全にマスターしていて、芸風も幅広い。ぼくなんか及びもつかぬ名人です。そうそう、小暮さんの最初の先生、富士彰子さんは、シュタイナー先生の紹介でウィーン音楽院に留学したのですよ。これも何かの縁です。シュタイナー先生に師事すれば留学したのと同じことです。小暮さんは才能がある。それを大成させなさい」

初江の心は定まった。その夜、太田先生の話に尾鰭を付けて悠次に伝えると、すぐさま、「そうしよう」という同意が返ってきた。「留学させるよりうんと安く付くし、野本さんが身元引受け人なら安全だし、喰いっぱぐれもねえしな。どうも東京はあぶねえ。子供たちはなるべく、どこかへ疎開させよう。つぎは、駿次と研三だ。お前、二人を連れて、金沢へ行ったらどうだ。おれは仕事の関係で東京を離れられねえ……おれはこの帝都で死ぬような気がするよ」

「あなた、不吉なことおっしゃらないで」初江は夫の、度の強い眼鏡に縮小された目をじっと見た。肥満体質の悠次も、最近の食糧不足で瘦せてきて、頰や目尻に小皺が増えた。

梅雨入りしたと言っても、この年は晴の日が多く、梅雨晴と言うより、もうすっかり真夏になったのに、たまに雨が降るという具合だった。七月の初め、二日ほどお湿りがあって息をついたのも束の間、あとは三十度を越す猛暑となった。庭土は蜘蛛の巣のような罅割れを起し、花壇を耕して植えた玉葱や大豆や牛蒡もうっかりしているうちに枯れてしまった。ときやがいないため、炊事洗濯掃除の全部が主婦の肩にかかって来たうえ、央子の衣類や蒲団類を、とくに寒い軽井沢の冬を想定して用意してやらねばならず、かてて加えて、突如、学校から通達があって、八月末には国民学校上級児童の集団疎開が決定した、行先は群馬県の草津温泉だと告げられ、該当する研三の準備も急ぎ整えねばならなかった。鉄回収で扇風機は供出してしまったので、団扇でせわしく扇ぎながら、初江は汗まみれになって働いた。めくるめく陽光を貫いて油蟬が暑さを告げる真昼、初江は素裸になって水を張った風呂桶に飛び込み、束の間の涼を取りつつ海で子供たちと過した昔の日々を懐かしがった。

　七月十九日の新聞はきのう十七時の大本営発表を報じた。前夜ラジオのニュースを聴いた悠次が、「えらいことがおきたぞ。また玉砕だ。サイパンだ」と激して大東亜共栄圏図を見ていたので、初江は記事を注意して読んだ。「七月七日早暁より全力を挙げて最後の攻撃を敢行」「十六日迄に全員壮烈なる戦死を遂げたるものと認む」「在留邦人は終始軍に協力し凡そ戦ひ得るものは敢然戦闘に参加し概ね将兵と運命を共にせるものの如し」

「本当にえらいことですわね」初江は駿次と研三のために声を出して読み続けた。最高指揮官以下敵中に斬り込み死処を同じくしたとか、傷病兵の三千人が自決したとか、武器なき者が竹槍を振りかざして突入したとか、血腥い戦場の様子を読んだときに、駿次が「傷病兵の自決ってどうするの」と尋ねた。

「手榴弾でやるんだ」と悠次が説明した。

「一発で二人や三人は死ねる」

「どうして」と央子が父を見上げた。「ウーウーと行って、自動車で死ぬの？」

「ウーウー？」

「だって消防車で死ぬんでしょう」

「いやいや」と悠次が苦笑した。「消防車でなく、傷病兵だ、傷を受けたり病気になった兵隊さんだ」

「ああ、そうなの」

駿次と研三が吹き出したそばで、初江の目は潤(うる)んだ。まだ無邪気で戦争がどんなものか知らぬこんな子供を、たった一人で他人の中で暮させねばならないと思うと不憫(ふびん)でならなかった。

## 7

軽井沢に着いたのは十二時半、上野から三時間半の汽車の旅であった。ヴァイオリン・ケースを提げ、リュックサックを背負った央子はひんやりとした空気に身震いして、母親を見上げた。〝東京と違った涼しい風ね〟と言うように初江は頷いて、重いトランクを持った。白麻服の紳士と鍔広(つばびろ)帽子の淑女、つまり東京ではめったに見掛けない装いの男女が赤帽に荷物を運ばせている。初江には、モンペ姿の自分と水兵服の央子とが、急に野暮ったく思えてきた。

　改札口には桜子が出迎えていた。花柄(はながら)の半袖(はんそで)シャツの胸を突き出し、短い白スカートからすらりと脚を大胆に出した様子に、初江は驚いた。

「いらっしゃい」と歓声をあげ、初江のトランクと央子のリュックサックを爺(じい)やらしい白髪の男に持たせた。男がヴァイオリンを取ろうとしたが、央子は頑として渡そうとしない。

　爺やは荷物を両手に軽々と運び去った。

「歩いてすぐなのよ。さあ、行きましょう」と桜子が強い日射しのなかに二人を導いたとき、突然、太鼓と吹奏楽で『海行かば』が始まった。音に敏感な央子は、太鼓の一打ちでびくっと肩をすくめ、調子はずれの演奏をあきれ顔で振り返った。

　黒枠の写真と白い骨壺を首から吊った十人ほどの男女が横一列に居並ぶのに向き合って、在郷軍人会、警防団、町の人々、小学生たちが整列している。吹奏楽団は、どうやらにわか仕立てらしく老人に若い女性が混っていた。

「英霊よ」と桜子が言った。「この頃は数日おきだわ。こちらでも大勢の出征兵士が亡くなっているのねえ」

　人力車が二台追い越して行った。さっきの白麻服と鍔広だった。「あ、今の枢密院の……さん御夫妻よ。わたしんとこのすぐそば」と桜子が言い、くすんと鼻を鳴らした。「人力車なんてえ遺物が、ここでは復活してるのよ。この節自動車はないしね、木炭車のバスじゃお偉方は格好が悪いでしょうしね」

　桜子は軽快な足取りで先に立った。横道に入ると暗くなり、冷たい風が頬を撫でた。樅の並木に限られた別荘が、左右にひろがった。東京の家と違って庭や建物が見透しなので、そこに住む人々がほとんど西洋人だと気が付いた。金髪の少女が野外のデッキチェアで本を読んでいる。脚の長い白人の少年が自転車に乗っている。西洋人をほとんど見たことのない央子は珍しげに彼らを見詰めた。
「この辺は、ドイツやスイス人が多いの」と桜子が言った。「つまり、ドイツ語圏の外人が集められてるの」

小鳥がさかんに鳴いている。ウグイスとホトトギスとホオジロはすぐわかったがあとは知らない鳥だ。央子が急に笑い出した。ウグイスの鳴き方がおかしいと言うのだ。なるほど、ホーケキョと舌足らずだ。「まだ子供のウグイスよ、きっと」と桜子が頬笑んだ。

小川が道を横切り、木橋が架けられてあった。央子は立ち止って、水音に耳を澄まし藻の揺らぎに見入った。風がつのり、あたりの梢が潮騒のように広く謎めいた音を立て、木漏れ日が流れにきらびやかに映えた。「まあ、モーツァルト」と央子は叫ぶとケースをそっと置き、空でヴァイオリンを弾く仕種を始めた。指板の上の指や弦を滑る弓が素早く正確に動く。それがいつまでも続くので、大人二人は立ち止ってじっと待った。

万平ホテルの手前を右に折れ、暫し行った所が野本の別荘だった。火山岩の黒い浅間石を組み上げた門柱からは、両側を錦木に限られた小道が玄関の前に導いた。が、桜子は庭にまわり、ヴェランダの階段を登った。
「さあ、遠慮せずにお入りなさい。あ、靴はそのままでいいの。この家、万事アメリカ式なのよ」

板張りの広間は二階まで吹き抜けになっていて、手摺のむこうにいくつかの部屋のドアが並んでいた。広間の一方の端にはマントルピース、他方の端にはグランド・ピアノがあった。

東京の家より余程簡素だが、それでも色硝子の食器を入れた黒檀の戸棚や革張りの応接セットなど、なかなかに豪勢だった。さっき駅で会った爺やが出て来て、お荷物はお部屋に運んでおきましたと言った。

「紹介するのを忘れてたわ。こちら荒井さん。戦前からずっとこの家で働いておられたので、わたしたちもお願いしたの」

戦前からずっとと言われて、急に年齢が嵩んで見えた。七十前後だろうか、小柄で筋張っている。体型が利平に似ているが、目が小さくて表情が見分けにくい。後ろに付いて来た婆さんを、桜子は「御内儀さん」と紹介した。二人を台所脇の小部屋に住み込ませ、家事のすべてをまかせていると言う。桜子さん、よい御身分だわ、と初江は思った。

二階は、武太郎来軽の折の居間兼〝密談室〟、夫婦の寝室、桜子の居間などがあり、東に面した一室が央子用に取ってあった。アプライト・ピアノと木製のベッドが置いてある。

「オッコちゃんのお部屋よ」と桜子はたのしげに笑いかけた。「ここでピアノとヴァイオリンも練習できるし、お勉強もできるし、おねむもできるわよ」

央子は大事に提げてきたケースを机の上にそっと置くとにわかに活潑になり、珍しげに室内をうそうそと歩き回り、外を覗こうとしたが窓枠が高くて背伸びしても届かなかった。

「これは気が付かなかった。オッコちゃんには外が見えないわねえ。ほらこの椅子の上に立ってごらん。この家に住んでいたアメリカ人、きっとのっぽ揃いだったのね。窓がみんな高いの」

唐松林の中央が開豁な日本庭園となっていて、茅葺屋根の大きな農家が聳えている。その左右には、やや小振りの、藁屋根の百姓家二軒が如来にはべる脇士のように建っていた。

「地元のお家ね。豪農の構えだわ」と初江が言うと桜子が笑った。

「あれ、風間の別荘よ。日本趣味のアメリカ人の宝石商が飛騨の庄屋の家を、そっくり移築したの。左の小さいのが、大河内の別荘、右のが速水の、主人を秘書と建築家が守ってる形ね」

「大河内と速水……松っちゃんや梅ちゃんも来ているのかしら」

「来てるわよ」桜子が嬉しげに言った。「姉さんたちとは毎日テニスしているもん。ねえ、あなたもテニスしましょうよ」

「駄目よ、やったことないし、わたしって、運動神経がからっきし無いもん」

「水泳は上手なのに変ね」

「テニス、スキー、ピンポン……素早く動くの、みんな駄目」

「おかあさん、外へ行っていい?」と央子が尋ねた。

「行ってらっしゃい」と桜子が返事をした。「でも迷子にならないように気を付けて、あんまり遠くへ行かないでね」

初江が水兵服を不断着に着替えさせようと思っているうち、もう央子は飛び出して行った。すると桜子は浮かぬ顔になった。

「実は、シュタイナー先生のことだけど……まず、オーディションだとおっしゃるの」

「オーディション？」

「そう、まずオッコちゃんの演奏を聴いて、見込みがあれば教えようと、おっしゃるの」

とたんに初江は憤然とした。

「随分頭が高いのね。それに、あなた、話が違うじゃないの。こっちは、てっきり先生の教授を受けられるものと喜んで、何もかも整理してオッコを連れて来たのよ。それを今になって試験だなんて」

「御免なさい。わたしもびっくりしてるの。小暮央子という国民学校二年生が、もう四年間もヴァイオリンを習っていて、太田騏一先生もすごく才能があって将来有望だと太鼓判を押してる、そうお話ししたら、それは面白い是非ともレッスンをしてあげたいとおっしゃったのはシュタイナー先生のほうなんですもの。それがね、きのう——本当にきのうなのよ——、あしたはいよいよオッコちゃんが来ると言うので、お家に伺って再度お願いしたら、オーディションの件を言い出されたの」

「そのオーディションとやらに落ちたら、教えていただけないわけね」

「そう……そうなるわね。でも絶対大丈夫よ。オッコちゃんの腕前なら先生も感心なさるに決ってるわ」

「絶対大丈夫だなんて、そんな言い方、あなた、無責任だわ。オッコは新しい先生を楽しみにしてるの。ドイツの偉い先生に習えるって有頂天なのよ」初江は話に輪を掛けた、央子は新しい先生に付くのを別に喜んでもいず、第一、幼い子にそんな判断は無理だと思いながら。

「初っちゃん」と桜子は、くだけた呼び名で言いつつ目顔は険しい三角になった。「あなた、母親のくせに娘の才能を疑うの？　オッコちゃんはただものじゃないわよ。わたし、ずっと伴奏してたからようくわかる。だから、絶対大丈夫と言ったの。わたしにだって、演奏の優劣ぐらいわかるわよ」

　初江は黙った。ここまで来たら、シュタイナー先生の試験を受けさすより道がない。もしそれに落ちたら、央子を東京に連れ帰るばかりだ。必死で捜せば、東京でもよい先生が見付かるだろう。別にシュタイナー先生でなくてもいい。そう考えたら心が安まり、唇を嚙みながらも微笑を作った。

「いいわ、仕方がない。試験を受けさすわ。それ、いつなの」

「今日の四時にどうぞって」

「だって、もう、二時過ぎじゃないの。大変だわ、練習させなくちゃ。あの子、この一週間弾いてないの。荷物の準備やら、友達とのお別れやらで、暇がなかったの。オッコ、オッコ」初江はせかせかと階下に走り降りた。

　央子は雌松の大木の下に立ち、汗みずくでふうふう息をついている母親を不思議そうに見た。

「オッコ、シュタイナー先生の前でヴァイオリンを弾かなくちゃならないのよ。すぐ練習しなさい」

「しっ」と少女は唇に指を立てた。「今ね、小鳥を聴いてるの。ほら綺麗でしょう。風が唱うでしょう。そうすると、スタッカートで伴奏する。ほら、ね、面白い」

「そう、面白いわね。でも練習……」

「おかあさん、黙っててよ。今度は遠くで鳴いた。ラ、ファ。ラ、ファ」

「あれはカッコウよ」

「ラ、ファ……違うわ。三度よりすこし上、ファじゃないわ」

「ウグイス、ホオジロ、沢山鳴いてるわねえ」初江は耳を澄ました。ひんやりとした風の中にさえずりが朗らかだ。「あとの鳥はおかあさん、知らない。ほんと、東京の暑さが嘘のように思えるわね」

桜子がヴェランダに現れた。すらりとした裸の脚で芝生を漕いできた。

「オッコちゃん」と背をこごめた。「小鳥たちに負けないように、あなたの一等好きな曲を桜ばんちゃんと合奏しましょ。いい空気のなかで弾くと、とってもいい音が出るわよ」

「うん、やろう」央子はにっこりすると、桜子と腕を組んで家の中に入った。入るとき、桜子は初江に目くばせした。

央子が見上げていた雌松の梢を見た。空に伸びている太い幹は一本の棒のように枝を欠き、梢の部分だけが丸く繁っていた。気が付けば唐松も椎も欅も、みんなそんな具合に脳天のみに葉の帽子を被っている。密な森で陽光を求めるとすれば樹木はこういう恰好にならざるをえないのだと納得した。初江は、小暗く湿った下草に苔が混じるのを踏みつつ、歩き回った。門の近くに来ると、ヴァイオリンの音もかすかになり、老婆が鎌で草を刈る、サックサックという音だけが際立ってきた。麦藁帽子にモンペに手甲の荒井の御内儀さんは、初江に目礼すると、またせっせと働き出した。額や頬の縮緬皺には黒い煤のようなものが詰っていて網でも被ったようだ。顔一面の老いと、すばしこい若々しい動きとがちぐはぐだ。何か話し掛けてみたかったが話題が無い。ふと香りの強い白い花をつけた木に目が止った。

「これ何ですの」

「ニセアカシア」婆さんは腰を伸ばした。

「いろんな木がありますね」初江は自分の知らない樹木を指差して名前を訊ねた。ムクゲ、フサスグリ、ネムノキ、ムラサキシキブ……。以前住んでいたアメリカ人が植えたものという。

「娘がお世話になります」と話題を変えた。「わがままな子ですが」

「ヴァイオリンがうめえ、たのしみだね」と婆さんが言った。〝ヴァ〟を〝ブオワ〟と発音した。

「音楽はお好きですか」

「ええ、好きだね。奥さんのピアノもうめえね。耳の保養ずら」笑顔が皺の中から浮び上った。年の頃は、わからないが、六十の半ばか。七十に近いか。

広間で央子と桜子が合奏していた。初江はそっと二階へ上り、託送されてあった荷物の整理を始めた。下着や洋服を箪笥に納め、学用品を机の引出しに整理し、絵本と教科書とノートを本立てに並べ終えたとき、はっとした。まるで、シュタイナー先生の試験にもう受かったと決めて掛ったような振舞いではないか。しかし、今やめると、試験に落ちるようでかえって験が悪いと思い、一層熱心に、女の子の部屋らしく設えて行った。誕生日に祖父より贈られた藤娘を中心に、央子の好きな〝ピッちゃん〟という熊の縫いぐるみや大小の人形を棚に飾り、千代紙のカレンダー、ピンクの枕カバーと整えた。

午後四時前、初江は娘と従妹と三人でシュタイナー家に着いた。野本家の向いの丘の上、唐松林に囲まれた丸木小屋風の二階屋であった。

「やーやー、いらっしゃい」と出てきたのは黒髪の西洋人で、シュタイナー夫人だった。初江は夫人の背の高いのに驚いたが、応接間で紹介されたシュタイナー先生が自分より背の低い小男なのにまた驚いた。先生はもじゃもじゃの金髪頭に、庇のように出っ張った額と、おそろしく尖った鼻をつけ、全体にころころと肥って、握手に出された手もふっくらとしていた。央子へは大きく頷き、頭を撫でる仕種をした。

「さ、どうぞ。なに、ひくね」と央子に言い、桜子と初江に籐椅子をすすめ、先生は長椅子で短い脚を組んだ。

央子はヴァイオリンを取ると、シュタイナー夫人がグランド・ピアノから送ってくれた音で弦を調律し、「モーツァルトのソナタ、変ロ長調」と言った。シュタイナー先生は、「変ロ長調のは二つあるが、どちら」と訊ねた。央子は答えずにちょっと首を傾げるや、いきなり暗譜で弾き始めた。三、四小節ほど進んだところでピアノが鳴り始めた。夫人が伴奏に回ってくれたのだ。

どこかでつっかえはしないか、音をはずさないか、曲を忘れてしまい思い出せないのではないか、と初江ははらはらして聴いていて、窓からの涼しい風に洗われながら、汗びっしょりになった。夫人の、桜子のとは段違いに見事な演奏に、娘の演奏は無情に追い掛けられ、完全に圧倒されているようだ……。

第一楽章が終った。シュタイナー先生は眼を瞑って動かない。あら、眠ってしまったのかしらと初江が心配していると、央子は第二楽章のアンダンテを始め、ピアノが和し、先生が目を開いた。物悲しい風の音と小鳥の囀り、ふと小川のほとりで央子が空で弾いたのはこの曲だったと思う。

曲が終った。

「それで、おしまい？」と先生が訊ねた。

「おしまいよ」と央子が息衝きながら答えた。

「第三楽章は？」

「まだ習ってないの」

「おやおや、まだ弾いたことも、ない？」

「ない……ありません」

「それ、ざんねんね。ここに、楽譜あるよ。ひいて」

譜面台に楽譜が置かれた。ヴァイオリンを構え、弓を添えた央子は、そのままで静止した。ためらっているようだ。初江はまた汗ばんできた。

「央子、思い切って弾くのよ。いえねえ、先生、うちの子は初見に慣れてないものですから……」

シュタイナー先生がこちらを睨み付けた。緑の瞳に射すくめられて初江は黙った。夫人はピアノの鍵をじっと見ている。桜子は俯いている。央子は譜を黙読して曲の演奏計画を練っているのだ、待たねばならないと初江は悟った。カーテンが揺れている。長い長い時間が経って、央子が夫人に合図すると弾き出した。何度か弾き損じ、やり直した。が、とうとう最後まで弾き通した。

「よろしい」とシュタイナー先生が三つ拍手した。夫人がにっこりした。先生はドイツ語らしい言葉で夫人としばらく話し、それから初江に言った。

「なかなか上手。しかし、まだ、基礎、できてない。基礎をやると、もっと上手になる」

「あのう……教えていただけるのでしょうか」

先生が頷いたとき、初江は緊張が解けて目頭を熱くし、「ありがとうございます」と頭を下げた。桜子が、「よかったわね」と央子と初江に等分に笑顔を向けた。

レッスンは毎週月曜日の午後一時間、月謝三十円で話がついた。紅茶を飲んでいるとき、シュタイナー先生の三人の子供に紹介された。長男のペーターは母親似の大柄な十五、六歳、次男のワルターはこちらは父親似のずんぐりした十二、三歳、末娘のヘラは金髪の美しい子で央子と同じ年頃と見えた。初江はペーターから悠太を、ワルターから研三を連想し、わが家と似たような家庭の雰囲気を想像した。とくにヘラと央子が仲の好い遊び友達になれるような気がした。

丘を三人で下って行きながら桜子が言った。

「あの御一家って、本当に音楽だけで生きてるのよね。先生はヴァイオリン、ヴィオラ、チェロと、何でも、そうそう、フルートもおできになるし、夫人はピアノのほかヴィオラもお弾きになる。ひと月ほど前、御一家でコンサートをお開きになった。万平ホテルのロビーは超満員だったわ。先生とワルターがヴァイオリン、夫人がヴィオラ、ペーターがチェロ、あのおちびさん、ヘラがピアノ、たしかそんな分担だったわ」

央子はヴァイオリンを母にあずけると、両手を広げ、鳥になった気分で坂を走り下りて行った。桜子は初江の耳元でささやいた。

「なんでも、夫人にユダヤの血が混っているらしいの。で、先生はドイツにお帰りになりたくないみたい……おや、浅間が見える」

赤黒い頭がぬっと青空を押し上げ、湯気のような噴気を流している。赤茶けた胴から緑の裾野(すその)にかけて雲の影が入り組んだ模様をつけ、刻々に凹凸(おうとつ)を明らかにしている。

「綺麗ね」と桜子は深く息を吸い込んだ。「平和だわね。この国が戦争しているなんて嘘みたい。オッコちゃんじゃないけど、モーツァルトだわ。ああ、音楽会に行きたいな。大勢の音楽家が来日していた数年前が懐かしいわ。フォイヤマン、ルビンシュタイン、ケンプ、ピアティゴルスキー……何て言ってもシャリアピンが素晴しかった。ムソルグスキーの『蚤(のみ)の歌』……うーん、今でもありありと耳に残ってる。あんなこと、みんな過去の夢になっちゃったのね。でもね、わたし、信じてるのよ、いつかは戦争が終って、また音楽会が盛んになり、オッコちゃんがコンサートを開くって。敬助さんなんか、わたしがピアノを弾いて遊んでる、非国民だと言うけど、今に日本は音楽を必要とするようになるって。その日のために、わたしだって一所懸命なんだから、ね」

央子の姿は消えていた。桜子と初江は、正面から火照ってくる陽光に目を細めながら、ゆっくりと斜面を下りて行った。

夜は信じられぬくらい静かだった。バスも都電も人通りもない。ひたすらに静かで、柱時計の音が耳にまつわりつく。荒井夫婦は引き籠り、央子は寝てしまった。初江は寒いのでセーターを借りて着、桜子の動かす編棒を見ていた。キョキョキョキョと、不気味な鳴き声がした。

「あれ何かしら」

「ヨタカよ。ほんとに淋しい声で鳴くわねえ。死者の呼び声みたい。あ、霧が出てきた」桜子はつと立って、硝子窓を開いた。湿った夜気が流れ込み、ヨタカの声が近くなった。電灯の光の中に乳白の渦が羊の群のようにうごめいている。「晋助さん、どうしているかしらんねえ」とポツリと言う。

「さあねえ」と初江は桜子を見上げたが、顔が光の外にあって、表情は読めなかった。

「心配なのよ」と、彼女に似合わぬ、重々しい調子で続けた。「風間の父がね、今年の三月、蘭印からの帰りに仏印に寄ったの。でも、サイゴンで晋助さんの消息を求めたけど一切不明だったの。もしかしてビルマだったら大変よ。あちらは激戦の真っ最中、ここだけの話だけど、皇軍は潰滅的な打撃を受けて玉砕しつつあるんですって。これも風間の父から聞いたんだけど、先週、東条内閣が総辞職したのもインパール作戦の責任を取ったためらしい」

〝玉砕〟という言葉だけが初江の頭をがんと打ち、くらくらと眩暈がした。晋助が死ぬ……いや、そんな不吉な結末は考えたくない……しかし、ありうることだ……もう一年も音信不通なのもおかしい……。あのことがあってから初江は晋助に直接手紙を出していない。女名前の来信は一兵士の彼に迷惑がかかるようだし、すべての書信は検閲されていてあのことをめぐる想いは何も書けない。だから彼の悠次への返事が唯一の情報源で、それであれこれ想像して満足してきた。それが、もう一年も跡切れている。そのあいだ、悠次は二度も手紙を認めたという。が、二度とも返事は無かった。

「わたしね」と桜子は近付き、光の輪の中で挑み掛るように身構えた。「晋助さんが好きなの」

「えっ?」初江はどきりとした。

「女学校時代から、ずっとずっと、好きだったの。でもね、彼ったら、わたしなんか全然相手にしないんだもん。だから、やけのやんぱちで野本と結婚したの。ただしね、内心には条件が一つだけあった。晋助さんの近くに住むことね。でね、野本に脇の旧邸宅を借りさせたの。住んでいた貿易商を金で追い出してやった。でも……でも、結局、空しい望みだった。彼には誰か好きなひとがいたらしい。わたし見向きもされなかった……」桜子は初江の、目の前のスツールにひょいと腰掛け、寒そうに両腕を組み、胸を押えた。

「……どうして」と初江はやっと言った。「そんな秘密をわたしに……」

「わからない？」

「わからないわよ」

「あなたも、晋助さんが、好きだからよ」

「何を莫迦な」初江は笑った。しかし、それは引き攣った笑いになった。

「わたし、知ってたんだもの。ずっとずっと知ってたんだもの。彼は、どんなに不機嫌なときでもあなたが現れるとぱっと機嫌を直したわ。いいえ、もっとよ。あなたの噂をしただけで何かがぱっと変ったのよ。それは、あなただって同じよ。さっきも晋助さんの名前を聞いただけで、何かがぱっと変ったわ」

「嘘よ」

「本当よ」と桜子は鉤でも引っ掛けられたように、がっくり頷いた。それから立ち上ると、ガウンの裾を開きながら、くるりとむこうを向いた。「わたしって何て突飛なことを言ってるんだろう。こんな具合に話すつもりはなかったのに、何て下手くそなんだろう。ね、初っちゃん、わたし、誰かと一緒に晋助さんの心配をしたかった、それだけだったのよ。今、あなたに言ったこと、みんな忘れて。全部がわたしの勝手な想像なの。オッコちゃんを見ているあいだに思い付いただけなの」

「えっ？」初江は先刻よりももっと強くどきりとした。二の腕がぎゅっと胸を挟み、肘が肋骨を打った。

「オッコちゃんみたいな可愛い子を見ると、自分に子供がないのを嘆いちゃう。野本はもう子供を作れない男なの。子供もできず、晋助さんからは愛されず、このまま年を取って行くだけと考えると気が滅入る。ああ、また突飛なことを言っちゃった。どうして、わたしって、こうなんだろう。嫌な性格。本当は、オッコちゃんがわたしの所に来てくれたのを喜んでるのに。あなたには感謝してる。わたしにやっと生き甲斐ができたんだもの。オッコちゃんの面倒を見、ヴァイオリンを上達させ、今は非国民だなんて言われるけど、今に御国のためになるという目標ができたんだもの」

「ええ、そうね」と初江は相槌を打ったものの、桜子の言い方に、何か一本、明確な筋道が欠けている気がして不安だった。もしかすると、桜子は、央子が晋助と初江の子であると推測していて、それを確かめるため、さまざまな陥穽をめぐらしている気もしたのだ。

その夜、央子のベッド脇に蒲団を敷いて横になった初江は、静寂を塗り籠めた真っ黒な夜を見ながら物思いに沈んだ。ほかの女が男を愛し、心配し、男の不在を淋しがってると思うだけで、自分の男への愛や心配が減殺される、奪い取られる気がする。〝誰かと一緒に心配したかった〟なんて、そんなの屁理屈に過ぎない。桜子は知っている、知っているからこそ央子を引き取ろうとしている……そんな彼女に央子を預けていいのだろうか……でもシュタイナー先生の教えを受けられれば央子のヴァイオリンは上達するだろう……央子は幸福になれるだろう……。堂々回りだった。初江は輾転反側し、寝入ったのは明け方に近かった。

頬がこそばゆく、光がまぶしく、目を開くと、朝日の中で央子が笑っていた。

「おかあさん。朝よ。小鳥が沢山来てるわ。オッコ、もう外に行ってきたのよ」

「何時かしら」

「九時よ」

「大変、お寝坊してしまった」

「桜ばんちゃんが起して来なさいって」

身支度して下に降りると、「おはよう」と賑かな声に包まれた。桜子のほか、双子の大河内松子と速水梅子が食卓を囲んでいた。

「初っちゃん、きのう来てたんですってね」と松子が不服そうに言った。「桜子ったら、何にも言ってくれないんだもの。ちっとも知らなかった」「そうよ」と梅子が続けた。「けさ、庭に央子ちゃんが来なければ、知らなかったわ。綺麗な女の子がハミングしながら歩いてるんで、西洋人かと思って英語で話し掛けたら、〝小暮央子です〟て言うの。それでわかったのよ」「初っちゃん、痩せたわね」と松子が言い、「ほんと、痩せたわ」と梅子が頷いた。

桜子がトーストと牛乳を勧めた。東京では珍しくなった食パンの厚切りに、これもあちらでは入手できぬバターがこってりと塗ってある。暖められた牛乳は搾りたてで濃く、香りが高かった。央子が、おいしそうに頬張っている、いや、どうしてもがつがつ食べていると見えるざまに、初江は目をそらした。きのうの夕食に出た焼肉もそうで、央子は正直においしいと叫び、常には食が細い子が全部を平げたのだ。自分が〝痩せたわ〟と言われて、痩せているのは娘のほうだと痛々しく思い、松子と梅子に目を戻すと、二人の肥満が悪意を含んだ嘲笑と見えてきた。いけない、何か、とんでもないことを言いそうだと自制したとき、松子が朗らかに言った。

「こうやって集まると葉山を思い出すわねえ」

「ほんと」と梅子が応じた。「あの頃、楽しかったわねえ。泳いで、お喋りして、花火をあげて、ダンスを踊った」

「まだ央子ちゃんは生れてなかった」と松子。「十年前だものねえ。平和だった」と梅子。

「宝塚……」「天津乙女、葦原邦子……」

「すみれの花を買いなさい」と桜子が言った。「かわいい花のにおい、すみれ、すみれはさちの花、おかいなさい、すみれ」

「すみれの花咲くころ」と松子梅子が立って唱い出した。桜子が和し、初江も加わった。

「ちょっと待って」と桜子がピアノに向って坐った。ピアノの伴奏で四人が唱う。

「すみれの花咲くころ
はじめてきみを知りぬ
きみを思い　日ごと夜ごと
なやみしあの日……」

初江は双子姉妹と肩を組んだ。弾みで央子の真ん丸の眼と出会って頬笑んだ。海、波、砂浜、赤白のピエロ模様のテント、子宮の痛み、赤ん坊が手足を突っ張っている、タオルケットを肩に掛けた晋助が歩いてくる、長い男の脚が光る、まぶしく光っている、波繁吹きが飛ぶ。松子も梅子もうっとりしていた。と、ジャンと和音が脹れてピアノが終った。

「やめましょう」と桜子がむつかしい顔で両手を振った。「こんな歌を唱ってると憲兵に怪しまれるわ。この前もねえ、お友達んちで、『あふれる涙』を唱っていたら、この決戦下に敗北主義だと咎められたのよ。唱っていたのは盟邦ドイツの作曲家の曲ですと言ってもいかん、そんな悲しい歌はいかんですって」

「悲しいだなんて」と松子が鼻で笑った。「その憲兵、わりと音楽わかるんじゃない。でも、いやな時代」

「どうしたかしら、歌の上手な一高生」と梅子が言った。

「藪から棒に何よ」と松子が言った。

「では、Das Veilchen を唱いましょう。モーツァルト作曲の『すみれ』です」梅子は男声を真似て言うと、気取って一礼した。

「思い出したわ」と松子が膝を打った。「村瀬さんね、晋助さんが連れてきた」

「今、どうしてらっしゃるかしら」と桜子が言った。「やっぱり兵隊に取られなすったんでしょうね。みんな兵隊、晋助さん、史郎さん、正蔵さん」

「速水は」と梅子が急にしょんぼりした。「南方に回されたらしいの。敬助さんにお願いしたけど内地勤務は叶わなかった。どこかの島らしい。珊瑚礁で井戸が無く、天水を使うんですって。毎日陣地の構築ですって」

「速水さんは建築家だから、お役に立つわ」と初江が慰め顔に言った。

「いいえ、穴掘りよ。掘って掘って、毎日それだけらしいわ。手紙ではそれ以上詳しくは書けないらしいけど」

「オッコちゃんがいないわ」と桜子が気が付いた。初江は我に返った。央子にはすこし勉強させなくてはと考えていたのだ。今日は土曜日。明後日の朝、町役場に学童疎開転出証明書を提出し、国民学校に行き、転校届を済ませる心積りをしていた。七月下旬、東京では夏休みに入っていたが、この高原では長い冬休みの代償として八月上旬まで授業があるのだ。土地の子に負けないよう、すこし不得手な算数を復習させる必要がある。

二階の部屋に捜しに行って来た桜子が頭を振った。松子と梅子が、初江にあとで遊びに来るよう言い置いて去ると、桜子は言いにくそうに言った。

「実はね、初っちゃん。いつまでもいてもらいたいんだけど、午後に突然主人が来ることになったの」

「わかったわ」と即座に初江は頷いた。「わたし帰るわ。でも央子の転出証明書と転校届と汽車の切符を何とかしなくちゃ」

「そういう事務はわたしがやる。この節は縁故疎開児童が多いので簡単よ。切符は、けさ、憲兵隊の口利きで入手しといた。憲兵隊は駅前の油屋に駐屯してるでしょう。ところで野本は油屋の主人と昵懇なの」

「では……」急に帰らねばならない。初江は狼狽した。桜子と『時間表』を見た。現在十時七分、つぎの東京行は各駅停車で十一時五十六分発、四時十四分上野着だった。

庭にいた央子を呼び寄せ、学校の勉強とヴァイオリンの練習、歯磨(はみが)きと体の洗い方など口うるさく言い聞かせ、桜子には、央子が癇(かん)の強い子で、興奮すると眠れぬ癖があること、好きなヴァイオリンの練習に熱中して、学校の宿題などを疎(おろそ)かにする傾向があることをくどくど伝えた。ともかく、それで時間一杯となり、小走りで駅へ向った。

車内は満員で坐れなかった。やっと押し入った通路から、遠い窓ごしに央子に手を振った。汚れた硝子に阻(はば)まれて、母を見分けえぬ幼い子は見当違いの方向を見詰めていた。

## 8

フライパンで油炒(あぶらいた)めをしているような油蟬(あぶらぜみ)の鳴き声が、油が切れたようにふと止(や)むと、涼しげなつくつく法師が際立(きわだ)った。わが家の庭の向う、垣根(かきね)の上に鬱蒼(うっそう)と茂る梧桐(あおぎり)の梢(こずえ)のあたりで鳴いている。井戸端で水浴びでもしているらしい一高教授の声がのんびりと伝わってくる。わが家の庭はすっかり蔭(かげ)に浸り、風に涼味が混入してきて心地よい。初江は、廊下で踏んでいたミシンの足を休め、肩の凝りをほぐそうと万歳を繰り返した。あたりには、男の子用の下着やセーターや上衣(うわぎ)やズボンが古着屋の店先さながらに並べられてある。男の子が三人いると兄から弟へとお古を回すので、研三の衣類は、着古し洗い晒(ざら)しで傷(いた)みがひどく、このまま疎開先に持たしてやるのはあまりにあわれ、と言ってこの節新品の入手は困難で、それならと繕(つくろ)いを始めてこれでもう三日、掛りっきりで努めている。

学童疎開は、九月十一日に出発と定められていた。七月末、央子を軽井沢へ連れて行ったあと数日して、大久保国民学校で緊急の父兄会が開かれた。悠太の担任だった湯浅先生が、今は教頭として事情説明をした。学童疎開は、東京都の少国民を空襲から守るためで、消極的な避難ではなく積極的な作戦である、子供たちを安全地帯に送っておけば父母は後顧の憂(うれ)いなく防火活動や勤務に励むことができる、これは決して強制ではなく勧奨(かんしょう)であるが、みなさんも皇国民として聖戦完遂のためにできるだけ協力してほしい、さしあたり本校の五年六年生から出発させる、行く先は群馬県草津温泉で、すでに先方の旅館の諒解(りようかい)も取り付けてある、という話であった。強制ではなく勧奨と言うが、学童と一緒に教師も行く、つまり学校ぐるみの集団移動となると、残留者となっては授業も受けられぬ羽目になる。父兄のみでの相談では、集団生活に耐えられない虚弱者を除いて、クラスの全員が参加すると取り決められた。出発までひと月ちょっとしかなく、初江はあわてて準備に取掛った。央子の場合の経験を生かし、山の中の防寒用に、厚手の靴下(くつした)、駱駝(らくだ)のシャツ、セーターと揃(そろ)えようとしたが、どれもこれも古くてボロばかりであった。それに集団生活で他人に引けを取らぬようにしてやるという見栄(みえ)も手伝い、かくも大掛りな繕い物とはなった。

ミシンを踏み始めると、たちまち汗が吹き出た。まだ三十度は越えている暑さなのだ。風があるため蚊遣(かや)りの煙が散って蚊がさかんに襲ってくる。一匹潰(つぶ)した。血をたっぷり吸った藪蚊だった。汗の匂(にお)いに誘われた蠅(はえ)もうるさい。が、仕事に夢中になってすべてを忘れた。

駿次と研三が庭先に来た。兄が捕虫網を、弟が殺虫箱と虫籠(むしかご)を持っている。戸山ヶ原に昆(こん)

虫採集に行って来たのだ。虫取りは機敏な兄がやり、虫を選んだり分類したりは物知りの弟がやると母は見た。研三は蝶、蜻蛉、蟬などの標本作りが趣味で、沢山の箱に蒐集を整理している。今は、夏休みの制作として「戸山ヶ原の虫」を作ろうと、せっせと採集に励んでいた。もっとも制作を提出する学校自体が田舎へ行ってしまうのだ……田舎には昆虫が多いから、採集道具を持って行かせるか……いやいや、そんな余裕はとても無い……。

「これはサイカチ」と研三が黒光りする大きな虫をつかんで見せた。「そうそう、大戦果、なかなか捕れないんだよ」と気味が悪いほど大きな蜻蛉を見せた。「こっちはオニヤンマ、オムラサキも捕ったんだ」と三角のパラフィン紙に包んだ蝶も取り出した。「捕ったのはぼくだよ」と駿次が言った。「研ったら、運動神経がてんで鈍いんだから」兄弟はにぎやかに話しながら奥へ消えた。風呂場で手足を洗っている。きっと腹を空かせているのだろうと母は思った。お菓子類は払底でお八つには事欠く有様だ。何かないかしら……何もない……あわれだ……兄弟は台所で何かを漁っている……あそこにあるのは、切干大根、馬鈴薯、南瓜、鱈の干物で、そのままでは食べられないものばかりだ……あ、牛肉がある……しかし……。しばらくミシンに熱中した。玄関で「ただいま」と声がしたとき、初江は飛び上った。悠太だった。

軍服の長男は軍隊式の敬礼をすると、「ただいま、帰りました」と言った。「お帰り」と初江は声を弾ませた。軍帽を取ると汗の滴が坊主頭から滑り落ち、背囊を取ると四角い汗の染みだ。兵隊の臭いがプンプン……革と鉄と汗と日光の臭い……いつだったか、行軍の途中寄った敬助さんにそっくり……。「二階のお前の机は駿次が使ってるからね、荷物は子供部屋の央子の机に置きなさい。央子は軽井沢の桜子さんとこへ疎開したのよ」

悠太が、背嚢、銃剣、革帯、軍帽を机に置いていると階段をどたどたと駿次と研三が降りてき、珍しそうに兄を眺めた。兄は背嚢の背を開き、氷嚢のように膨れた白靴下二本を取り出して母に渡した。

「二週間分の米、六升。はい」

受け取るとずしりと重い。

「さすがは幼年学校、ちゃんとしてるね」と母は感心した。

悠太はすっかり軍人らしくなった。額を横に割る日焼けの線も、胸の形を示す軍服の張りも、春に別れた時には見られなかったものだ。

「汽車が満員で立ちんぼう、そして二時間延着した」

「じゃあ、暑かったでしょう。大変だったわね」

「なあにこれしき……」と悠太は口を一文字に結んで目顔を送ってきた。こういう大人びた表情は以前はしなかったものだ。

「随分日焼けしてるね。教練のせいかい」

「それもある。それから海だ。一日から十日まで海上訓練があった。津の高等農林学校に宿泊してな、連日、水泳訓練、シューテー訓練、ヒョウエー訓練」

「何だって?」

「船さ。舟艇に乗り敵前上陸訓練。水に漂う漂泳さ。輸送船が敵潜にやられた際、長時間海に浮く訓練だ」

「えらいもんなんだねえ。みんな訓練なんだねえ」

「もちろん、行住坐臥、すべてこれ、敵撃滅のための訓練なんだ。おかあさん、数日前の新聞見た？　何でも『ライフ』とかいうアメリカの雑誌に載ったそうだけど、皇軍将士の頭蓋骨を米国兵が少女に贈り、少女がお礼の手紙を書こうとしてる写真があっただろう。皇軍将士の骨を紙切りナイフにしてルーズヴェルトに贈った下院議員もいる。これが米国人の正体だ。そんな奴等をおれは撃滅してやる」悠太は〝ゲエキメツ〟と語気を荒げ、拳固でドンと机を打った。

　初江は息をのんだ。しかし、息子が何だか無理に気張っているようで気の毒な感じもした。

「まあまあ、早く汗を流しておいで。お風呂を沸かしておいたんだけど、冷めてしまったかねえ」

「そうしよう。あ、銃剣は陛下の大切な武器だから床の間に飾る」と、鞘から抜いて見ようとした駿次から取り上げたが、思い直して、「見てもいい。しかしあとで床の間に安置せよ」と言った。駿次は剣を抜き、研三は背嚢の構造をあれこれ調べた。

　風呂からあがり、シャツと半ズボンに着替えた悠太は、部屋から部屋へと懐かしげに巡り、縁側で古着類を片付けている母のそばに来た。

「悠太にはまだ知らせてなかったけど、研三が急に学童疎開することになったのよ。学校ぐるみで草津へ行くの。先月、オッコを軽井沢へ連れて行ったばかしなのにねえ。淋しくなるよ。あと残るのは駿次一人だからねえ」

「草津か。どうやって行くんだろう」

「群馬県の山の中でね、軽井沢から草軽電気鉄道というのに三時間も乗って行くんだって。冬は寒いとこらしいよ。だからセーターだの綿入れだの、持たしてやらないとね」

駿次と研三が来た。研三が展翅板を得意げに兄に見せた。戸山ヶ原で捕った蝶と蜻蛉が羽をひろげてピンで止めてある。オニヤンマ、オオムラサキ、ヒメアカタテハ……と説明する。しかし、すぐ「捕ったのは、みんな、ぼくなんだよ」と駿次が補足した。

「なあ研」と悠太が言った。「草津は山の中だから、きっと星が綺麗だ。おれの望遠鏡やるからさ、持って行って天体観測をしろよ」

「ほんと」と研三は目を輝かした。「あれくれるの」

「やるよ。おれはもういらん。どうせ戦死する身だ」

「何をお言いだね、お前」と初江は鋭く睨み付けた。「そんな不吉な……」

「おかあさん」と逆に悠太は母を睨み返した。「本土決戦は必至なんだ。戦局の如何によってはどこが戦場になるかわからん」

「そう……」

「今、おれたちが毎日何をしてるか、知ってる? 壕の掩蓋作りと匍匐訓練だ。壕は敵の上陸に備えた陣地で、匍匐は敵戦車に火焔瓶を投げるためだ」

「……」

「だからね、おかあさん」と悠太は大人が子供を諭すように言った。「おれは死なねばならん。将校生徒になった以上、皇軍の最前線に立たねばならん」

「まあ……そんな……」初江は、息子がいじらしかった。まだ十六の少年が、〝死なねばならん〟などと言っている。と、思い付いて言った。「そうそう、望遠鏡は持って行けないよ。荷物が制限されてるの。学用品と衣類、一人で持てるだけなんだから」

「それは残念。では今夜、せめて夏の星座だけでも教えてやろう。研、暗くなったら物干台へ来い」

「うん」研三は喜んだ。実のところ彼は、兄がいなくなってから、兄の望遠鏡を持ち出しては星を眺めていたのだ。

「ぼくも」と駿次が羨しげに言った。母の見るところ、駿次は、天体観測などにまるで関心がなかった。彼が好きなのは運動で、中学では水泳や体操や剣道の選手だった。

「ようし、二人とも来い」と悠太は、兄貴らしく威張って頷いた。

　初江は夕食の準備を始めた。悠太のため、きのう三田からもらってきた牛肉百匁に、闇で買った野菜があるので、久方振りに鋤焼をしよう。この節、米の減配で、大豆、玉蜀黍、食用粉などの代替食が多いから、悠太が持参した米は貴重品だ。これで混ぜ物無しの御飯を炊こう。長男の帰宅を喜んで庖丁を使いながら、何かが物足りない。そう、央子が欠けているのだった。オッコのヴァイオリンの音がない……澄んだ笑い声がない……華やかな女の子の気配がない……。

悠次が帰ってきた。息子の挨拶を受けて、父親は上機嫌に応じた。二人で縁側に坐り、話し込んだ。一家五人が食卓を囲んだのは夕暮れ時だった。正真正銘の牛肉の料理と言うので、みんな歓声をあげた。悠次の父、小暮悠之進特注の背の高い卓袱台に、父、長男、次男、三男と背の順に並んでいるのを見ていると、またもや末娘の不在が、央子の席に透明な女の子の影でもあるかのように、目立った。悠次は外遊したとき買ったウイスキーの小瓶をあけて飲んだ。百本近くもあった小瓶は、何か特別の場合にあけられて、残りは六本ほど、それをあけるからには息子の帰省が余程嬉しいに違いない。

父の問に答えて息子は幼年学校生活の実際を話して行く。

午前中は学科で午後は術科、つまり軍事訓練、体操、柔剣道などである。体力の乏しいおれは術科は不得手だが、学科は何とかこなしている。とくに好きなのはフランス語である。

中学生と違い、万事軍律きびしく、上級生には敬礼しなくてはならぬ。六中の同級生が二年生となっていて、これに敬礼するのは癪だが仕方がない。以前、東条首相の裁定で外出して兵長に出会ったときは、相手の様子を窺い、ほとんど同時に敬礼をすることになっている。

術科の時間に、最近は自活訓練、つまり畑を耕す、陣地構築、つまり壕掘り、などがしばしばおこなわれる。行軍も多い。この前も、午前一時に非常呼集で起き、名古屋駅まで二十五キロを行軍し、駅頭に整列し、師団長の宮殿下の東京御栄転を奉送した。百二十キロ行軍といって三日間歩き続けるのもやった。

「それじゃ、お前、足が丈夫になったろう」と悠次が言った。

「歩くのだけはね」と悠太が言った。「しかし、走るのは駄目だ。息が続かない。体格のいい、農漁村出の同期生がうんといるから」

「戦況についても、いろいろ教えてもらえるんだろうな」

「生徒監の戦況解説が随時ある。新聞は掲示板に張出されてるから毎日読む」

「敵はじりじり迫って来やがるな。北はアッツ以後動かねえけど、南はガダルカナルを飛び越して、サイパンに来た。最近は小笠原をしきりと爆撃しやがる。本土も九州を狙いやがった。B29ってえバケモノ爆撃機が六月の九州空襲で初めてお目見えした。この春、敬助が言ってたヤツがそれらしいな」

「航続距離がB17やB24に較べると飛躍的に長い。爆弾三トン搭載で六〇〇〇キロ。サイパン島から東京までが二二八〇キロだから十分往復できる」

「空襲は必至という訳だ」

「むろん。そうしてその先、本土決戦も必至だよ。だから今度の暑中休暇も……」

「さあ、すこしお食べなさいな」と初江は息子の話を遮った。「戦争の話ばかしじゃ、せっかくのお肉もまずくなるわ」

沈黙が続き、だんだんに重苦しい空気になってきた。何か明るい話題が見付からないか……戦局、空襲、疎開、食糧難……幼年学校の生活も堅苦しいらしい……央子……やっぱり疎開の話になってしまう……。

「南方も大変だが、ビルマも大変らしいな」と悠次が言い、話がまた振出しに戻ってしまった。「おとといの大本営発表によれば、皇軍はインパール戦線を整理し、印緬国境に待機しているとあるが、敵は印支空輸路を利用して盛んに補給を受ける大部隊を投入してきた模様だな。とくに北部のミイトキーナは激戦だったらしい。〝戦線整理〟というのは、つまりは転進を意味するらしいな」

「さあ……」と悠太は首を傾げた。幼年学校生徒といえども、まだ子供だ。新聞を隅々まで熟読し、『大東亜共栄圏図』上にピンで皇軍の動きを明示して研究している父親にはかなわない。息子より優位に立ったと見ると父親は勢い付いた。

「ビルマは今は雨期で、何もかも濡れてしまう。皇軍将士は大変な御苦労だ。奮戦敢闘で敵に多大の損害を与えているが、敵もさる者、物量作戦で迫って来ている。おとといの大本営発表をよく読むと、インパール全域における皇軍の損害も相当のものらしいな。晋助もビルマにいるらしいから安否が気遣われる」

「あなた」と初江が言った。「晋助さんはビルマにいるとは決りません。サイゴンからどこかへ移動しただけですわ」

「でも、桜子がそう言ったと、お前言ったじゃないか」

「いいえ。桜子さんは、〝もしかしてビルマだったら大変〟と言っただけですわ」

「つまり、大変じゃないとも言えない訳だ。心配じゃないか。甥の安否を気遣うのは当然だ」

「はいはい」と初江は折れた。

「おれ、航空に行きたいんだ」と悠太が言った。「戦闘機に乗ってB29をやっつける」

航空と聞くと初江はぞっとした。航空隊員には戦死者が多い……日本の戦闘機は最近体当り戦法を取り、その勇敢な散華が報じられている……息子が戦闘機乗りなどとんでもない……。

「まだ兵科の決定は先だろう」と悠次が言った。「幼年学校に入ったばかしだ。三年も先のことじゃないか」

「しかし、航空に行くための訓練はすでに始まってる。平衡感覚の養成、視力の保護……この視力がおれは危い。最近遠くを見ると物がぼやけるんだ」

「そりゃ近眼だろう」と悠次が言った。「おれの遺伝が現れたかな」

近眼者は航空隊員に向かない、よかった、と初江はほっとした。が、近眼と決め付けられた悠太はしゅんとなった。がっくりと項垂れて、顔をしかめている。

「まだ近眼になるのは早いわよ」と初江は息子に言った。「本の読みすぎよ。本を読まなけりゃ治っちゃうわ。せめて休暇中だけでものんびりして、読書をやめなさい」

料理をみんなは綺麗に平らげてしまった。子供たちは御飯を何杯も食べ、駿次など五杯も食べ、お櫃も空になった。これで食後の果物として西瓜か夏蜜柑でもあればよいのだが、それは望めない。

外はすっかり暗い。悠太は望遠鏡を抱え、弟たちを誘って物干台に登った。

「悠太は近眼でしょうか」と初江は悠次に言った。

「だろうな。おれも中学三年のとき遠くが見えず、眼鏡を掛けた」

「幼年学校では、あの子、困るでしょうね。軍事教練では遠くを見る必要が多いし、第一、黒板が見えない。眼鏡を掛けさせてくれるでしょうか」

「それはくれるだろうが、将校生徒としてはマイナスだな。すくなくとも航空へは行けない」

「よかった」と思わず初江は言った。それからきちんと坐り直して夫を向いた。「悠太は変りましたでしょう。軍人らしくなったのは頼もしいんですけど、本土決戦で死ぬから、今回の休暇は桜井の訣別だなんて言うんです。あんな年齢の子が〝死ぬ〟だなんて考えてるの、何だか胸が詰まりますわ」初江はその先は言わなかった。〝だから、幼年学校なんか入れたの後悔してますの。ひどい近眼になって失格と判定され、退校させられたら嬉しいですわ〟

「さすが幼年学校生徒だ。戦局の重大性を直視してるのさ」と悠次はほろ酔いの気味でごろりと横になった。「まあ、兵隊より将校のほうが死ぬ公算は少ないだろうな」

「そうでしょうか。サイパンでは、指揮官が陣頭に立って肉弾挺身攻撃をしました。いいえ、激戦となっては、将校も兵隊も区別なく死ぬのですわ」

「仕方ないだろう。男はみんな兵隊に取られる御時世だ。将校のほうが兵隊より、すこし楽だと言うだけでも……」

「ああ」と初江は自分でも驚くような鋭い吐息をした。こう言いたかったのだ。〝男の子なんか生まなければよかった。央子は女でよかった〟

悠次は横になったままそっぽを向き、新聞を読む振りをしていた。が、いらだっている証拠に臑の蚊を思いきり強く平手打ちした。

廊下は暗いので、茶の間で研三のズボンの綻びを手縫いで直していると、目の前の急階段を揺るがせて、子供たちが物干台から降りてきた。

「おかあさん、流星を八つも見たよ。ペルセウス座だよ」と興奮気味なのが、常には平静で理窟っぽい口をきく研三だった。

「それから、蠍座がすごかったよ。心臓が赤い……」

「アンタレス」と悠太が言った。

「そうそう、アンタレス。赤い一等星だよ。それから、白鳥座のデネブと琴座のベガと鷲座の……」

「アルタイル」

「そうそう、アルタイルの三つを結ぶと、夏の大三角形になるんだよ」

「いろいろ教わったのね」と初江は微笑した。「おにいさんは天文学者でしょう」

「そう、天文学者だ」と研三は息を弾ませた。「ぼくも六中に入って天文部員になる」

悠太が、いきなり、「もう寝る」と言った。そして「十時だから消灯なんだ」と説明し、弟たちと協力して二階の八畳間に蒲団を敷き、蚊帳を吊った。さっとパジャマに着替え、蚊帳にもぐりこむと数分後にはもう寝息を立てていた。弟たちは、まだ着替えもすませていず、兄の早技に驚いて顔を見合せていた。

　翌朝、庭で誰かが演説している気配で初江は目覚めた。雨戸を開けると悠太が、防空壕の掩蓋の上に立ち、本を高く捧げて音読していた。長々と読んでいる。やっと読み終えると縁側に来た。

「おはよう。早いねえ」

「六時起床。洗面ののち、宮城と伊勢皇大神宮遥拝。軍人勅諭奉読だ」

「えらいもんだねえ、毎朝やるのかい」

「今日は忙しいんだ。午前中、軍服を着て、宮城、靖国神社、明治神宮を奉拝、午後は湯浅先生に御挨拶だ」

「軍服かえ？　困ったわ、きのう洗濯してまだ乾いてないよ」

「困るな。外出時は軍服着用の定めなんだ」

「だって汗でぐっしょりだったもの。今日は晴れてるから昼までには乾くでしょう。アイロンを掛ければ、バリッとするから、それを着てお行き」

「駿次も研三も遅いな、まだ寝とる」

「夏休みだからね、寝坊なんだよ」

　悠太は二階へ駆け上り、「起床、おい起きろ」と弟たちを叩き起した。

　昨日の繕い物の続きをしようとミシンに向った初江は、一向に気乗りがせず、ぼんやりとしていた。朝の日脚の白熱が縁側を削り、今日も暑くなりそうだ。

隣室に悠太がいる。わずか四箇月会わなかっただけなのに、心無しか背丈が伸びたようだ。いやいや、この春すでに成長した子になっていたのを、わたしが気付かなかったのだろう。弟たちよりはずっと背が高い。その子が央子の小さな机に向って、窮屈そうに背をこごめて坐っている。日課は日記と宿題だそうだ。悠太が使っていた二階の応接間の机は研三が中学受験準備のために使っている。本当は駿次が幼年学校受験用に使うはずだったが、あの子ときたら願書を出そうとした五月半ば、「やめた。やっぱり海兵を受けたい」と言い出した。せっかく四月から、悠太と同じ幼年学校のための進学塾に通わせていたのにもったいないと思い、父の悠次も、近眼の遺伝があるから海兵まで待てば受験に不利だと説得したのだが、駿次はどうしても幼年学校が嫌だと言い張った。どうやら友達から借りた岩田豊雄の『海軍』を読んで江田島にあこがれたらしいのだ。が、今となってみると、幼年学校など受けないほうがよかったとも思う。駿次が海兵を受けるまではあと三年あり、三年後に戦争も終っているのではないかという気がする。日本の勝利？　それとも廃墟？　とにかく終ってほしい。男は第一線に狩り出されてつぎつぎに英霊となり、銃後では防空演習、竹槍訓練、鉄貴金属献納、物資不足、食糧難、疎開、空襲……どこへ行っても列、列、列に並ばねばならない……。

「奥さん」と呼んでいる。建仁寺垣の欠けた所から隣の一高教授が顔を覗かせている。初江は庭下駄を突っ掛けた。回覧板を手渡された。いつもそうなのだ、夫人だと玄関から回って来るのに、教授は垣根越しなのだ。

「ありがとうございます」「いや」と無愛想に踵を返す。半ズボンから痩せた毛脛を出し、バケツと剪定鋏を持っている。なるほど、さっきからパチンパチンと音がしていた。回覧板には泥がこびりついていた。

「お知らせ」は町会費、婦人会費納入の催促に棒炭の配給だった。「非常袋作製の心得」という文章が、隣組長である人形屋の主人の、読みにくい達筆で書いてある。

空襲下緊急待避の時、大人は二貫五百匁、十三、四歳の子供ならば一貫二百匁程度を背負うのがよろしい。非常袋は空襲警報発令時に待避壕内に移しておくこと。

非常袋の内容

（一）必ず持出すべきもの　（イ）貴重品――預金通帳、印鑑、重要書類、配給に要する切符通帳類　（ロ）最小限度の手回品――手拭、鼻紙、鋏、小刀、足袋、糸、風呂敷、マッチ、ローソク　（ハ）食糧二回分として乾パンに塩一握り

（二）出来れば持出すもの　（イ）歯磨粉、ブラシ、石鹼　（ロ）食器――弁当箱、飯盒

（ハ）クレオソート、三角巾……

初江は回覧板を隣のお茶のお師匠さん宅に届けようとして、外出用のモンペに着替えてから鏡台に向った。髪を直し、白粉をはたき直し、取澄ました表情の予行をしてから立った。お師匠さんの奥さんは色白の美人である。この人に会うたび、初江は幾分の気後れを覚え

るのが常で、それを隠そうと取澄ました表情を作るのだった。回覧板を渡すと丁寧な、お茶の作法通りなのだろうが莫迦丁寧と取られるお礼の言葉が返ってきた。関西風のアクセントがある。

「あのう」と呼び止められた。「こんな所で失礼でございますけど、いずれ正式に伺うてお話しましょう思うてましたことがございまして。わたくしども、来月、疎開いたしますんです」

「おや、どちらへ」悠次ががっかりするだろう。家賃分が減収となる。当節、店子はおいそれとは見付からない。

「京都でございます。太秦に主人の家作がありまして、その一軒を空けてもろうて住む手筈でございます。けんど、京都もあぶのうなる言いはりまして、その先はどういたしますか……」

「京都でございましたら東京よりは安全でございましょう」と初江は励ますように言ったが、言葉の端に羨望が籠っていた。

「軽井沢の別荘へとも考えたんでございますが、あそこは食糧事情に難がございましょう？野本さんから大分勧められたんですけど……そうそう、お宅様のお嬢ちゃま、野本さんの御別荘に縁故疎開なさったんですってね」

「はあ……」桜子はお師匠さんの弟子だった。それにしてもお喋りな……央子のことを他人に話すなんて……。

「風間さんの御一家は、あそこにお集りなさったとか。まあ、風間さんなら食糧にお困りになることはありませんわ」と奥さんは笑った。笑うと目尻の皺が目立つ……わたしより十以上は年上だわ……。初江の気後れはすこし慰められた。晋助は、お師匠さんからお茶を習っていて、時々は奥さんから代稽古を受け、「すごい美人に習うってのは胸がどきどきするよ」などとわざと言ってみせ、初江を嫉妬させたものだった。あの頃、初江はまだ奥さんを直接知らず、若い少女のような後妻を想像したりしていたが、そのご自分より年上と知ると、安堵してしまった。そして、肝腎の晋助がいなくなったあとも、奥さんに会うごとに、幾分の嫉妬と安堵とを経験するのだった。

　石段を下りて歩道へ出た。鈴懸並木の影が鑿で刻印されたように濃い。南北に走る広い車道は東側の家々の影で中央できっかり二分されている。その日の当った部分に、おびただしい馬糞が金色に光って、蠅が群がっていた。この頃、自動車が減った代りに、馬車、主に荷馬車が増えたのだ。

　新宿の方角、つまり南の方から一隊の兵隊たちが坂を登ってきた。戸山ヶ原へ演習に行くらしく、背嚢に銃をかつぎ、機関銃をはこび、物々しい重装備で、暑いさなかに汗まみれで、疲れ果てたふうで——いやいや、一所懸命に重さと暑さと闘いつつ——やってきた。この頃の兵隊さんの常として、三十過ぎ、中には四十を過ぎたと思われる年輩者が多い。悠次ぐらいの二等兵が、二十二、三の若い下士官に指揮されている。不意に下士官の全身に電気が走り、背筋がしゃっきりとした。彼は若々しい声で号令を掛けた。

「ホチョートレ」

兵士たちは四列縦隊となると、ザックザックと靴底の鋲をアスファルトに叩きつけた。

「カシラー、ミギ」

向い側の歩道を歩いていた将校が、さっと答礼した。こちらも若い、すくなくとも兵士たちよりも年下の男と見えた。

「ホチョーヤメ」

兵士たちは、再び疲れ果てた様子に返り、なおも坂道を登って行った。丁度、歩調を取ったあたりの馬糞が踏みしだかれ、歩道まで飛び散っていた。

軍隊の行軍と敬礼は、この改正道路では何の変哲もない光景である。が、今は晋助がしきりに思われた。仏印かビルマのどこかで、彼は年下の上官に敬礼を強制されているのだろう。いやいやながら、自分が人類の習慣の中で最も軽蔑する敬礼（この言葉を彼から聞いたのはいつだっけ？）をしていることだろう……それとも死……。初江は身震いした、晋助の言葉が明瞭に思い出されてきたのだ。〝いよいよおれは二等兵。二等兵は殺される。何にも知らずに殺される〟

日が高まるにつれ、暑気がつのり、油蟬の声もかまびすしい。風がばったり止り、熱気を帯びた大気が、庭に部屋に居坐っている。体の芯から浸み出す汗にまみれて、初江はせっせと軍服にアイロンを掛けた。炭火に熱した鉄を濡れ手拭ですこし冷しては掛けて行くのだ。それにしても、この軍服という代物は、純綿の厚手の布地で、丈夫一方にできてはいるが、空気の流通には何の配慮も払われておらず、炎暑のただなかでの着用は非常な苦痛であろうと思われる。さっきの兵隊たちが釜茹でに遭った罪人のように、我慢の限界にきた上気した肌をしていたのも、うべなるかなだ。

　午後になると悠太は軍服を着て外出した。まっさきに二重橋へ行き、そのあといくつかの神社や乃木大将邸を訪れるという。何もこんな暑い日に行かなくてもと思ったが、口には出さなかった。駿次が中学のプールへ、研三が国民学校で中学進学者のための補習に出たあと、初江は二階の八畳間にあがり、手縫いで繕い物を続けた。二階には、わずかだが風が通り、何とかしのげる。

　突然風が立った。目の前の唐楓が枝をたわめている。教授宅の森は、急流の縞を成す雲の下、毛を振乱して踊っていた。鬱積した暑気が今にも破裂しそうな予感とともに猫の咽喉のようなゴロゴロが遠くで鳴った。と、雨が降り出した。叩き付けるような雨だ。一閃光り、ズドンと雷が落ちたとき、初江は悲鳴をあげて階段を駆け下りた。寝室としている四畳半に大あわてで蚊帳を吊り、蒲団を頭からすっぽりかぶった。またズドンと落ちた。雷なんか大嫌いだ……早く通り過ぎろ……早く早く……。

「おかあさん」と声がした。悠太だった。恐る恐る蒲団を開くと、息子は滴の垂れる軍服を脱ぎながら笑っていた。銃剣を丁寧に拭って、床の間に置いた。また稲妻が光った。

「悠太、剣から手を離しなさい。あぶないわよ」

「大丈夫だよ」と悠太は豪傑笑いをてらった。「雷雲は五キロ西方にある。そして、西北方向に向って移動しつつある。わが家には来襲せん」

　ズドンと来た。初江は首をすくめて震えた。悠太は半ズボンになると双眼鏡を持って、物干台への急階段を登り出した。ざんざん降りに打たれたまま平気である。

「お前、どこへ行くのかえ」

「雷雲の通過を観測するんだ。暑中休暇の宿題なんだ」

「そんな……あぶないよ……高い所は雷に近いんだよ」

「ダアイジョブ。歩きながらざっと観察していたんだ。絶対にこのあたりには落ちない」

　酔狂な子である。ともかく観測だの観察だのが大好きなのだ。雷雲の観測なぞ、どうやるのか知らないが、あれだけ自信を持ってやるからには危険はなさそうだ。初江は、ハンガーに掛けられた軍服を見た。肩から胸のあたりがしょぼ濡れている。走ってきたせいで、ズボンは泥塗れだ。また洗濯し直さねばならない。

　明るくなり、雨が細った。日が射して無数の水玉が庭一杯に輝いたとき、初江はやっと蚊帳を畳んだ。悠太が現れ、風呂場で水を浴びている。浴衣を持って行ってやった初江は、息子がしきりと裸の胸を押え、顰め面をしているのを見た。左の乳の下に赤黒い内出血がある。

「どうしたんだえ」

「ウム……ちょっとな」

「打ったのかえ」

「大したことはない」

「何で打ったの」

「滑って打った」

「あんな大雨の中、物干台なんかに上るからだよ。湿布でもしたほうがいいよ」

「なあに平気。すぐ治るさ。何のこれしき……」

悠太は胸を庇うようにして、ふんわりと浴衣を着た。父のお古で、ミタケは長すぎるがユキは丁度よい。

夕食の支度に掛った。昨日の鋤焼と白米飯のあとでは何を作っても見劣りしてしまう。仕方がない。近頃わが家の常食にしている薩摩芋と食用粉を練り合せた団子にキャベツをたっぷり入れた雑炊、海老雑魚と南瓜の煮付けと心に決めた。月一回の肉、週一回の魚（それも干物が多い）がせいぜいの贅沢、それが現実なのだ。

雨後の夕方は涼しかった。駿次や研三も帰ってきて、兄弟三人は二階で蓄音機をかけ始めた。柳家金語楼の〝兵隊落語〟をやっている。悠次の声がした。玄関に出迎えた初江は、すぐお茶の師匠の疎開を報告した。

「そうか、突然だな。もっと早く言ってくれりゃ、後釜を捜しておいたのにな」

「もう借り手はいないでしょう。御近所は空家ばかしですもの」

「泣きっ面に蜂だな。玉砕、玉砕で株が下ってるところに、店子に逃げられるか」

お茶の師匠は、家賃の払いはきちんとし、それに弟子からの豊富な到来物の一部を盆暮の付届けにして、またとない借家人であったのだ。

水浴びのあと、悠次は二階に上り、子供たちとレコードを聴いている様子だ。悠次が子供たちと一緒に何かするのは珍しい。やはり長男の帰宅を喜んでいるのだ。食後、「活動を見せてやろう」と言い出したのも悠次だった。

子供部屋の壁をスクリーンとして八ミリ写真を映す。映写機を操作しながら悠次は説明をした。

「今夜はな、アメリカてえのはどんな国か見せてやる。みんな、敵国の実態をようく見ろ」

と熱の籠った口吻(こうふん)だ。初江は、ここ数年、ついぞ活動写真など映したことがなかったのにと、改めて思った。

「おとうさんが、アメリカを旅行したのは昭和十一年だから、もう八年も前だが、様子は今も変らないだろう」

「これがイギリスの豪華船クイーン・メリー号の船橋から撮ったニューヨークだ。一等高いのがエンパイヤ・ステート・ビルディングだ。百二階ある。世界一だ。奴等はうんと金を使って、やたらと高いビルディングを建てる。コンクリートの塔が金持の競争をしてるのは、醜いよな」

「五番街のネオンサインだ。日本にはこんなに複雑で、けばけばしいのはねえな。色がよく出てるだろう。これはコダックの天然色フィルムを使って撮ったものだ。八年も前に天然色を発明していやがった。小癪(こしゃく)な奴等さ」

「これが、腐敗堕落した賭博(とばく)の町ラスヴェガスの近くにある、エート、イセルタという所のインデアンの家と踊りだ。インデアンは白人に迫害されて貧乏している。踊りも観光客相手のものだ。見た人は十セント払う」

「ハリウッドの大邸宅だ。ジョン・バリモアの家、これはクラーク・ゲーブルの家。奴等の自動車は一台一万五千ドルだそうだ」

サンフランシスコを立った日本郵船の秩父丸が龍田丸と擦れ違うシーンを映写していると き、悠太が「胸が痛い」と言い出し、中断して電灯を点けた。玉の脂汗を額に浮べている。

悠太は、昨夜と違って、夕食中もむっつり黙り込み、雑炊も一杯だけしか食べなかった。

「やっぱりあそこが痛むのかい」と心配する母に、「ちょっぴりな……」と答えたが、何やら苦しげだった。しかし、活動写真が始まると、ひどく熱心に画面に見入り、父にあれこれ質問していたのだ。

「大分痛むのかえ」

「すぐ治ると思ったんだが、莫迦に痛い。さっきクシャミをしたら、つんと響いた」

「疲れもあるんじゃない。外出して、雨に遭って、雷の観測までしたんですもん」

硼酸水をガーゼに浸ませた湿布を患部に当てて寝かせてやった。色変りのした場所に触るだけで飛び上るほど痛がった。何だか不審で、初江は三田に電話を掛けた。

「そいつはおかしいな。明朝も痛がるようだったら連れてこい」利平は晩酌の最中らしく、呂律の回らぬ舌で言った。「いや、明朝になって痛みが取れても、とにかく連れてこい。悠坊の顔が見とうてな。陸軍軍人の制服ちゅうのを見たいわ。近来、さっぱり孫たちが来んので、おじいちゃまは淋しいぞ。悠坊だけじゃなく、みんな連れて来い……」と延々と話している。初江は適当な所で電話を切った。

9

朝になっても、痛みは続いていた。寝返りを打つとひどくなるためあまり眠れなかったと、悠太は血走ったまなこで言った。朝の涼しいうちにと急いで三田へ連れて行った。ほかの患者たちを抜いて、利平はすぐ呼び入れてくれた。

「オウオウ、悠坊。どうした。軍服を着てこんのか。ま、この暑さでは無理かのう。そのシャツを脱げ。痛い所を見せい」

青い出血斑はきのうより大きくなっている。そこを撫でられた悠太は、「痛い」と反り返った。

「こりゃ相当にひどいな。レントゲン」

末広婦長が不服そうな顔付きで院長に言った、レントゲンは時間が掛るので後回しにして、大勢待っている患者を先に診てほしいと。

「構わん。来い」と利平は先に立った。白衣の前が開き、褌が飛び出した。越中褌が緩んでいて、歩くと中がまる見えである。初江はびっくりして目くばせで注意した。利平は何食わぬ顔で褌を締め直した。初江は開けっ放しの白衣のボタンを、一つ一つ嵌めてやった。裸の上に直接白衣を着るのは、夏になると利平が好む風体だが、よれよれの垢染みた白衣を羽織るとは何事か。初江は、黄粉でもまぶしたような、乾いてぼろぼろの父の頬を見て胸が騒いだ。

まだしとっているレントゲン写真を見た利平は、「ホホホウ」と突拍子もない感嘆詞を吐いた。「折れちょる。左第七肋骨亀裂骨折じゃ。相当の強打じゃったな。悠坊、何にぶつけた」

「物干台の手摺……雨んなかで滑った」

「きのうの夕立のさなか、この子ったら……」と初江は事情を説明した。

「すぐ治る？」と、悠太が心配そうに尋ねた。

「すぐは治らんな。まあ、転位骨の無い亀裂骨折じゃから治癒も早かろうが、それでも最低三週間はかかる」

「そんなに……」悠太は悄気返った。「休暇は二週間だ。休暇中に何とか治してしまいたいんだけど」

「フム」利平は、細心の注意を払って触診を繰り返した。「休暇中に怪我したちゅうと、御上に対し奉り不忠、軍人としては不面目、そういうこっちゃろう。何とかしてやりたいがのう。ともかく絆創膏固定ちゅうのをやらんといかん」利平は末広婦長に治療室での準備を命じ、悠太にも「先に行っちょれ」と言った。二人切りになると初江ははしっこく尋ねた。

「おとうさま、お体大丈夫なの？」

「大丈夫じゃ」

「モルヒネは……」

「すこしは打っちょる。打たんと坐骨神経がうずいてな、決戦下多忙を極める院長がつとまらん」

「モルヒネなんか、おやめあそばせ」と初江は直截に言った。

「フム、やめるわ……やめねばいかんな……フム、それが問題じゃ」と歯切れが悪く、嫌なことを無理強いされた子供のように不満げに口を閉じ、と取って付けたように言った。

「夏江が引揚げてくるわ。先月、島民総疎開命令ちゅうのが出たらしいわ。この四月には小笠原島民の強制疎開が始まった。小笠原のつぎは伊豆諸島じゃ」

「夏っちゃん……せっかく食糧事情のよい島に行ったのに、また危険な東京に帰ってくるなんて……あの子もついてませんね」

妹の夏江が夫の菊池透の里、八丈島へ行ったのは昭和十七年の夏であった。透の予防拘禁が長びくと予想され、東京の物資不足がひどくなり、加えて、彼女が館長をしていた御台場の永山光蔵鉱物博物館が入館者激減で全収蔵品を上野の科学博物館に寄付して閉館となったためである。さすが漁業と牧畜の島で、魚や牛乳が豊富なうえ、菊池一家も親切に遇してくれると便りがあり、妹のためにもよかったと喜んでいたところだった。

「ま、あの子もついとらん、フン」と利平は鼻を鳴らした。「夏江が帰ってくることは、ほかのもんに言うな。おれに考えがあってな」

〝どういう考えですか〟と尋ねようとしたが利平は、もう治療室へと向っていた。

悠太の胸には幅広の絆創膏が幾重にも巻きつけられた。胸が鎧(よろい)に閉じ籠められたようで、いかにも暑苦しげである。

「痛みが起らぬ程度じゃったら、通常の起居動作はかまわん」と利平は悠太に言った。「どうじゃ、軍隊ちゅう所に慣れたか」

「はい」

「水虫やインキンにならんか」

「ならない」

「そんなら帝国軍人として合格じゃ。頑張(がんば)れ」利平は悠太の肩をポンと叩(たた)いた。悠太は胸に伝わった痛みで顔をしかめた。

初江と悠太が治療室を出たとたん、上野平吉が事務所から飛び出してきた。

「おやおや、小暮の奥さんに悠ちゃん。久し振りですな」と頭を下げ、「悠ちゃん、胸を打ったんだってね。なあに大したこたあない。帝国軍人だからな。すぐ治る。ちょっと、忙しいもんで、やあ」と通り掛りの看護婦に手を振りながらせかせか姿を消した。しかし、初江と悠太が顔を見合せているうちに戻って来て、初江に飛び掛らんばかりに顔を寄せ、ペラペラと喋(しゃべ)りまくった。

「敵がパリに迫って来ましたな。先鋒(せんぽう)部隊がシャルトルとオルレアンに来たそうだが、西山先生によるとシャルトルには有名なキャソリックの教会があり、オルレアンてとこはジャンヌ・ダルクが活躍した町だそうで、フランス人は大喜びらしいが、独軍の機甲部隊も黙ってはいない。電撃作戦で敵を殲滅しつつある。報復猛爆でロンドンは火の海、ざまあみろです。ところで東条首相はなぜ総辞職したんですかね」と、脂のついた目頭を近付け、まじまじと初江の顔を見た。

「さあ、そんなこと、わからないわ」相手の臭い吐息を避けるため、初江はのけぞった。

「ぼくもわからんのですよ。首相、陸相、参謀総長を兼ねる最高責任者が、皇国危急存亡の秋に当って辞職するのは解せませんなあ。そうそう、ヒトラー総統の暗殺計画が露見しましたな」

「へえ?」

「きのうの新聞に出てました。何とかと言う少将の陰謀で時限爆弾を仕掛けたんだが、総統と話をしていた少将が席を外せない羽目になり、『実行を待て』となって、計画が挫折したんだそうで。ヒトラーは、多分、少将が怪しいんで自分のそばから離さなかったんですよ。さすが世紀の電撃作戦をやった人物は違いますなあ」平吉はそう言うと、スリッパをペタペタさせて、事務室に引き込んだ。初江は苦笑を悠太に向けたが、こちらはいつのまにか薬局に入り込み、久米薬剤師と話していた。久米は、平吉がいなくなったと見ると、薬局の窓口から顔を覗かせ、初江を中に誘った。

「お嬢さま、お久し振り。暑いわね」と久米は、わざと声を張り上げ〝お嬢さま〟と言った。

「事務長さん、相変らずね」

「ええ、相変らずもいいとこですわ。栄養がよくてつやつやしてるでしょう。事務長権限で炊事場の配給品をピン撥ねしてるんだから」久米薬剤師は悠太を意識して口を押えた。しかし悠太は不意に出て行った。窓口からは、五郎と連れ立って向うへ去って行くのが見えた。

「ピン撥ねなんて……許せないじゃない」

「あの人は平気の平左。何しろ奥方さま公認の行為ですもの。おお先生に栄養をつけるためというんだけど、実は自分の口に入れるってわけ」

「おとうさま、御存知なのかしら」

「むろん、御存知ですよ。何度も平吉に雷をお落しになった。だけど、雷ぐらいじゃ、平吉は、てんとこたえない。それに困ったことに、平吉は闇物資の購入なんかには目端が利くでしょう、あんまり強くも出られない弱味がおお先生にもおありになる」

狭い薬局の中は空気が通わず、ひどく蒸し暑い。それに薬の異様な臭いで息苦しい。乳鉢の灰色の粉を乳棒で、薬剤師はゆっくりと掻き混ぜている。

「これ何なのかしら」と目を近付けた初江を、「あぶない。猛毒よ」と久米は叱り付けた。

「毒薬なの?」

「そう。亜砒酸と黄燐と饂飩粉を混ぜたもの」

「何に使うの?」

「この病院の職員を皆殺しにしてやるんですよ。御飯に混ぜて食わせちゃう。こんな病院、ぶっ潰してやるんだ」久米薬剤師は恐ろしい目付きで言った。

「あなた正気？」

「正気よ。あ、秘密を洩らしたからには、お嬢さまも共犯ですからね。陰謀団の一員になったんだ」久米は唐突に吹き出した。「嘘よ。これ、〝猫いらず〟。最近鼠がやたらと繁殖してね、おお先生の御命令で、殺鼠大作戦というわけ」

「なあんだ」初江も笑った。「おどかすよ、この人は」

「鼠がすごいんですよ。建物が古くて、穴だらけ隙間だらけ、それに食糧が豊富でしょう。辺り近所の鼠どもが大挙して集って来たみたい。捕っても捕っても切りがない。食堂や炊事場のあたり、征露丸みたいな糞の山なの。五郎に言わせると、空襲なんかより鼠によってこの病院毀されちゃうって」

久米薬剤師は真鍮の薬匙を巧みに使い、粉末を広口瓶に移し始めた。瓶の貼紙にはＭＭとあった。粉末全部を入れ終えると初江を見て、ペロリと舌を出した。

「お嬢さま。これはね、ただの胃薬よ。おお先生処方の〝時田胃散〟よ」

「ひどいわね、あなた」初江は怒った。「二度もわたしを騙したのね」

「御免なさい」と久米は深々と頭を下げた。「別に悪気はなかったんです。ただ、初江お嬢さまって、すぐ人を信じるでしょう。あんまり簡単に騙されなさるから、わたしも嘘を訂正しにくくなり、つい調子に乗っちゃうの」

「人が悪い人」と初江は機嫌を直し、手で首を扇いだ。「おお暑い、暑い」

「でもねえ。鼠の大群が病院中駆け回ってるのも、こんな病院ぶっ潰しちまいたいと思ってるのも、どちらも本当よ」

「もういやよ。あなたなんか信じない」

「これだけは信じてほしい、病院の建物も人間も腐ってきたの。今にどっと倒れるに決っています」

久米薬剤師は、今までの皮肉な表情を真顔に改めた。左頰の赤い痣が目立つのは、化粧をやめて素顔になったためだ。無数の皺が頰から口元に集まり、明らかな老婆の相である。肌の色が蒼白く、変に窶れて見える。

「あなた、体の具合はいいの」

「いいわけないでしょう。もう疲れ果ててるわよ。わたし、もう死んでもいいの。死んだら、どんなにせいせいするか」

初江が物心ついたとき、すでに彼女は薬剤師をしていたから、もう三十年もこの病院で働いていることになる。若い時から鼻柱が強く、利平にも物怖じせずに直言し、一寸見には激しい衝突もあったが、彼女は専制君主への節度を心得ていたし、彼のほうも邪気のない進言として嘉するので、後に痼りを残さずに来た。とくに〝完皮液〟、〝完皮膏〟、〝大東亜丸〟、〝共栄散〟などの売薬の開発には彼女の協力が不可欠だった。これらの薬は大東亜戦争勃発以来南方戦線の皇軍将士に喜ばれ、軍御用として飛ぶように売れていた。しかし、戦局が重大化し輸送が跡切れがちとなるにつれて売行きが落ち、最近では大量の在庫をかかえて生産制限を余儀なくされていた。

ところで利平が久米薬剤師と、さらに密接な間柄になった切掛けは、モルヒネの一件であった。初江が久米からその事実を聞いたのは三年ほど前で、いとが事務長の上野平吉と破倫の関係にあると疑い出した利平が憂さ晴しにモルヒネを打ち始めたという。当初は、一、二筒を皮下注射していたのが段々に量があがり、坐骨神経痛用という口実で、六、七筒を常用していた頃、初江は涙ながらに諫めたものだった。しかしその後も量は増え続け、この二月、悠太が入院の折、久米は、常用量が二十筒、二グラムの大量になったと嘆いていた。「今のところ、何とかごまかして医者の体面は保っていなさるけれど、手術のとき手は震えるし、難しい患者は避けるし、物忘れはひどいし、それにお体がずたずた、血色は悪いし、肌はかさかさに乾いてるし、耳鳴りがあって、完全な中毒の末期で、もうすぐ破滅なさるわ」と久米は何度も溜息をついていた。

「死ぬなんて悲しいこと言わないでよ」と初江は励ました。「何とか頑張ってほしい。あなたがあきらめたら、この病院お終いよ。おとうさまの御様子、本当にひどいわ。汚れた褌に、汚れた白衣なんか羽織ったりなさって……おいとさんが面倒をみて差し上げないのかしら」

「全然」と久米薬剤師は頭を振った。「最近あの御夫婦、別々にお休みになってるんです。おお先生のお世話は、女中がしてるんだけど、その女中がしょっちゅう変る。おお先生みたいにわがままで怒りっぽい方の世話は、ぽっと出の女中にはできやしない。で、あの始末。わたしも気が付けば注意して差し上げてるんですけどね……」

初江は息が詰ってきた。風の通わぬ狭い薬局に、薬の匂いに包まれて久米と鼻突き合せているためだけでなく、久米の力尽きたような顔から、現在時田病院の陥っている、どうしようもない窮状が読み取れたからである。いとと平吉の不義、利平といとの不和、利平のモルヒネ中毒、平吉の増長と不正、医師と看護婦の老齢化と無能、売薬の売行き不振、それに疎開の問題が加わる。その、どれ一つに対しても初江は無力で何もしてあげられない……お久米さんにしても同じように無力なのだ。

「おかあさん」と悠太が戻ってきた。「おれ、帰って宿題をせにゃならんのだ」

「あらそう」と初江は半ばほっとした気持で言った。「大急ぎで帰りましょう。でも、ちょっと、おいとさんに挨拶しておかなくっちゃ」

「いませんよ」と久米が言った。「一昨日から始った食品総合配給の監視のため、大日本婦人会の一隊をひきいて、三之橋の〝健民豆腐屋〟にお出ましですよ」

悠太は胸を労る様子で、そろそろと歩いた。〝折れちょる〟と言われたのが余程応えたらしい。すでに昼近く、陽光は無障碍に降り注いできて目を痛める。田町駅に来たとき、初江は軽い眩暈を覚えた。どこかで休みたいが、喫茶店は軒並み閉っているし、たった一軒開いている雑炊食堂の前は長蛇の列であった。プラットホームのベンチに坐ったとき、どっと冷や汗が溢れ出、全身の力が脱けて、初江は肩で息をした。悠太が気遣わしげに見ていた。

「おかあさん、疲れ過ぎだよ。きのうだって、随分遅くまで夜なべしてたしさ」

「なあに、暑さのせいよ。それより、お前、早く治るといいね」

「ああ、休暇が終るまでには絶対治してみせる。ゴロちゃんも、前に肋骨折ったことあんだってさ。でも十日ぐらいで治ったって。肋骨ってつきやすいんだって。ついてしまえば、すこしぐらい痛くても、動かして大丈夫だって」

電車が来たが二人はやり過した。

「病院に鼠が出るんだってね」

「大量発生だって、ゴロちゃんが言ってた。穴をトタンでふさぐと、別な所に穴をあける。猫いらずで殺すと屍体(したい)が天井裏や床下で腐ってものすごく臭い……」

「どうしようもないね」初江は、また気分が悪くなってきた。しかし、悠太が水に浸してくれた手拭(てぬぐい)で額を冷すうち人心地がついてきた。

汗をかくと絆創膏の内側が蒸れるので、炎暑の日中は外出を避けるようにし、朝夕の涼しい時に近所を散歩する、そんな日課が悠太の療養生活だった。

子供部屋の央子の机に向い、学校の宿題をしたり、読書に耽(ふけ)る彼を見ながら、あんなに目を使っては近眼がつのるのではないかと初江は気掛りだった。しかしそれを忠告すると息子を疵付(きずつ)けるようで黙っていた。

ある夕方、悠太が散歩に出た隙に部屋に入りこんで掃除をしていると、幼年学校の手簿(ノートのことをこう呼ぶらしい)や教科書が整然と本箱に並べられたそばに、新潮社の『世界文学全集』から抜き出した何冊かが突っ込んであるのが目に付いた。『アイヴンホー』、『クオ・ヴァディス』、『神曲』。『神曲』には、赤い紙の栞(しおり)が挿(はさ)んである。何気なく引出して見ると、赤鉛筆で傍線が引いてあった。

あまねく砂原の上には、火片の巨なるもの徐に降りて、風のなき高山の雪にも似たり。

……苦しみを増し加へむとて永久の熱は落ち来り、為めに砂原の燃え立てるは、火打鎌の下なる引火奴に異らず。或ひは彼方へ、或ひは此方へと、新しき火粉をふり払へる、あはれなる手の乱舞には束の間の休みもなかりき。

前後を読むと、神を冒瀆した者、高利貸、男色者の落された〝熱砂の荒野〟の記述である。まるで空襲の描写のようだ。悠太は、小学生の時からこの『神曲』が好きで、いつも机上に置いていた。今度も懐かしがって取り出してきたらしい。本を元に戻し、ふと机上を見ると、書きかけの日記がまるで読んでくれと言わんばかりに文鎮押しで開かれたままである。息子の秘密を覗いてはならぬと一旦は目をそむけたものの、つぎの瞬間、万年筆で細書された行を辿っていた。

八月十五日　火曜日　晴

五時学校出発。トランクハ車送セシメタリ。六時半名古屋駅発ノ汽車、満員ノ上、遅延ニテ、通常十五時半ニ着クベキヲ二時間遅レトナル。シカレドモ車中士官候補生殿ト立チ話デキ種々有益ナル示唆ヲ受ケタリ。彼近キ戦死ヲ覚悟シ護国ノ鬼トナリ靖国神社ニテ再会セント言ハレタリ。家ニ着キシハ十八時前ニテ父上母上ヲ始、弟達ニ久方振ニ接シ感深カリキ。夕食母上ノ心尽シノ御馳走ニテ有難シ。父上ト戦局ノ帰趨ニツキ論ジ、皇軍ノ必勝ヲ信ズル所一致セリ。物干台ニ上リ弟達ト夏ノ夜空ヲ望遠鏡ニテ観測ス。折カラペルセウス座流星群ノ季節ニテ流星八ヲ数フ。宇宙ノ広大無辺ヲ嘆賞ス。

八月十六日　水曜日　晴夕刻驟雨

午前中宿題ヲナス。

午後外出ス。千代田ノ宮ノ森厳ニシテ崇高ナルヲ拝シ、ココニ神国日本ノ根源アリト肝ニ銘ズ。靖国ノ社殿蟬時雨ノサナカ、サイパン、アッツ、ガ島ノ玉砕ノ英霊ニ対シ鬼畜米英ヘノ報復ヲ誓ヘリ。明治神宮ヲ奉拝シ、幼校合格ヲ謝シ奉リシヨリ、乃木神社ニ詣デ、乃木邸ヲ参観ス。几帳面ナル矩形ヲ成セル質素ナル木造洋館ニシテ、忠節無比ノ乃木将軍ト静子夫人ノ殉死ヲ遂ゲタマヘル処ナリ。帰宅。夕立アリ。物干台ニ昇リテ雷雲通過ノ模様ヲ観測、雷源ノ位置ヲ特定シ地図上ニ明示シエタリ。

夜、昔父上洋行ノ砌撮リタマヒシ活動写真ノ映写アリ、ニユーヨークヲ始メ米国ノ巨大都市ヲ見、予荒鷲トナリテ爆撃シ瓦礫ノ山トセバ痛快ナラムト空想ス。

八月十七日　木曜日　晴

連日灼熱ノ気温ナレド士気旺盛ニシテ宿題ノ後校長閣下ヲ始メ諸上官先輩ニ手紙ヲ書ク。

午後ハ本郷ノ菩提寺ニ行キ墓参ヲナス。先祖ノ霊ニ皇軍ノ一員トナリシヲ報ジ進ンデ皇国ノ礎トナラムト誓ヘリ。

夕刻、弟達ト庭ニテ相撲ヲ取ル。上ノ弟駿次中々ノ膂力ナレド予ニ敵ハズ……

おや、と初江は訝しがった。前日、雨中で胸を強打し、この日は三田の祖父の病院を訪れ、肋骨骨折の診断を受けたはずなのに、その記載が全くない。まして弟と相撲を取るなどありえぬ記述である。先を読んで行くと、ずっと在宅していたのに、毎日外出したと書いてある。軍人勅諭の奉読と遥拝など、帰宅した翌朝一回しただけだが、「勅諭奉読、宮城遥拝、皇大神宮ノ遥拝ハ一日モ欠カサズ」などと記している。毎日の読書は、大体『世界文学全集』のはずが、『明治天皇御集謹解』や『紀元二千六百年史』を熟読玩味したなどとあり、読後感などを縷々書き連ねてある……。

気配がして振り返ると悠太が立っていた。初江は狼狽した。

「いやねえ、掃除してたら、目についたもんで……お前には悪いと思ったけど、すこし読んだの。御免ね」

「いいんだよ」と悠太は平気で言った。「この日記はどうせ生徒監が全部読むんだから。ほら、な」と朱筆を入れたページを開いた。「所見適切夫レ勉メ」「真剣ナル反省ヲ認ム純真明朗夫ヲ相手ニ敢闘ヲ期スベシ」などの評言がある。誤字の訂正もある。

「賞められてるじゃないか。お前文章が上手なのよ」

「いいや、内容なんだ。内容が勇ましく軍人らしければ賞められるんだ。だから、みんな内容のよい日記を書くんだ。要領だよ。軍隊ってところは要領がよくなけりゃやって行けんのだ。日記は毎日書かにゃならん。書くことがなけりゃ『名言集』やら『名将言行録』から引用しておく。支給された官品の員数もしょっちゅう検査されるから、無くしたら盗んでも数を揃えにゃならん」

「でも……」わが子の少年らしい眉宇の中に、大人っぽい分別の色を見出して、初江は口籠ってしまった。

「おかあさんにだけ言っておきたいことがある」

「何なの……」

「この胸、物干台で打ったんじゃないんだ。拳固で突かれたんだ。相手は伍長さ。乃木大将邸を見ていたら向うから下士官が一人来た。兵長に見えた。だから近付いて同時に敬礼するつもりだった。ところが、二メートルぐらいに来たとき、伍長だとわかった。あわてて敬礼しようとしたが、もうすでに先方は真っ赤になって怒って、なぜ敬礼せんと怒鳴りつけてきた。おれ、見えませんでありました、と答えた。ところが、伍長は納得しない。将校生徒は偉ぶって生意気だといきなり拳固の一突きだ。こっちは直立不動の姿勢で頑張っていると、また力一杯一突きして、こっちが倒れると、フン、今後気をつけろ、の捨て台詞で行ってしまった」

「まあひどい」

「ひどくはない。当然だ。むこうは上官だ。上官に敬礼をしなけりゃ、制裁を受けて当然だ。敬礼をしなかったのは、伍長の襟章が見えなかったからだ。見えなかったのは、おれの目が近眼だったからだ」

「やっぱり近眼なのかねえ」

「近眼だ。ただし、近眼のため伍長に敬礼せず、肋骨を折られたなど、将校生徒の恥だ。絶対に日記に書けない。だから、おれ、決心した。全部隠す。この事件はなかったことにする。おかあさんも心得ておいてほしい。おれの日記をよく読んで、休暇中はそのような行動と生活をしたと記憶して、何かの場合は口裏を合わせてほしい」

「でも、休暇が終る日に骨折が治ってないとばれてしまうよ」

「大丈夫。きのう、おじいちゃまに電話してよく質問したんだ。肋骨の亀裂骨折の場合一週間ぐらいで骨と骨が一部くっつく。完全にくっつくまで三週間はかかるが、一部くっついていれば、胸に負担のかかる運動——柔道とか相撲——でもやらない限り、痛みを我慢して普通に動いて構わない」

「でも痛いんだろう。無理をしないほうが……」

「痛みぐらい、恥をかくより余程増しだ」

「勇ましいんだねえ」初江は、〝お前、幼年学校生活が辛くはないかえ〟と尋ねたかったのを堪えて、逆のことを言った。

読書と散歩を主体とする、悠太の暮し振りに変化は見られなかった。ただし、毎日のプールで真っ黒に日焼けした駿次を見ると、自分も顔だけは日に曝して焼くように努めた。研三の受験勉強も時々見てやり、兄貴らしく振舞ってもいた。こうして二週間の休暇の終る前日、三田で絆創膏を取ってもらった。レントゲン検査では骨の癒着具合は良好で、激しい運動でなければ、まあまあ日常の行動に差しつかえはないと利平が言った。翌朝、悠太は軍服を着て背嚢を背負い、玄関に見送りに出た両親と弟たちに敬礼し、軍靴の鋲の音を響かせて回れ右をすると、胸を張って歩き去った。門前で長男を見送った初江は、戻って来て会社に出掛けようとしている悠次に言った。

「若いんですねえ。胸の骨折、綺麗に治ってしまったようですわ」

「立派な軍人になるわ」悠次は靴を履きながら言った。

「でも、あれでいいんですかねえ」

「何が?」悠次は怪訝な顔をしたが、それ以上問わず、家を出た。

悠太は、近眼のため幼年学校で苦労するだろう。黒板の字が読めず、射撃の的がぼやけるようでは、早晩近眼が知られてしまうだろう。しかし、と初江は含み笑いをした。あの子は何とかやって行くだろう……気の弱い神経質な子が要領だの員数だのと言い出した……恥を隠し痛みを物ともせぬ〝勇ましさ〟もある……それより研三の準備をしてやらねば……。

九月十一日の朝午前七時、大久保国民学校の校庭に全校生徒が集っていた。

研三はイートン・ジャケットに半ズボン、水筒とズック鞄を胸十字に掛け、ボストンバッグを提げていた。ジャケットも半ズボンも丹精の甲斐あって針目も隠れ、お古とは思えぬほどキチンとしていて、ほかの子に見劣りはしない。

「忘れ物は無いかえ」と初江は二度目に訊ねた。「無いよ」と研三はうるさそうに答えた。初江は鞄の尾錠をきつく締め直してやりながら、「せっかく軽井沢を通るんだもの、央子に会えるといいんだがねえ」と、これも二度目の同じ言葉を繰り返した。軽井沢に着いたら、すぐ草軽電気鉄道に乗り替えねばならず、集団旅行だから妹に会う暇など無いと知ったうえでの愚痴であった。

「さあ、進発式を始めますから、父兄の方は生徒の列から離れて下さい」と壇上にあがった湯浅教頭が言っても、子供たちに寄り添う母親たちはなかなか動こうとしない。

「みなさん式を始めます」と教頭が命令調に叫んだとき、やっと母親たちは列を離れた。

国旗掲揚、君が代斉唱のあと、湯浅教頭の訓示があった。八月四日に始った、東京都下の集団学童疎開は、本日、淀橋区の国民学校学童の出発をもって終了する。この間、実に二十二万人余の生徒が帝都を離脱し安全な田舎に移転したことになる。この間、輸送機関、父兄、受入れ先の協力があって、すべてが一糸乱れず遂行されたのは、帝国国民の偉大なる使命感と秩序ある国民性によるのである。われら大久保国民学校生徒は、集団学童疎開のシンガリである自覚と誇りを持ち、隊伍堂々と出発して、有終の美を示そうではないか。行先は群馬県吾妻郡草津町N旅館である。N旅館では生徒たちの受入れ準備に万全を期していて勉学食事就寝には一切障碍なしと好意と熱意を吐露しておられ、この点父兄の方々は安心してよろしい……。

校歌斉唱のあと、左側に疎開学童右側に残留学童が並んだ。疎開班は五、六年生のほぼ全員だが、三、四年生も過半数が参加している。対面して「礼」をしたあと出発となった。

　歩調を取って御真影に頭右をしたあと校門を出た子供たちの後尾を、母親たちがぞろぞろと付いて行く。石屋の角を曲ると箪笥通りの商店街だ。子供たちの中に研三を見分けられず、初江は商店を物珍しげに眺めることにした。このあたりの商店は家から遠くて買物には来ないのだ。主婦の習性で食べ物屋に目が行く。が、豆腐屋、煎餅屋、魚屋、八百屋、豆屋と、どの店もがらんとした空き棚で廃墟じみている。新大久保駅の小高いプラットホームへと登ると電車が子供たちを待っていた。我れ先にと乗り込み、大騒ぎだ。まるで遠足へでも出掛けるような、はしゃぎようだ。窓からつぎつぎに顔を出した。「おかあさん」「元気で頑張ってね」「行ってきます」と言い合っているけれども研三の顔は出てこない。要領の悪い子だから押し除けられてしまったらしい。

「ここでお別れにします」と湯浅教頭がメガホンを向け、また命令調で叫んだ。「なごりは尽きませんが、上野駅まで来られると軽井沢まで行きたくなり、軽井沢まで来られると草津まで行きたくなります。さあ、おとうさん、おかあさん、さようなら」電車が動き始めた。

「さようなら」と子供たちが手を振ったとき、初江は目を潤ませた。研三の姿は見えない。電車はあっけなく小さくなって行った。

　今にも一雨来そうな黒っぽい空である。初江は軒下の竹竿に洗濯物を通すと、まずは二階から掃除を始めた。研三が受験勉強のため使っていた応接間の机や本箱を見たとたん、あの子もとうとういなくなったという思いがどっと湧き、悲しみに胸がつまった。まずは悠太、そして央子、そして研三と去って行った。今は駿次一人だけが残っている。が、この子だって、空襲が始まる前に、やはりどこかへ疎開させるべきかも知れない。最近頻回に北九州を爆撃しているB29という爆撃機は、沢山の爆弾を積んでいて、その破壊力は物凄いものという噂だ。あんなのが東京に来襲したら、駿次が被爆したらと思うとぞっとする。

　階下の子供部屋に叩きを掛けていた初江は、ふと中央の柱の前で手を止めた。そこには子供たちの折々の背丈が鉛筆の条で書き込まれてあったのだ。

　この家を建てて越して来たのは、二・二六事件の年だから、昭和十一年の三月……たしか三月一日だった。四月に悠太が小学校に入学した。悠太が八つ、駿次が六つ、研三が四つだった。三人の子供のために、このコルク貼りの子供部屋を作ってやった。悠次はその記念にと三人の背の高さに印をつけた。悠太が一メートル十五センチぐらいで、ほかの子はむろんもっと小さい。みんなこんなに幼なかったのだ。幼い兄弟が積木をし、電気機関車を動かし、相撲の真似事をする……透明な柔かい子供の声を聞きながら縁側で編棒を動かすわたし……喧嘩をして誰かが泣く……大抵は駿次だった……末の弟の研三は強情で口を閉じ、泣く場合も声を出さなかった……その年の十一月に央子が生れた……悠次が外遊から戻った翌日のことだった……。央子が立って歩き出した満一歳の印がある。男の子三人のあと女の子を得たのが悠次は余程嬉しかったのだろう、ひと月ごとに成長の記録を丹念につけている。思い出した、頭に定規を当てられて泣いている央子を。娘を赤鉛筆の条にしてから、長男は黒、次男は青、三男は黒の点線とし、年月日を書き込む……悠次はこういう所、まことに几帳面だ……この家も出っ張りのない真四角に設計した……悠太に聞いたのだが乃木大将の家もそうだという……子供たちは大きくなっていく……子供たちの時間が、幼年時代がこの柱に密に閉じ籠められた……しかし、その時間は柱に吸い込まれてしまったようにして、わたしから去って行った……そして子供たちも去って行く……悠太は、研三は、央子は、去った……いなくなった……今度いつ会えるのだろう……。黒、青、点線、赤が競い合って伸びている。現在までその順序は変らないが、青が黒に迫っている、スポーツ選手の駿次はぐんぐん背が伸びている、やがて兄を越し、母を越し、父を越すだろう……駿次だけが残ってくれた……その子を疎開させる……。初江はぶるっと身震いすると叩きをせわしく動かし、不安な想念を追い払おうとしたが、急に力を脱かれたように腕がだらりと垂れ、央子の椅子に腰をおろした。まったく不意に、晋助を、彼の消息不明を、不吉な運命を想った。なぜ手紙が来ないのだろう……戦地で何があったのだろう……桜子はどうしてあんな妙なことを口走ったのだろう……。

　机の上に央子と悠太の葉書があった。

おかあさん元気ですか。オツコは元気よ。山はすつかり秋よ。アカトンボがたくさんとんで手をのばすとすぐつかまへられるのよ。虫がないてる。虫のオーケストラでねススキがをどつてるよ。オツコもバイちやんをまけないやうにひいてる。ヘラとなかよしになりました。あそんでるとフランスごでなにかいふのでわからないときあるけど。さやうなら。

拝啓　八月二十八日十八時無事帰校しました。休暇中お世話になり感謝致してをります。父上母上をはじめ弟達の元気なるを見安心致しました。三十一日は橘(たちばな)軍神(ぐんしん)首山堡(しゅざんぽ)にて戦死せられたる日早朝行軍にて陸軍墓地の御霊前にて聖戦必勝の祈願を致しました。九月四日は軍人勅諭奉戴日(ほうたいび)にて勅諭の謹写をしました。変体仮名の間違ひにて生徒監殿より御注意を受けました。以上大いに士気旺盛にやつてをりますから御安心下さい。草々。九月五日

近眼については何も書いていない。肋骨骨折が治ったばかりの身で早朝行軍は辛かったろうと思うが何の言及もない。初江は箒(ほうき)でコルクの床をゆっくりと掃き始めた。

## 10

難破船のように波にもまれていた八丈富士は、いつのまにか見えなくなった。そのあたりの水平線には、剣のような波がにょきにょき立つのみだ。

荒海に船は翻弄(ほんろう)されていた。山の上に持ちあげられたかと思うと奈落の底に滑り落ちる。それでも進んでいる証拠に白い水尾(みお)を曳(ひ)いていた。白い網が伸び切ると瞬時にぶつぶつの断

片になる。すると新しい網が飽きもせずに作り直される。水尾は、刺立った黒い波の上を長く白く染めていた。

やたら複雑な様相で立騒ぐ、波と泡のどこかに敵潜水艦が潜んでいて、今にもこの船に魚雷を発射してくる、そんな恐怖に人々は取付かれていた。さっきも、誰かが潜望鏡が見えると叫び、どこだ、どれどれと、みんなが波間に目を凝らし、そこから真っ直な魚雷の線が襲い掛ってくるのを固唾を呑んで見守っていた。気の早い人たちは非常袋に手を伸ばし、救命胴衣の紐を締め直し、浮輪を引寄せたりした。やがて、潜望鏡は何かの浮遊物に過ぎなかったとわかると、みんなほっとし、人騒がせを叫んだ人に眉をひそめた。

甲板は人と物とで身動きもならぬ。兵隊が人々を船室の奥へと追い入れるのだが、しばらくすると甲板へと押し合いながら登ってくる。九月下旬の風は冷たく、室内のほうが快適であるのに、やはり潜水艦が恐いのだった。子供がおしっこと言う。父親が抱いて舷側でさせる。どうかすると小水とも繁吹きともわからぬ水が顔に飛んできた。

菊池の一家は後甲板に身を寄せ合っていた。父親の勇は幅広の肩の上に太い首を傾げて目を瞑っていた。眠っているのか起きているのか不分明だ。ともかく、島を出てからずっとその姿勢を崩さない。眠るのなら、信玄袋を枕にして寝転べば楽なのにと夏江は思うのだが、下手に世話を焼くと腹を立てられるので、黙っている。舅がそんな風なので、兄嫁のフクは、ぐったりと疲れているのに横にもなれず、背負い籠に背をあずけて正座している。フクの夫、宏は去年の夏満洲で戦病死した。何でも腸チフスに罹ったというが、突然の通知に泣き崩れた母の亀子や妹の勝子の前で、妻のフクは涙一滴も流さず無表情でいた。フクが泣いたのは、その夜、みんなが寝静まった頃であった。仏壇の前で押し殺した嗚咽を洩らしていた。そして翌朝は、何事もなかったような顔付きで坊さんにお茶を出し、精進落しの料理をせっせと作った。そして人々のお悔みにも顔色一つ変えず、さすが軍国の妻と人々に賞められた。ひと月遅れで遺骨が届き、今度は大賀郷村総出で英霊を迎える村葬が行なわれた。そのあと、フクの身の振り方について舅姑と話合いがもたれ、二人は、子供もないことだし、籍を抜いて中之郷村の親元へ帰り、黄八丈染元の娘として暮すのがよいと勧めたのだが、フクは、わたしは陸軍上等兵菊池宏の妻ですからと言葉少なに言い、元通り菊池家に住むことになった。暮に、亀子が岩海苔を取りに千畳敷と呼ばれる熔岩の磯に行って波にさらわれ行方不明になった。村の有志が冬の海に船を出し捜索に当ったところ、二日後に、青ヶ島の西方で見付かった。魚に喰われ半分白骨となった無残な姿だった。岩海苔取りに同行した勝子は、かあさは波なんかにさらわれるような人ではねえ、何十年も冬になれば岩海苔を取っていて、あそこらの岩の具合はようく知ってたから、あれは魔が差したにちげえねえと言ったが、魔が差すとは何だと勇に問われて答えられなかった。夏江に見て取れたのは、長男の宏の死を聞いてから以後、亀子が姑御らしい文句や口出しを夏江に対して一切行なわなくなり、元気を阻喪したのか呆けたのか、別人のようになったことである。時折、亀子は、男の子なんか生まなきゃよかったね、とつぶやき、それはまるで次男が不具の上に罪人になり、長男が名誉の戦死ならまだしも戦病死なんかで異国の地で死ぬなんてと言おうとするかのようで、夏江には慰めようもなく、一緒に溜息をつくだけだった。こういう亀子に対して勇は、むしろじゃけんになり、だらしがねえ、女々しいと叱り付けるので、亀子はいよいよ小さく固く押黙ってしまった。冬の西北風が吹き始め、岩海苔の季節になったとき、母親を励まし、一緒に磯に出掛けたのは勝子であり、母の死後は、まるで自分が殺しでもしたように悔み、泣き、食が細くなって日々に痩せて行き、痛々しかった。今、勝子はどこかの若い母親が赤ん坊に乳を飲ませているのを、風から守ろうとして、自分の羽織をひろげて囲ってやっていた。風を受けると赤ん坊は目を細め乳房から口を離してしまう。勝子は、よしよしと言いながら羽織の向きを変えてやり、辛抱強くその行為を繰り返した。左横から迫り上ってきた大きなうねりの頭が崩れて、どっと甲板上を水が流れ、所々で悲鳴が起った。勝子は濡れた赤ん坊の顔をせっせと拭ってやった。しかし、勇とフクは同じ姿勢を保ったまま動かなかった。

八丈島島民の本土疎開が囁かれるようになったのは、今年の四月、小笠原島民の本土への強制疎開が開始されてからである。本土防衛の前哨戦場のためという名目で陸海軍の兵隊が増え、三根や中之郷や樫立の国民学校が接収されて、学童たちは民家に分散して授業を受けるようになった。兵隊たちが威張って歩き回る反面、島民たちは、非戦闘員、〃地方人〃として、足手纏い扱いをされ、何となく居づらくなっていた七月初旬、陸軍の兵団司令官から島民総疎開の命令が出されて、島中が騒然となった。米や小麦粉、砂糖などは切符制で乏しかったが、魚介類や牛乳やバターなどは豊富にあり、本土よりはよほど恵まれた生活をしていた人々が、突然島を捨てねばならぬ、食糧不足のうえ住む家も職もない本土に移らねばならぬと言われて不安になったのだ。しかも、疎開命令に反対する者は非国民扱いされ、誰かがそれを口走ったために憲兵の取調べを受けたと囁かれた。七月十五日には、まず自由疎開の形で、本土に縁故者のいる者や集団疎開を目指す学童などが出発することになったが、折悪しく暴風雨のため乗船したまま沖待ちで、二日後にようやく出港することができた。数日後、新聞はサイパン島の皇軍が七月初旬、全員壮烈な戦死をしたうえ、在留邦人もおおむね運命を共にしたと報じ、兵団司令官の疎開命令の動機を、人々はどっきりと胸を突かれる思いで理解し、ともかくここにいては危い、軍とともに玉砕させられる運命だと今度は焦り始めた。それまで疎開などするものか、古里の島で死ねば本望だと言い、頑として動こうとしなかった勇も、軍の命令なら仕方がねえと、身辺の整理を始めた。長年、漁具漁網雑貨の店を構えてきたが、島を離れてしまえばこの商売はできない。と言って、本土へ行っても口過ぎの当てはない。軍の強制疎開命令は、民間人の島よりの退去という戦略上の都合だけで出したもので、人々の生計の面倒などすこしも顧慮していなかった。築地の魚市場で働いていた勇の弟の進に頼って行けたのだが、今さら弟に頭を下げたくないと悩んでいる義父を時田病院に働かせられぬかと夏江は思い付き、父に手紙を書いてみた。利平の返事は簡単明瞭で、病院も人手不足で困ってる折から、勇を職員として採用したいとあり、ついでにフクや勝子も代用看護婦として働いてほしいともあった。そうして、いずれ会ったうえで相談したいが、お前が病院の事務長に復帰してくれれば有難いと付け加えてあった。以前、時田病院の事務長をしていたのが、副院長であった先夫中林医師との仲がうまく行かず、離婚したのを機に、事務長をやめてしまった。その後をいとが、ついで上野平吉が引き継いでいる。平吉は事務長としては有能で、利平が開発した医薬品の軍御用化や、数々の発明品の販売に実績をあげていたし、利平の後妻いととの仲が取沙汰されるようになって、すっかり利平の信用を失なってしまった。夏江は、利平の手紙の一行からあれこれ臆測した。わたしに事務長になれと言うのは、平吉を首にするという意味だろうか。この件についてはいとがどう考えてるのだろう。いや、まずもって平吉自身がどう思い、どんな反応を示すのだろうか。たった一つ確かな事実は、利平が夏江の助けを望んでいることだった。それならば、今度の強制集団疎開も意味があることになるだろう……。

　女と子供と老人と、つまり若い男の欠けた大集団が陸続として船に乗り込んだ。この船、桐丸には何度も乗っているが、こんな具合に超満員なのは初めてだ。神湊港の沖合いの船まで艀が何度も何度も往復せねばならず、出港が大幅に遅れた。午後二時の予定が五時過ぎになった。駆逐艦や海鷲の護衛がつくから安全だ、心丈夫だと、したり顔に隣組長の老漁師が伝えたのだが、実際に出港してみると、軍艦も飛行機も見えず、見えるのはただただ波ばかりであった。この広い海のどこかに敵潜水艦が隠れ潜んでいる、耳にした風聞のように、どこかの疎開船が敵潜の魚雷攻撃で沈没して多数の死者を出すような事態が、今にも起りそうな気配が常にあった。しかし、夏江は思う、魚雷攻撃があったから、沈没したから溺死したと言うのは人間が考えた説明にすぎないと。その前に、敵の潜水艦がこの船を発見せねばならず、この広い海で発見が起るのは偶然の機会である。その偶然が起るには何かの力が働かねばならぬ。そして、そのあとに、沈没して海に投げ出された人間が死ぬのは、これも海という空漠（くうばく）とした被造物の作用であって、人間の意思によるのではない。さっきの潜望鏡騒ぎのとき、夏江がひしひしと感じていたのはこの人を超える大いなる力であった。その力が働かなければ、潜水艦との遭遇もなく、また溺死もないと感得した時から彼女は迷わなくなった。それで、勇が家人のためにと特別に取って置いてくれたカポック入りの救命胴衣を、角材を握りしめて震えている老婆（ろうば）にあげてしまった。油紙に包んであった聖書を開いた。つい先週、夫の透から来た葉書が挟（はさ）んである。

……相変らず藺草（ゐぐさ）班にゐて、買物籠を編んでゐる。片腕の熟練職人だ。夜は聖書を読む。海のやうな本だ。詩九三、以西二七、二八に注目。人間の驕（おご）りへの戒め……

疎開の準備で家中ごった返して、この葉書を解読する暇がなかった。いよいよ本土へ疎開する旨（むね）を知らせた夏江の手紙はまだ届いてないらしく、文面の調子は獄中の近況を簡単に報告してあるだけだ。ところで、聖書について章のみ記してある場合は何か特別な意味がある場合が多い。夏江は、まず詩篇の第九十三篇を見た。

大水（おほみづ）はこゑをあげたり、ヱホバよおほみづは声をあげたり、おほみづは浪（なみ）をあぐ。ヱホバは高処（たかきところ）にいましてその威力（いきほひ）はおほくの水のこゑ海のさかまくにまさりて盛なり。

神の力を述べた箇所だ。夏江はさっきからひしひしと感じていた〝大いなる力〟が文章としてきっかりと表現されているのに感嘆した。透は、自分の葉書が船上で読まれるなどと予想はしていない。海ですら神の力に比べれば微細な力しか持たないとすれば、海を恐れる必要はない。海よりも神を恐れるべきなのだ。

つぎに以西結書を開いて見た。第二十七章。貿易によって繁栄したフェニキアのツロの民の暮し振りが事細やかに記述されてある。海運が彼らの繁栄の元であり、大商船団と大海軍を持つ国だ。第二十八章に来て、夏江ははっとした。

人の子よツロの君に言ふべし。主ヱホバかく言たまふ、汝心に高ぶりて言ふ、我は神なり、神の座に坐りて海の中にありと。汝は人にして神にあらず、而して神の心のごとき心を懐くなり。

貿易による富を得て大海軍を持つ国の王が自分は神なりと言い、心に高ぶりを生じれば、神は「異国人を汝に攻きたらしめん」という。こうしてツロは打ち亡ぼされ、貿易で得たる富有の一切と大海軍のすべてを失なうのだ。透は日本の敗戦を予感している、と夏江は思った。検閲の桜印のある葉書には真情や思想をあからさまには書けない。面会に行けば看守が傍で逐一速記をしていて当り障りのない会話しか交わせない。そこで透は聖書を使って意思を伝えたのだった。

最近の戦局の真相が夏江にはよくは理解できない。優勢な敵の攻撃にさらされ、南の島々ではつぎつぎに玉砕がおこり、皇軍はじりじりと後退しているが、新聞やラジオで伝えられるのは、敵に甚大な損害をあたえたうえで皇軍が作戦上の必要から自主的に撤退したという報道であり、敵の補給線が延びれば皇軍は相対的に有利になるという主張であった。それでありながら、敵の空襲は必至だから疎開せねばならぬと言う。このあたりを透はずばり、「皇軍の勇戦奮闘は列下二五の如きです」と書いてくる。列王紀略下第二十五章には、バビロンの王ネブカデネザルがエルサレムを攻略し、イスラエルの民を囚人としてバビロンへと送る記事が書かれてあるのだった。

透に最後に会ったのは今年の正月であった。豊多摩刑務所の接見室の金網の向うに、彼はにこやかな笑みを浮べて坐っていた。満二年の予防拘禁期間がこの三月に終了するが、おそらく〝期間更新〟の決定がおこなわれるだろうと言っていた。「それでは永久に、あなたは出られないじゃないの」と夏江が言うと、透は、「そうだ。仕方がない。しかし、ぼくは元気だから安心しなさい。デンシだよ」と笑って見せた。速記の看守は、デンシの意味を解せず、おそらくは聞き漏らしたであろうが、夏江は即座に伝道之書第四章と理解した。「ここに我身をめぐらして日の下に行なはるる諸の虐遇を視たり。ああ虐げらるる者の涙ながる。これを慰むる者あらざるなり」に透の本心がまざまざと察しられたのだ。青い囚衣は汚れて臭く、おそらく虱か南京虫が巣食っているのだろうか、彼は絶えず脇腹や首筋を掻いていた。

その指は凍傷で恐ろしいほどに膨れあがっていた。頰はこけ、薄い皮膚の下に額や顎の骨が無恰好に出張った顔は、衰弱と疲労とをあからさまに示していて、彼の笑みだけが、何だか取って付けたように見えた。東京へ戻ったら、透を訪れてみる。会える喜びよりも会ったときの悲しみが、今から予感されて、夏江は、あっけらかんとした青空の下の、波また波の拡がりを見回した。鋼色の刺、ヨナの大魚、潜水艦……ヱホバは海の水を集めてうづたかくし、深淵を庫にをさめたまふ……。

「しっかり持うて。もっとシカラを入れるんや」と利平が怒鳴っていた。彼は歯科用の寝椅子に腰掛けて鯉のように大口を開き、その口の中に銀色の鉗子を突っ込んでいるのは分厚い眼鏡を光らせる初老の医師であった。

　久米薬剤師が夏江に事態を解説した。おお先生はきのうから下顎に残っていた最後の奥歯が痛み出し、抜歯を決意して、臨時雇いの内科医番場に抜歯を命じたのだが、歯科経験のない番場先生は、歯齦に麻酔まではしたものの、どうしても抜く勇気が出ずに、さっきからおお先生に叱咤激励されているのだという。

「エエイ、こうやるんや」利平は番場医師の手より鉗子を取ると自分の指で口の中を探り、鉗子で挟むと、「エイヤッ」と引き抜いた。血まみれの歯を水洗いし、しげしげと見詰め、「フン」と鼻で笑うと膿盆に捨てた。それから何回も嗽いをして赤い水を吐いた。夏江は、やっと勇とフクと勝子に目くばせをすると、近付いて行った。夏江の挨拶と紹介に、利平は入れ歯のない縮まった口で応えた。

「よう来た、よう来た。別送の荷物も届いちょる。菊池さんと、エエト、フクさんと勝子さんか、三人の宿は一応空いてる病室にしたがのう、そのうち近くの家を借りる算段をする。今は近所も空家ばかりでのう。昼飯はどうした」

「弁当を食べました」夏江は、芝浦埠頭に船が着いたのが予定より数時間遅れの正午過ぎだったと言い、しかし途中敵潜水艦にも遭わず無事な航海だったと付け加えた。

「それは重畳。昨今敵潜の跋扈は小癪千万じゃからのう。ま、みなさん、ゆっくり休んで下さい。ここに来りゃ、大船に乗った気でよろしい」

勇とフクと勝子は、感謝を面に表わして頭を下げた。利平は、末広婦長に、三人を案内するように言い付けた。

「夏江」と囁いた利平は、にわかに用心深く周囲を偵察した。待合室も廊下もがらんとして人影が無かったが、父の眼差に曝されると誰かが隠れているような気もした。「ここでは話ができん。発明研究室に来い」

夏江は父の後ろに従った。地下室の入口の鉄扉は錆び付いた音を立てた。螺旋階段をおりて行きながら利平は二度ほどよろけて手摺にしがみついた。上から見下ろす白髪は薄く中央が禿げていた。

裸電球に照らし出された研究室はまるで雑品倉庫の相を示していた。林檎箱やら行李やらがやたら乱雑に積まれて、今にも崩れ落ちそうだ。半ば物に埋れたテーブルと古びた木椅子が、かつて実験機具の並べられていた研究室を思い出させた。

「まあ坐れ」利平はテーブルに腰を下ろし、夏江には椅子をすすめた。

「まあな」と利平は言い訳がましく言った。「発明はもうやめた。着想の妙ちゅうのが涸れよってな、何も思いつかんようなった。シッ」と、唇に指を立てると忍び足で奥へ行き、ドアに耳をつけた。戻ってきてほっと息をつく。

「誰かいまして」

「今はおらん。しかしな、気をつけんと誰かが立ち聞きしよるからな。ドアの向うは防空壕じゃから、誰でも入れる」

「立ち聞きされて困るようなお話ですの」

「夏江、この時田利平は今や孤立無援じゃ。誰も彼もがおれを裏切った。誰も彼もがおれを陥れんとしちょる」

「おだやかではありませんわね」

「夏江、お前だけが頼りじゃ。まず事務長に復帰してくれ。そして、おれと協力して、病院の立て直しを計ってくれ」

「その前に事情を話して下さいませ。わたしにだって、できることと、できないことがありますわ」

「事務長になってくれ。な、そうしたらすべてを話す」

「困りましたね」夏江は、駄々っ子をあやすように言った。「現事務長の上野平吉さんはどうするんです。あの人を首にできるんですか」

「平吉は事務次長に格下げする。なあに、こんところへマばっかりやっちょるから格下げの理由には事欠かん」

「そんなんで、あの人、納得するでしょうか。誇りを疵付けられるでしょうし……」

「あの男に誇りなんかあるもんか。何度も首を申し渡した。そのたんび、雑役夫でもいいから置いといて下さいと泣き付きよった」

「よろしいですわ。事務長になります」

「オウオウ」と利平はいきなり泣き始めた。本当に涙を流して顔をくしゃくしゃにしている。夏江は、父のそんな姿は初めてで仰天した。

「どうなさったの、おとうさま、よっぽどお困りなのね」夏江はハンカチで、老人の涙を拭ってやった。

「オウ、困っちょる」利平はハンカチで鼻をかむ、そこへ唾を吐く。歯の出血がまだあるのか真っ赤になった。「何もかも乱脈を極めておってな。はて、どこへ行きよったか」白衣のポケット、ワイシャツ、ズボンと何かを捜している。「お前に話そうと思うて、昨夜、問題点を整理しておいたのだが……手控えがない」

「腹巻じゃありませんか」利平は大事な物をネルの腹巻に入れる癖があった。

「あった」利平は腹巻から畳んだ紙を取出し、テーブルに拡げた。罫紙に利平一流の胡麻粒のような細字が書き連ねてある。「第一に看護婦の不足じゃ。陸海軍や官立の大病院と違って、いまどき東京の私立病院には来手がおらん。官立の退職者を引っ張ってくるからババアばっかり増えてのう、能率が悪うて困る。しかも空襲近しというので逃げ腰で、どしどしやめていく。第二に医者の不足じゃ。若いのは軍医に取られて、来るのは年寄ばかりじゃ。おれも西山副院長も年を取ったところへ、募集すると棺桶に片足突っ込んだのしか来てくれん。看護婦も医者も、人数が揃わんところに能力が低く、その上やる気がないから、患者は多くても不充分な診療しかできん。病室の三分の一は空き部屋の始末じゃ。第三に、売薬の売行き不振じゃ。南方の輸送が不如意でのう、軍需が激減し在庫の山じゃ。要するに、第一、第二、第三項目は、経営不振ということを意味しちょる」

「外来の患者はどうですか」

「都内の病院疎開のため、こちとらはかえって増えた。とくに結核や外傷が増えた。栄養不良と軍事訓練のせいかのう。来診した患者は全部診てやりたい。が人手不足でできん……」

利平は、ふと黙ると、歯の無い口をもぐもぐさせた。粉を噴いたような肌が両顎の間に吸い込まれ、相対的に目玉と鼻が大きく見えた。

「おとうさま、お疲れの御様子……お体の具合はいかがですか」夏江は労るように尋ねた。

初江からの手紙で、最近モルヒネの使用量が増え、完全な中毒になったらしいと知らされていた。

「モルヒネ二十筒は多過ぎます」

「誰に聞いた……お久米じゃな」

「中毒をお治しなさいませ」

「そう簡単には治らん。やめれば禁断症状がきつうてな働けのうなる。今、おれが働けのうなったら病院は潰れてしまうわ」

「潰れはしませんわ、そのくらいでは。禁断症状なんて一週間できれいに無くなりますもの」

「よう知っちょるのう。調べたのか」

「そんなこと、ちょっとした医学書には書いてあります。入院なさいませ。入院してモルヒネなんかお体から抜いておしまいなさい」

「おれは来年古稀じゃ。いまさら中毒を治しても仕方がない。もうすぐ命数が尽きる身じゃからな」

夏江は、これ以上押しても詮無いと気付いて口調を柔げた。

「ともかく、おとうさまには頑張っていただかなくちゃ、患者さんのため、職員のため、病院のため、そしてわたしのため」

「まあな、頑張る、お前が事務長として助けてくれればな。まだまだ死にゃせん。そこで第四項目は人間じゃ。平吉は商才はあるが人望がまるで無い。女に手を出す悪癖がある。中林は看護婦に手を出しよったが、平吉はいとに手を出しよった」

「その噂、本当なんですか」

「聞いちょるのか。それもお久米からかな。本当じゃ。詳細は五郎に聞け」

「五郎さんは信頼できる人ですか」

「ウッ、いやいや」となぜか利平はあわてた。五郎の名を思わず出してしまったのを悔いる様子でもある。

「ともかく、平吉さんの件についてては、おとうさま、五郎さんから報告を受けてらっしゃるのね」

「マッ、ウム、まあそうじゃ」

「平吉さんは五郎さんについて何と言ってるのですか」

「ようは言わん。大工のくせに、のさばって病院経営にあれこれ口を出すと怒っちょる。最近は防空設備について真っ向から対立し合ってな、五郎が防火壁を拡充し、重症患者の避難路を作れと言うと、平吉は防火壁を作る予算がないから空いた病室を整理して毀し、防火用空地にせよ、空襲時足手纏いになる重症者は入院させないと言い返す。そこにいとが絡んで来て混戦模様じゃ。いとは防空などできっこないから、三田の病院は閉鎖し、どこかに疎開せよと言う。すると平吉がたちまち同調して、それは正論だ、須佐の海岸でも新潟の山の中でもいいから、早く疎開しようなどと豹変しよる」

「おとうさまはどういう御意見ですの」

「おれか……おれは……その……」利平は口を吸い込み、目を剝いた。

「空襲となったら、この木造建築では、完全な消火活動は困難ですわ。それより疎開をお考えになったらいかがですか。防火壁や避難路よりも、まず病院自体を移したほうが簡単じゃありませんこと？」

「お前もか……そいつは、いとや平吉と同じ意見じゃ」

「そういう意見もありえますわ。わたしがお尋ねしたいのは、おとうさまの御意見です」

「おれは……疎開などしとうない。大正の初め、この地に開業してから昨年は丁度三十周年じゃった。戦争で、二十周年の折のような盛大な祝いはできんかったが、とにかくおれが営々と働いて築き上げた病院じゃ。敵の空襲ごときに焼かれてたまるか。守り抜かねばならん。そのための対策を講ぜねばならん」

「わかりましたわ。五郎さんの意見はおとうさまの御意見なのね。それなら、わたしも従いますわ。ここは、わたしが生れ育った家ですもの、守りましょう。五郎さんと協力します。もうすこし味方がほしいわ。お久米さんは、どうなんです」

「駄目じゃ」

「駄目ですか」夏江はすこし驚いた。病院創設以来の古参で、利平の信頼も厚く、亡母の菊江とも仲がよく、最近も何かと利平の相談相手となり、製薬工場長として重要な働きもしてきた人だ。駄目と言えば、大の鉄棒曳きで、口が軽く、人への好悪が激しい点だが……。

「お久米は胃癌じゃ。もう先がない」

「え？　癌……重いんですか」

「重い。残念ながら発見が遅うてな、大学病院で胃切除をしてやることもできんかった。最近莫迦に痩せちょるので、嫌がるのを無理に診察したら、噴門部に鶏卵大の硬いものが触れた。肝臓も腫れちょる。末期癌じゃ」

「本人は知ってるんですか」

「知らん。痛みがないもんで、いたって気楽に胃炎か何かだと思うちょるらしいが、急速に弱ってきてのう」

「あと……」

「ひと月かふた月かそんなもんじゃろう」

さっき久米薬剤師は、夏江たちを見るとすぐ薬局から出てきて挨拶し、利平がいた歯科治療室まで案内してくれた。常と変りのない愛想と口軽だったが、そう言われてみれば、頬がこけ、やつれた面影であった。

「お久米さんがそんなだとすると、わたし心細いですわ」

五郎という人はまだ気心が知れないし、夏江が以前事務長をしていたときの相談相手だった間島婦長はやめて武蔵新田の留守番役になっているし、最古参の鶴丸看護婦は奥女中をやめたあと、看護婦寮に引き籠っている。

「おれがいるではないか」と利平は力んでみせた。力を入れたせいか、薄い肩や細い腕がやけに震えている。薄暗い穴蔵の底で、夏江は、うそ寒さを覚え、自分も震えだした。

## 11

　上野平吉の横顔を流し目に見て、夏江は口元に笑いを含んだ。おかしな人だと思う。つい最近まで自分の坐(すわ)っていた事務長の机に夏江が坐り、自分は小さな平の事務員の机に坐らせられているのに、別に恥じる様子もなく恬然(てんぜん)としている。それどころか、ほかの事務員の話では勤務態度にすこしも変化がなく、相も変らず大声をあげて院内を飛び回り、と思うと椅子に仰向けに寝て壮大な鼾(いびき)をかいている。あけすけな音を立てて屁(へ)をひるかと思うと、お八つ時には乾燥芋をあたり構わぬ匂(にお)いを発散させながら独りで食べる。しかも、患者から塩羊羹(しおようかん)の差入れなどあって、女子事務員たちがお茶にでもしようかとなると遠慮せずに加わり、陽気に喋(しゃべ)りまくるのだ。

　事務長に就任した夏江は、まずは帳簿の検討から始め、二週間かけて調べてみた。そこで意外に思ったのは、この落ち着きのない騒々しい人物が実に綿密な記帳をしていたことだった。簿記係の宮田花子が作った出納帳や元帳を平吉は仕訳(しわけ)帳に作り替えたのだが、活字さながらの綺麗(きれい)な楷書(かいしょ)で書き込まれており、算盤(そろばん)で検算しつつ照合してみても一つの間違いも発見できなかった。以前、母の菊江が長年のあいだ書いた帳簿を夏江が引き継いだとき、夏江はにわか勉強で、家計簿風だったものを近代的な簿記に切替えたのだが、平吉はそれをさらに細分化し、伝票、元帳、有高帳、資産台帳などを揃えていた。時々、夏江が質問すると、平吉は、「はい、それはこういう訳です」「その数字はここに転記してあります」と、古参の叩き上げ下士官が新任の新品将校に対するような、自信に充ちた慇懃さで答えるのだった。そのたんびに夏江はこの男に対して幾分の気遅れと反撥を覚えたが、それは平吉が利平の先妻サイの子で自分より十数歳は年上の兄に当るうえ、医療機器の販売の経験から商才にたけているという思いと、自分はとにかく彼よりも先に事務長をした先任者で、しかも当病院創設の功労者菊江の子だという自負の念とが、せめぎ合うためであった。

帳簿の解読から判明したことは、時田病院の収入は、平吉が事務長になった昭和十五年の春頃から上昇し始め、翌年大東亜戦争が勃発してからは、初戦の大戦果に呼応するように跳ね上がり、昭和十七年の夏頃がピークで、あとは下降線をたどり、今年に入ってからは、戦前の水準よりもむしろ低いくらいの線に低迷していた。

収入が上った分は、主に工場生産した売薬や南方戦線向けの汚水濾過器〝真水ちゃん〟などの軍需によるものであった。また外国からの医療機器の輸入が跡絶えたため、平吉の発案で、昔震災のときに潰れたレントゲン器製造工場を蒲田に再建し、あらたに〝時田式レントゲン撮影機〟と名付けて売り出したところ、その売行きが好調であったためもあった。しかし、戦況が厳しさを増すにつれて、売薬や発明品の需要は冷えこみ、かてて加えて、部品の不足からレントゲン撮影機の製造も思うにまかせぬ仕儀となった。結局、診療報酬だけを見ると、この十年間実績は下る一方で、とくに医師看護婦の不足が目立つここ二年間ほどの落ち込みがひどかった。

支出のほうから見ると、家計費や医業用経費の額はずっと横這いなのに、建築費がやたらに突出している。病院の改築と増築は利平の元からの趣味で、絶えず院内のどこかで普請の槌音がしていないと気がすまぬとあって、敷地一杯に城のような（軍艦のようなと言われるのを利平は好んでいたが）建物群を建てたうえ、防空施設として、地下道を掘り、防空壕や防火用水槽を拡充し、三田の製薬工場や蒲田のレントゲン工場にも莫大な投資をおこなっていた。それらは、自己資金だけでは足りず、銀行からの借入金で補っており、今や病院の敷地のほか、伊豆の伊東や利平の故郷山口県須佐などに持つ土地のほとんどが抵当に入っていた。そして、最近は、収入の多くを借入金の利子に取られている有様であった。

「困った状態ね」と夏江が損益計算書と貸借対照表を見較べて大きな吐息を漏らすと、平吉は「まったくです」と頷き、夏江のに勝る大きな吐息をついてみせた。しかし、事態が自分の責任でおこったと言う振りはかけらも見せず、これから先の解決法は何も示さず、すべては戦局の不如意によるのだと言わんばかりに、天井を昂然と見上げていた。

夏江は、もう一度、上野平吉を流し目に見た。いつのまにか眠っている。口を開き、乱杭歯をあらわにして、今まさに鼾をかこうとしている瞬間であった。咽喉の奥で石でも搗ち合うような音がしたと思うや、ガアーと吹き出してきた。夏江は事務員たちと顔を見合せた。簿記係の宮田花子は笑いを嚙み殺して眉をちょっと上げただけだったが、まだ十八の須藤弓子はこらえ切れずに、くっくっと笑っていた。〝おばさん〟と呼ばれている、五十年輩の神谷昌子は、目を瞑り、まるで気に入らぬと言うように首を横に振った。

夏江は机上に拡(ひろ)げた青焼きの図面に視線を落とした。それは病院の構造図で、三十年間にわたって改築や増築をした跡が丹念に精確に描かれてある。毀したり付け足したり、変形したり復旧したり、年を追って複雑な手が加えられている。前任者岡田老人が描いたものに五郎が加筆訂正したものだ。最初はどういう意味なのか不可解であったが、五郎に何度も説明してもらううちに何とか概略を摑(つか)みえた。ところが問題は、それから先、すなわちこの煩雑(はんざつ)に組み立てられた建物の防空対策をどうしたらよいかにあった。ともかく、一部はコンクリートやモルタルだがほとんどが木造建築である。どこから燃え出しても、容易に延焼してしまう。五郎は鉄筋コンクリートの防火壁で建物をいくつかの部分に分割する工事をほどこし、一般病棟は二つに分け、一般病棟と隔離病棟とを別にし、炊事場や食堂と外来部分とを区別しという具合にしているが、シロウトが考えても防火壁の効果は心許(こころもと)なかったし、患者や職員をどのようにして避難させたらいいのか、いやその前に防火活動をどうしたらよいのか、など疑問だらけだった。夏江は図面を片手に院内を隈(くま)なく見て歩いてみて、ますます不安になった。要するに、この建物は、空襲対策などまるで念頭になかった利平が、その時どきの必要に迫られて、あるいは夢を実現するために、勝手気儘(きまま)に手入れし、野放図に増殖させた、奇怪な迷宮なのだった。

　大正の初期には、入院患者の食事は付添いの家族が院内で作っていた。そのため、煮炊(にた)きのための竈(かまど)や流し、天井に煙出しと明り取りを兼ねた天窓を備えた大部屋が必要であった。しかし、せっかくの大部屋も、入院患者の食事を病院側の炊事場で作るようになって不用となった。利平はこの大部屋に植木鉢を並べ、〝花壇〟と称して、入院患者の憩いの場とした が、植木に大量の油虫が発生してから、花壇の用はなさなくなった。爾来、〝花壇〟の通称のみ残す大部屋は、職員の集会場や宴会場に使われるようになった。新年宴会、創立記念日の式典、母の通夜など、ここでおこなわれた会合を夏江はよく記憶しており、その八角形の風変りな広間は、彼女にとって懐かしい場所ではあった。しかし、あまりにもだだっ広い部屋のため暖房は効かず、病室としては不向きで、病棟の中央に位置しながら不断は使い道のない無駄な空間であった。そして、もし火事ともなれば、全病棟に空気を供給し、しかも煙突として機能する恐れのある迷惑な存在なのだった。

　一時期、時田式胃洗滌法による胃潰瘍治療が評判になり、病室を大増築した。その際、胃潰瘍患者への結核の感染をふせぐため、結核患者専用の隔離病棟を新設した。すると、隔離病棟の隣に建っていた看護婦寮から文句が出て、結核患者が直接外に出られないよう隔壁を設けろと要求された。そこで、隔離病棟に行くためには、一般病棟を通って、さらに鉄扉を開いてから入らねばならなくなった。が、火事の場合、この完全隔離を目差した結構は患者の避難路を狭く限定してしまい、何とも危険きわまりない。五郎は、木造の外階段を病棟の壁に沿って建てたが、この階段が燃えた場合は、今度は看護婦寮への類焼が危ぶまれるのだった。

　製薬工場も、今となっては困りものである。軍需に即応するための急造で、安手の角材やベニヤ板を使用しているうえ、いたるところに油が浸みていて燃えやすい。最近の売薬不振で機械の稼働率が落ちたところに、工場長をしていた久米薬剤師が倒れてしまい、生産能率が極端に悪化した。十月初旬のこと、久米は薬局の床に跪き、苦しげに肩で息をしているのを発見され、すぐに利平の命令で入院と決った。以来、ずっと寝たきりで、二週間ほど前からは、もう一切の食物を受け付けず、衰弱する一方であった。この際、在庫品のみでお茶を濁し、工場は閉鎖したほうが、機械の維持費や人件費が浮いて得だと夏江は計算し、利平を納得させたものの、工場の建物を毀す、つまり防空のため建物疎開をおこなうという方針は、取毀しの費用が莫迦にならぬという理由と、工員たちの反対とにあって、実現できずにいた。

　夏江は図面を脇にどけ、頬杖をついた。病院の経営も防空対策も、この建物と同じように錯綜していて訳がわからない。むしろ上野平吉みたいに暢気に寝ていられればどんなにいいかしらんと思う。肩が凝る。思い切り両腕をあげて伸びをしてみたい。頭が働かない。思いきり欠伸をしてみたい。が、平吉と違って、夏江にはそういう気楽な所作ができなかった。事務長としての自分を絶えず演技せねばならぬと強いられている、これら事務員たちから、そして何よりも利平から、強いられている。ともかく歩き回りたい。夏江は図面を持って腰をあげた。「ちょっと、見回りしてきますからね」と〝おばさん〞に言い、相手の言問いたげな眼差に、「病棟の防空施設を点検してきますから」と言った。

　午後二時過ぎの外来診察室はがらんとしていた。夏江が事務長をしていた数年前には、外来患者が多く、午前中の診療がしばしば二時過ぎまでずれ込んだものだが、この節は正午前に終ってしまう。利平の大音声が響かぬ、あたりは何となく侘しい。ベンチの木の汚れや脱ぎ捨てられたスリッパの裏を返しているさままで侘しい。

　手術室のドアは開け放たれて乱雑な中がまる見え、治療室では看護婦二人がひそひそ話をしながら繃帯巻きをしていたが、その繃帯が使い古された茶っぽい代物だった。薬局が気になった。久米薬剤師の代りに、利平が知合いの唐山竜斎博士の仲介で急遽、本所の診療所から引き抜いてきた伊田角次郎という薬剤師の仕事振りが、どうも思わしくないのだ。何と言っても調剤の誤りが多い。この前も薬剤師の常識として十倍散にして計量すべき燐コ（燐酸コデイン）を処方通りの量、つまり十倍量を出してしまったので患者がショックをおこして一騒ぎだった。薬品の管理も杜撰で、仕事仕舞いの際、鍵を掛けた箱に収納すべき麻薬を平気で机上や棚に放置していた。一応、注意して改めさせはしたが、いつまた元の木阿弥になるか知れたものではない。

「伊田さん」と呼んだが返事がない。ドアを押して覗くと姿が見えなかった。薬局を留守にする場合にはかならず鍵を閉めるように、睡眠薬中毒者が盗みに入る事故が時々あるので用心するように、と厳に警めておいたのにと夏江は不満だった。しかも調剤途中の薬を天秤に載せたままで、ドアからの風に粉が散り、不衛生極まる。不規則な足音がして、伊田が足を引きずりながらやってきた。彼は支那事変の初期に右膝を負傷して除隊となった帰還兵だった。

「どこへ行ってたんですか」と夏江は語気を鋭くした。

「便所ですがな」と伊田はこちらを不思議そうに見返した。「何か御用でしたかな、事務長さん」水中の藻のように首をゆらゆら揺らして、一向に悪びれた様子もない。夏江は咎める気を鎮めて、愛想を笑みに込めた。今、この人にやめられると病院の機能が停止してしまう……。

「いいえ、別に。ちょっと寄ってみただけです」

「小便がよく出ますな。お昼の塩じゃけが辛かったもんで茶を飲み過ぎましてな」

「お仕事馴れましたか」

「馴れました、馴れました。今まで勤めていた診療所は外来患者ばかりで、しょっちゅう処方内容が変ってテンテコ舞いでしたがな、ここは入院患者の定時処方が多いですからな、安気でいいです。ところで薬局長さん、大分加減が悪いようですな」

「ええ……」夏江は目を伏せた。数日前から衰弱がつのり、寝返りもできぬ有様で、今朝の回診の折には、血圧が大分下り、呼吸が苦しげで、利平は、あと一日か二日と診断していた。

「薬局長さんにもしものことがあると、おれはやめられなくなりますな」と伊田は笑った。六角形の柱時計のような顔に笑いはそぐわず、金歯が三本前歯に並んでいて、やけに光った。

「伊田さんには長く勤めていただきたいですわ」

「それなら安心です。よろしく」伊田は軍隊式に背を伸ばした最敬礼をした。冗談かと思ったが顔は生真面目だった。

「こちらこそ、よろしく」夏江も、本気で頭を下げた。

病棟へ行くドアを開いた。廊下の左右に病室が並び、突き当りが看護婦詰所だ。白衣を着た夏江を医師と間違えたのか、松葉杖をつきギプスを巻いた脚をぶらさげた男が丁寧に挨拶(あいさつ)してきた。室内のベッドの上に繃帯姿の人々が見える。面会に来た家族が持ち込んだのだろうか、外界の埃(ほこり)っぽい臭(にお)いがクレゾール石鹼水(せっけんすい)の臭いと混って漂っている。

詰所のカウンターに末広婦長が坐っていて、書類を書いている。もっともらしい顔付きだが欠伸のあとらしく涙が溢(あふ)れ出ていた。看護婦姿の勝子が、もうすっかり板に付いた物腰で注射器を洗っていた。この付近にいる数人の看護婦の名前と年齢を夏江はすぐさま思い出した。事務長になってこれでひと月半、どうにか全職員の顔と名前とが符合するようになった。しかし職員が自分をどう見ているかはわからない。今も、事務長と認めて軽い会釈(えしゃく)はしたものの、隔たりと冷やかさは保たれていて、夏江はにこやかに応(こた)えながら、幾分の気後れと幾分の威厳とを混ぜ合わせていた。

病棟の端に来て、防火壁を見た。ほかの壁と同じ白に塗られてあるが、コンクリートの肌目は見て取れる。鉄扉の向う側の病棟に入った。ここは女子病棟である。窓から防火壁を事新しげに見る。男子病棟が炎上した場合、この厚さ十センチのコンクリートが火を遮(さえぎ)ってくれるかどうか、それが問題なのである。窓から見た三十センチほどの出っ張りなどは、長い焔(ほのお)の舌でひと舐(な)めずりに越されてしまうと心配なのだ。

「おや事務長さん」と不意に背後で五郎の声がした。浅黒い顔が暗い影のように漂っていた。この男は、いつも影のように現れる感じなのだ。

「防火壁を見ていたの」と夏江は図面を窓の光に曝(さら)した。「構造がよく判(わか)らないのよ」

「その設計図の通りです」と五郎は図面のある部分を指でなぞった。爪に黒いものの詰った太い指で、どっしりとした存在感を発散していた。「この壁は、途中で折れ曲って、二階の天井になっています。それから三階の中央を分割する壁になっています。こういう不自然な工事を進めるのは、大変だったんですよ」五郎は、誇らしげな口調の割に、恥ずかしげな表情だった。自分の作った細工物を親方に吟味してもらう駆出し職人のようだった。

「火事のときは、火を防げるんでしょうね」

「普通の火事なら、つまり火元が壁の片側だけなら大丈夫です。しかし、防火壁の両側に火元が発生したら意味がありません」

「空襲の場合は、あちこちに複数の火元が発生する……」

「可能性大です。ですからそういう場合、この防火壁は役に立ちません。しかし、焼夷弾が片側だけに落ちた場合には、これが威力を発揮します」

「そうなのね。空襲ではどんなことがおこるか……」

「全く予測不可能です。敵のあらゆる意図やあらゆる偶然に対応した陣地なんて作れません」

「ところで防空壕へ患者を誘導する場合どうするかですけど」夏江はまた図面をかざして見た。「二階、三階の患者さんは……」

「外の避難路を利用するんです。最初、外階段をつけようと考えたのですが、階段だと車椅子や寝台車での脱出ができません。で、なだらかな坂道を備えた避難路を設計したのです」

五郎は病棟の外へ出、木製の坂を登った。出張った背中が、リュックサックを背負った登山者を思わせた。ぐいぐいと一気に登る彼を追う夏江はたちまち息を切らした。三階の扉を開いた先は病室と倉庫である。患者がちらほらと入っているが、空き部屋が多く、看護婦は見掛けない。縦横斜めに紙テープを貼った窓硝子も半分ほどだし、火災の折火元となるような蒲団や新聞紙が積み上げられ、防火用水を入れていたバケツは空になっていた。

「火事の場合、ここからは何とか逃げられるわね」

「条件があります。外側の避難路が燃えないうちはという条件です。木製なのが泣き所でね、せっかくの用意も燃えてしまっては役立たない」

「結局、院内のどこにどの程度の火災が起るかによるわけですわね」

「それと消火活動との兼ね合いです。一階は消火がやりやすい。貯水槽も近いし水圧も高いし人間も動きやすい。しかし三階となると、すべての条件が逆になる。三階は燃えやすい」

「しかも、焼夷弾が最初に落ちる場所……」

「その通り。だから防空対策には三階以上を毀してしまうのが一番だが、もう時間も人手も予算も無い。敵の九州爆撃はますます熾烈になっています。あれは支那から飛来したらしいが、マリアナの敵飛行場が完成した暁には東京が狙われるのは必至でしょう」

「どうなんでしょうね……」夏江は五郎の本音を知りたいと思った。利平の意向に従い、五郎は防火壁や避難路や貯水槽や防空壕をせっせと作ってきたが、言葉の端々にはそれらの効果への疑問をも臭わせている。五郎は、梯子のような急階段を攀じ登り、今は〝防空監視台〟と呼ばれている露台に出ていた。夏江も追って行った。

ここからは、折からの北西風に洗われている時田病院の建物群が一望できた。

「どうなんでしょうね、間島さん」と夏江はもう一度問い掛けた。「防空対策さえ、一所懸命やれば空襲に対抗できるんでしょうか。率直に言ってほしいわ」

五郎は答えず、病院をぐるりと見回しながら言った。

「わが時田病院の建物は東北から西南へと伸びる大通りに沿った、一辺五十間の正方形、二千五百坪の土地に密集して建っています。西南部分に製薬工場、その東北隣に外来・事務室・食堂・炊事場を備える中央棟があり、この二階部分は時田家住居です。中央棟に隣接して男子病棟、女子病棟の三階建造物、女子病棟の西北に隔離病棟が建っています。隔離病棟の西南に看護婦寮、さらにその西南に元運動場の畑があり、この地下に貯水槽と防空壕がある。すなわち六つの密集した建物と付属施設を二百人の入院患者と百二十人の職員が使用しているわけです。さて、敵機はどの方向から来襲するか、これが問題です。つぎにこれらの建物のどこを狙うかが問題です。いや、狙いもせずに盲爆する場合も問題です。つぎに、その日の風向きが問題です。これだけ問題が重複すると解答は当然不可能です」

「じゃあ、おいとさんの言うように、この土地を引き払って、どこかの田舎に疎開したほうがいいのかしら」

「それは一番簡単な、安易な解答でしょうね。現在、東京中が疎開疎開で浮き足立っている。そういう風潮に乗るのは、簡単で安易ですよ」

「でも、入院患者の命を救うには、それが最良の道かも知れないでしょう」

「夏江さんは弱気だね」五郎は憐れむような微笑を口元に漂わした。〝事務長さん〟とか〝菊池さん〟とか遠慮深げに呼んでいたのが、急に〝夏江さん〟と馴れ馴れしい呼称となったのに、夏江は気付いた。五郎は続けた。

「おれの言ってるのは、患者の避難は何とかできるということです。避難路を使って職員が患者を冷静に巧みに誘導すれば大丈夫。百人は防空壕に入れる。あと百人は、畑から徳川邸へと逃げればよい。問題なのは建物の消火でね、こっちのほうは、敵機の数、方向、投下弾の数、風向きなどによって、出来るかも知れないし、出来ないかも知れない。しかし、何とか頑張って、この病院を守りたい。時田利平先生、三十年の傑作を何とか世に残したい。夏江さんだって、沢山の思い出が、この建物の方々にこびりついてるんでしょう。燃やしちゃ惜しいでしょう」

「それは惜しいわよ」

「それじゃ守りましょう。全力を尽して、消火活動に励みましょう。手押しポンプによる放水と砂嚢積みと火叩きをする消火班が火元に駆け付けて、一気に消す。訓練された消火班が十組あれば、十の焼夷弾を消せる。しかし、十以上の爆撃をくったら、あきらめる」

夏江は、キラキラと目を光らせている五郎を見ているうち、この異母弟の大工が、何やら頼もしい消火班長に思えてきた。それに、ここで生まれ、ここで育った時田病院が、むざむざと焼失するのは耐えられぬ、全力を尽してそれを守りたいという気になってきた。それは結局、父利平の気持でもあるのだ。ふと、夏江は五郎に対して肉親への温い心情、理屈抜きの共感を覚えたのである。

「寒くない？」と五郎から尋ねられたとき、夏江は自分の髪が風に逆立っているのに気付いた。凩が渓流の水のように吹き抜けて行く。明日はもう十一月だ。寒さを感じなかったのは、五郎に対して事務長としての威厳を保ちたいと背伸びしていたせいかも知れない。

「そうね」と夏江は白衣の襟を掻き合せて言った。「すこし寒い。冬が来るのね」徳川邸や三井邸の森は褐色に焦げ、まばらな枝を透して家や池が現れている。

「おれのでよかったら」と五郎は厚司を脱ぎ、夏江の肩に素早く掛けた。夏江が断る暇もない早技だった。綿入れ仕立てで暖いが、男っぽい汚れ、木屑か油かタバコの煤かが、彼女に気恥しい思いをさせた。そんな思いを振り切るように夏江は上を見た。

「ねえ、前から気になっていたんだけどこの半鐘、どういう風に使うの」

「こういう段取りなんですよ」五郎は柱頭の鐘を見上げた。「まず警戒警報で介護を必要とする重症の患者を防空壕に移す。ほかの患者と職員はいつでも避難できるように待機する。空襲警報となったら自力で歩ける患者は防空壕に入ってもらう。防空壕の収容能力は詰め込んで百五十名だから、余った人たちは徳川邸の畑へ逃げてもらう。いずれ、その畑の近くにも防空壕を作ろうと予定してるけど、今のところは、まあ……。そのあいだに防空監視員が、これは交代で職員が勤めます、ここから敵機の動静と被弾状況を目視します。つまり、被弾した場所に迅速に消火班が駆け付けるよう指揮する」

「でも、被弾の場所なんか、どうやって伝えるの」

「拡声器と半鐘。しかし停電だと半鐘が唯一の方法になる。中央棟は一点、男子病棟は二点、女子病棟は三点、隔離病棟は四点、看護婦寮は五点、工場は六点、鳴らします。こういう具合に」五郎はいきなり紐を引いた。グワンと物凄い音が爆発した。

「三点鐘、女子病棟被弾！」病棟の窓から、路上から、遠くの畑から、人々がこちらを見上げている。夏江は厚司を着た自分がどんなにか奇異に見えることだろうと身をすくめた。

「一階か二階か判定しえたら、二階の場合は三点のあいだに二点入れる。ガンガンガン……ガンガンと鳴らす」

「あちこちに火の手が上ったら……」

五郎はにやりと笑った。

「同時多発の際は、半鐘も役立たん。お手上げ。さっき言ったように十発までは何とか火を食い止められっけど、それ以上は天命を待つ」

「何もかも、ようく考えてあるのね」夏江はすっかり感服した。五郎の頭脳は明晰で緻密で、並みではない。いつも木屑にまみれて肉体労働をしている彼からは予想もつかなかった。

「なあに、この防空対策は、おれが考えたんじゃねえ。菊池のとうさまが練り上げたんだ」

「義父が？」夏江はちょっと意外に思った。菊池勇は、この病院の職員になってから、当初は所属がなく、薪割りや配給品運搬などを手伝っていたが、永年漁具や漁網の修理をした経験が物を言って、病室内の机、ベッド、ドア、煙突の補修など、こまごまとした手仕事に従事していた。ちなみに、五郎は営繕関係のまとめ役で、大工、左官、建具屋をひきいて〝棟梁(とうりょう)〟と呼ばれていた。

「そう、あの人は、われらのとうさまさ。おれは防空壕や避難路を作ったけど、人間をどう統率して動かすかは不向きでね。とうさまが全部考え出し、すでに院内の男たちを集めて、消火班の編成の下相談を始めてる」

「頼もしいわ」

「とうさまは何しろ元兵曹長(へいそうちょう)として水兵たちを訓練指揮した実績を持つし、網元として漁師たちを使った経験もある」

「よかったわ」と夏江は心から言った。義父の就職先で悩んだが、今、何とか所を得ているようで嬉(うれ)しい。

「ところで、ちょっと鐘の音がとろいな」と五郎は半鐘を見上げ、紐を引いて一回二回と鳴らしてみた。「ウン、舌がうまく作動してねえや」

　危いわよと止めようとしたが、五郎は、すでに柱を攀じ登り始めていた。左右に突き出た釘(くぎ)にたくみに足を掛け、するすると、まるでマシラだ、あっと言う間に頂点に行き着き、鐘の舌をいじくった。強風に柱がたわみ、大きく揺れ動くうえに、両脚だけで柱にすがっているので、危険極まりない。はらはらして見守っているうち、奇妙にも、五郎なら大丈夫だという信頼の念が起ってきて、夏江は、サーカスを楽しむように見物していた。軽業師は腰の革鞘(かわざや)から鉄槌(かなづち)を取出すと何かを叩いている。と、落下するような速度で降りて来、「中央棟二階被弾」と叫び、紐を引いた。さっきよりも確かに音が澄み、鋭く鼓膜をえぐる、夏江は両耳を押えた。ガン……ガンガン……ガン……ガンガン。

「よし、直った」と五郎はにっと笑った。黒い顔の中に、生え揃(そろ)った健康な歯が、洗われた白磁のように目立った。「夏江さん、すっかり冷えたよねえ。ちょっと、おれの部屋に来ない？　コーヒーでもいれるよ」

「あなたの部屋？」五郎が元医学研究室だった屋上の一軒家に住んでおり、そこは租界地のように誰も足を踏み入れられないと聞いていた。かつて上野平吉が、事務長時代、院内に自分の目の届かぬ場所があるのは不都合だ、視察させろと要求して小っ酷(ぴど)く拒絶されたというのは事務室の女たちの笑い話であった。禁断の場所への好奇心と男と二人切りになる恐れとで躊躇(ためら)う夏江を、承諾と取り違えたのか、五郎は、さあ来なと言うように先に立った。夏江が階段を降りてみると、もう五郎は廊下の端のドアの前に立っていた。何だか長い、五寸釘のような鍵(かぎ)でドアを開くと屋上に出た。

　かつての医学研究室はすっかり改築されて、天井の高いアトリエになっていた。事実イーゼルに描きかけの油絵が一枚、壁には数枚の、彼の制作したらしい絵が多数掛けてあった。洋服箪笥(だんす)と食器戸棚(とだな)は手製らしく、同じような造りで、花と小鳥の彫刻がほどこされてあった。流し台もテーブルも長火鉢(ながひばち)も、よく見るとここにある物すべてが五郎の手作りのようだった。部屋の広さと家具の具合がほどよく調和していて、いかにも住み心地がよさそう、そうして主人公がここを愛しているらしく、掃除や手入れが行き届き、すべてが清潔であった。

「綺麗にしてらっしゃる。趣味がいいわ」

五郎は、「ありがとう」とにっこりした。カーテンを張ったむこうに消えた彼は、現れたときは半纏にパッチの大工姿から紺の背広姿に早変りしていた。アイロンの効いたズボンに、きちんと赤いネクタイを締めて、まるで紳士然としている。

「あら……」と夏江は驚いたが、どう対応していいかわからず、口をもぐもぐさせながら、最前彼が羽織らせてくれた厚司を、「これありがとう」と返した。とたんに彼は顔をしかめ、それを紳士の自分には耐えられぬ汚物と見なすかのように二本指でつまむと、ひょいとカーテンのむこうへ投げ捨てた。

「お坐りなさい」と五郎は、またにこやかな顔付きに戻った。

椅子の背は長く、頭を寄せることができた。これも手製らしく何か植物の彫刻がしてあった。

「間島さんて、何でもご自分でお作りになるのね」

「お作りになる、か」五郎は苦笑いした。「おれ、大工だから木工はできる。と言うより材木をいじくってるうち、あれこれ作りたくなって、いたずらをしてる。これは完全な横領。だって、建築材料として病院が買ったものを、おれが勝手に自分のために流用しやがってるんだから。さあ、事務長さんに自白しちまったよ。おれは首ですね。首にしてよ、事務長さん」

「……」

「平吉事務長はおれの横領に気が付いていやがった。購入材木のかなりの部分が消えてる事実に気付いて、根掘り葉掘り訊問してきやがった。そう、訊問だったな、あいつの高圧的な姿勢は」五郎は喋りながら、忙しく立働いていた。薬缶と穴あき煉炭をガス焜炉に掛けて熱し、コーヒー豆を引き、という具合だった。「おれは、平吉のやつに、やつ自身の横領を言い返してやった。病院用の〝総合配給〟食品をやつはチョロマカシてやがった。米、砂糖、味噌、饂飩、乾パン、干物、野菜などなど、炊事場に入れる前に検査と称してピン撥ねしていた。おれは、その隠匿場所を突き止めたんだ」

「どこに隠していたの」

「院長夫人の部屋、大奥の〝お居間〟。そして深夜、ひそかに自分の分を運び出す。リヤカーを曳いている彼を、おれ、目撃してるんだ」

「あの二人は……」

「姦通関係ね、不義の仲ね」

「それ、確かなのですか。証拠がありますか」

「山ほどあらあな。もっとも最初の探偵は久米薬局長だったけどよ。お久米さんは、もう執念でね、二人の跡をつけ、旅館に泊ったのを見届けたり、おお先生不在となると二人が大奥で一緒に過すのを調べあげた。熱心で徹底した捜査活動」

「お久米さんならやりそうね。でも、あの人、すこし大袈裟に物を言うでしょう」

「その点抜かりなし、おれ自身でも裏を取ったんだから。大奥に忍び込んで、二人が寝ているのを確かめてやったよ」

「まあ、そんなことできるの」夏江は疑わしげに五郎の背広の肩を見た。どうも不可解な人だ。大工の棟梁、家具製作、油絵制作、そして他人の寝所に忍び込む忍術使い。食堂の前にある二階への入口は岡田大工によって頑丈な板でふさがれ、夜は錠が下りているはずだ。しかし、身軽ですばしこい五郎なら、そこを通過し、夜行動物のように暗闇（くらやみ）のなかで階段を登れるのかも知れない。

「その事実を、あなた、おとうさまにお話した？」

「した、洗い浚（ざら）い、全部」

「おとうさま、それで御心痛よ。知ってるでしょう、モルヒネの件」

「それも久米薬局長から聞いてるね」

「あなた、お久米さんとつうかあなのね。モルヒネはいとと平吉の一件が原因でしょう。一件を知らなければあんなに御心痛なさることもない」

「まるで、おれがイヤゴー役だと言わんばかりだね。事実は逆さま、妻と間男の仲を探れと命令したのはオセロー将軍のほうなんだから。おお先生がわざと留守にする。すると、その夜、おれは命令によって張り込みと忍びを果たすというわけ。いや、変な話になっちゃった。コーヒーが入りましたよ。どうぞ」

皿には角砂糖と小匙（こさじ）が載っていた。角砂糖を落して飲んでみる。本物のコーヒーと砂糖だった。いまどき、どこでこんな貴重品を入手したのかと訝（いぶか）しがっていると、目の前で五郎が目を細めてコーヒーを啜っていた。ふと、その顔がおいしい鍋料理を食べるときの利平の顔に似ているような気がした。

「このコーヒーはおお先生からの頂戴物。おお先生は史郎さんから送ってもらったらしい。南方は物資が豊富だからね」

コーヒーを飲み終えると夏江は立った。用を思い出して立ち去る体であったが、壁の絵を一つ一つ仔細に見出した。五郎について、もうすこし知りたい。以前看護婦であった間島キヨに利平が生ませた子で、ほぼ同年の異母弟に当るのに、なぜか利平に認知されず、キヨの私生児として山陰の農家にあずけられたという。そんな弟の存在を夏江は全く知らずにいて、あれは確か上野動物園の黒豹が逃走騒ぎを起した夏だから昭和十一年だったが、突如久米薬剤師の口から知らされて驚愕したものだった。伊東の旅館の下足番をしていて、小学校もろくに出ていない不具の子だと聞いて、同じ父の子なのにと気の毒に思った。初めて五郎に会ったのは、婦長をやめた間島キヨが武蔵新田の別荘番として住み込んだときで、子供のような小さい、背中を突き出した姿に、姉弟というより、自分と無関係な他人のような気がした。五郎は無口で、夏江には下男がお嬢さまに対するようなうやうやしい態度を取ったが、その黒い顔の表情は読みにくく、何やら故意によそよそしく身を引いているとも取れ、会うたびに気まずさを覚えた。今度彼女が事務長になってからは、事務長と棟梁という職能上の関係となり、必要な会話を交しはしたが、今のように一対一で打解けた感じで対するのは初めての経験であった。

一番大きな絵は、露台から眺めた景色である。中央棟の屋根の向うに大通りの家並みがある。石柱を備えた大松寺を中心に、右に薬屋、ビスケット工場、自転車屋、表具屋、左に染物屋、雑貨屋、本屋が、細密画の手法、透の好きなブリューゲルのような丹念な筆遣いで描かれてあった。その町並みはすべて夏江が幼い時より見馴れており、時の変遷をもよく心得ていたが、五郎はそういう夏江の目で見ても、欠落が発見されないほど正確に微細に対象を写し取っていた。元ビスケット工場は、その昔女工たちが働いていた機械の錆跡や竈の煤の残り、子供たちが群がった販売所の硝子瓶のかけらなどが見分けられた。元自転車屋は、今は無用となった「××自転車店」の木看板の墨の消え具合、本屋は書棚の岩波文庫の星印の数まで、これを描くのに、さぞや神経と時間を使ったであろうと思われるような克明な描写であった。

あとの絵は、顔は五郎、つまり自画像だが、身形や体型は自由に変形されていた。胸を張り、背中を真っ直に伸ばし、つまり傴僂の消えた姿で背広を着ているのがある。黒鞄を持ち颯爽と歩くさまは銀行員を思わせる。乞食のように、垢染みた継ぎ接ぎの襤褸をまとったのがある。背中の瘤が誇張されて、折れ曲った背筋の先にぶら下った頭は、今にも地面につかんばかりだ。かと思うと、花柄の着物に赤い兵児帯の女の子のがある。色白にして御河童にすると五郎はなかなかの美形になると夏江は気が付いた。鼻筋が通り、目がぱっちりとした顔は初江にどこか似ている。

「あなたって、いろんな人間に化けるのね」と夏江は言った。

「自分しかモデルがいないもんでね」と五郎は苦笑いした。「どう？　夏江さん、おれのモデルになってくれませんか」と冗談のように言う。

「わたしを間島さんが？　いやよ、恥ずかしいもの」

「駄目かなあ」

「駄目よ。絶対駄目よ」

「おれ、本気で言ってるんだけどな」五郎はひたと夏江の目を見詰め、それから視線を床に落とし、いかにも悲しげな面持ちになった。

「モデルが駄目なら、写真でもいい。何枚か貸してくれませんか」五郎はまたひたとこちらを見た。上目遣いで真剣な、懇願の目色である。

「写真も駄目。さっき言ったでしょう、恥ずかしいのよ」

「おれが描くから……」

「……」夏江は絶句した。絵のモデルになるのがなぜ恥ずかしいか。子供のとき、史郎兄が幼稚舎の宿題に出す水彩画のモデルになったことがある。あのときは得意になってわざわざ一番派手な着物を着て立ったものだった。

「やっぱりおれが描くからだ。おれみたいな……こんな人間が描くからだ」五郎は消え入るように言った。

「違うわ」夏江はきっぱりと言った。「そんなこと考えもしなかった。そうではなくてね、うまく言えないけど、五郎さんが男だからだと思うわ。わたし、人妻ですもの」

「おれに男を？」五郎は驚いたと示すように、しきりに頭を振った。浅黒いうえに日焼けした顔の色は判別しえないけれども、赤くなったらしく、細かい汗が額に光った。

しばらくして五郎は唐突に笑い出した。

「夏江さんて、面白いことを考えらあ。ところがおれはね、時々、女に生まれてきたかったと思うよ」

「だから、こんな絵を描いたの？　女の子になった五郎さん」

「そう。こういう女の子だったらいいと思う。おれの理想像」

「かわいいわよ」

「かわいい！」五郎は子供のように喜びを体全体に走らせると、ひょいと飛び上った。たっぷり二十センチは飛んだろう。

「さあ、もう行かなくちゃ」夏江はドアのノブをつかんだ。「コーヒー御馳走さま」

「夏江さん、待ってください」と五郎はあわてだした。「渡すものがあるんだ」

「渡すもの？」

五郎は奥から重そうな本の束を運んできた。

「これ、倉庫で見付けたよ。菊池透さんのもんじゃないかな」

夏江は頷いた。開戦の日に秘密倉庫に隠した、ジョー・ウィリアムズ神父の洋書、神父と透の写った写真を貼ったアルバム、神父の発表したエッセイを集めたスクラップブックなどだ。神父はスパイ容疑で逮捕され、その後の運命は不明だし、透は連座して予防拘禁の判決を受けた。

「英語の本、外人と一緒の写真、戦争反対の論文、みんな危険な物ばかりだ。おれが発見してよかった。あの倉庫を完全に封鎖工事するとき、運び出し、隠しておいたんだ。これ、どうする」

「もしもの場合、空襲の最中なんかに、露顕したら大変。こっそり処分しなくちゃ。燃しちゃいましょう」

「燃していいのなら簡単だ。おれがやる」

「やって下さる？　五郎さん、これ絶対秘密よ」

「わかってる。水くさいな」と五郎は怒ったように口を尖（とが）らした。「おれ、今までも絶対秘密で保管してたんだ。この部屋に誰も入れないよう工作したのもそのためなんだ」

「ありがとう。感謝するわ。わたし、あの秘密の倉庫に隠しておけば安全だとは思ったけど、本当はずっと気になっていたの。でも、あの倉庫に入るの、容易じゃなかったでしょう。手出しができず困っていた」

「今、燃やそう。待って」五郎はカーテンのむこうに入ると、元の大工の服装、印半纏とパッチに早変りして出てきた。ストーブに新聞紙を入れて火をつける。

「本当にいいんですね」と五郎は念を押した。夏江が頷くと、五郎はまずスクラップブックからくべ始めた。夏江は本を解体しようとしたが、作りが頑丈（がんじょう）にできていて容易ではない。すると五郎が手に取り、卵の殻（から）でも割るように簡単にバラバラにしてしまった。盛大に炎が立った。煙突の具合がよいのか、このストーブはやけによく燃え、たちまち燃え尽きた。五郎は、灰を鉄棒で搔き回し、粉にしてしまうと、夏江に頰笑み掛けた。彼女も彼に頰笑み返した。一つの秘密が火となって二人の心のどこかに点った気がした。

「じゃあ」と夏江は立った。

「また、コーヒー飲みに来て下さいよ、事務長さん」と五郎はうやうやしく頭を下げた。

「いろいろと有難う、間島さん」と夏江は改まって言い、いつのまにか彼を〝五郎さん〟と呼んでいた事実にはっと気付いた。

## 12

女子病棟から男子病棟へ行く扉を押したところ、看護婦が走ってきた。菊池勝子だった。

「夏江さん……事務長さん、さっきからみんなで探してたよ。久米さんの様子がおかしいんだって」

「勝子さん、同じ病院にいてなかなか話す機会がないわね。お元気?」

「元気よ。大分馴れた。漁師や海女の仕事より楽だもん」

「フクさんはどうしてるかしら。やっぱりずっと会ってないの」

「義姉さんは夜勤番を志望して昼間は寝てる。達者だね。夏江さんに会いたがっていた。聖書の話聞きたいんだって。いけない……わたし、久米さんの容体知らせに来たんだに」

「すぐ行く」夏江は、再び女子病棟へと踵を回らせた。

久米の病室前の廊下には、溢れ出た人々が群がっていた。室内は満員だ。「事務長さんが来ましたよ」と平吉が呼ばわると、人々が道を空けた。ベッドの枕元を利平と西山副院長が囲み、末広婦長がマンシェットに空気を入れて血圧を測っていた。

久米の顔には明らかな紫藍症が認められ、微弱で速い息は、死期が間近いことを知らせていた。仰向いたきり動かぬ頭の中で、眼球だけがキョロキョロ頼りなく滑っていく。もう意識が朦朧としていて誰彼を弁じえないと思いながら、夏江は「お久米さん」とそっと呼んでみた。すると意外にも、「ああ……お嬢さま」と反応があった。

「お嬢さま……」と久米は、かすかに頰笑んだ。「いろいろと……おせわに……なり……」

「お世話になったのは、わたしのほうよ。本当にありがとう」

「息が……苦しくて……すみません」

「あまり、喋らないほうがいいわ」

利平の目くばせで西山副院長が注射器を取り、アンプルから薬液を吸うと静脈にゆっくりと注射をし始めた。強心剤らしかった。賄方頭のおとめ婆さん、元婦長の鶴丸と新田から駆けつけた間島キヨ、その他古くからの職員が集っていた。みんな久米薬剤師とは長い付合いの人々だった。と、人々を掻き分けるようにして、院長夫人が現れた。割烹着に大日本婦人会の襷をしている。

「お久米さん」と枕を軽く揺らして話し掛けた。

「おいとさん……」

「あら、わかるのね。おいとですよ。ここにいますよ。お久米さん、死んじゃ駄目よ」院長夫人は涙ぐんだ。「あなたが、いなくなると淋しいわ。ねえ、お久米さん」いとは、久米の手を握ると、泣き伏した。

人々のあいだから貰い泣きが起った。夏江は母の菊江の死を連想した。あのとき、わたしは太平署に逮捕されていて、母の死に目に会えなかったが、おそらくはこれと似た情景が枕辺で展開されたのだろう。母は末娘に会えぬのを大層残念がって逝ったという。死に行く人は、親しい人に別れを告げたがるものなのに、わたしはとんだ親不孝をした。

「おお先生」と久米が言った。「大事な……お話が……お人払いを……」

「お、そうか」と利平が答えたのと、「じゃ、みなさん」と平吉が場違いな大声をあげたのと同時だった。平吉は、かまわず続けた。「外へ出て下さい。久米さんが、おお先生に最後のご挨拶をしたいんだそうです」

人々はぞろぞろと退出した。院長夫人も「じゃあ、またね」と言い、涙を拭いつつ部屋を出た。夏江も行こうとすると、平吉が呼びに来た。「病人が、事務長さんにもお話があると言ってます」

「おや、わたしには」と言うように院長夫人が前に出たのを、平吉は手を横に振って、ドアをバタアンと閉めた。

「お久米や、夏江とおれだけになったぞ」と利平が言った。彼は腰掛けて病人の顔を覗き、夏江はその傍(そば)に立った。

「どういう話じゃ」

「……はい……あの……」と久米は、せわしい息遣いの合間に、切れ切れに言った。「麻薬の……管理の……ことです……わたくし……モルヒネ……コカイン……の麻薬は……麻薬取締規則で……品名……数量……年月日……薬品営業者の……記録を取って……います……医師の……処方で患者に……出したことにして……いますけど……わたくしが死んだら……誰かやらねばならない……伊田さん……悪いけど……あの人じゃ……無理です……上野さんにも無理……お嬢さま……やって下さい……でないと……でないと……警察にばれてしまう……莫大(ばくだい)な量の……モルヒネを……使って……使い過ぎですから……枕の……した……見て……」

「わかったわ」と夏江が頷いた。「帳簿は、わたしが引き受けます」

夏江が枕を探ると、風呂敷(ふろしき)に包まれた数冊の帳簿が出てきた。麻薬購入元帳、麻薬使用患者名簿、麻薬及劇薬在庫元帳などである。

「患者の名が……大変……ぜんぶ嘘(うそ)です……ばれたら……大変」

「苦労を掛けた。おれが悪い」と利平が言った。「モヒは、やめにゃならん。やめようと思うちょる」

「おお先生、おやめなさいませ」久米は意外に歯切れよく言うと、それで力尽きたらしく、急にぐったりとした。脈搏(みゃくはく)を数えた利平は、「いかんな、臨終じゃ」と言った。夏江は、手ばしこく帳簿を風呂敷に包むとドアを開き、「みなさん、御臨終です」と緩やかな口調で告げた。

　通夜（つや）と葬儀を大松寺で行なうよう夏江は手配した。従来も病院の職員が亡（な）くなった場合、同寺でごく内輪の法事をいとなむのが習わしであったのだ。ところでこの件を報告したとたん利平が頑として反対した。「いかん。お久米は、わが時田病院創立以来勤続しちょる功労者じゃ。ほかの職員とは違う」「でも院内には場所がありません」「〝花壇〟でやればいいではないか」「あそこは長らくほったらかしで、使えるような状態ではありませんわ」、その大広間は、去年の春、開院三十周年の宴を開くときもそうだったが、不断使わぬとあって、不用品の集積場となっているうえ、最近は紙屑（かみくず）や生ゴミなどまで捨てられて、悪臭が漂う始末だったのだ。

「あそこを片付けい」と利平はなおも言い張った。「大体、あの乱雑は目に余る。片付ける、よい機会じゃ」

「とても間に合いませんわ。お通夜は今晩やりたいですし……」

　すると間島五郎が言った。

「いずれはあそこを片付けねばならないです。空襲の際、あそこのガラクタは通路妨害です」

「人手がありませんわ」

「人手は集めれば何とかなりますよ」としゃしゃり出たのは菊池勇だった。「営繕から男が五、六人は出せます。あと看護婦十人、賄方五、六人。まあ、二十人ぐらいで協力すればできるでしょう」

「やりましょう」と突拍子もない奇声をあげたのは上野平吉であった。「特攻精神でやれば出来ないことは何もない。レイテの神風隊に習うんです。レイテでは敵機動部隊や輸送船団に対し神風特攻隊が必殺必中の猛攻を加えつつある。敵の物量を制圧するには一億特攻です。半枚の紙を一枚に使う。十グラムの塩を三十グラムに使う。二十人が百人の働きをする……」

「まあまあ、次長さん」と菊池勇が両手で制した。「演説はそのくらいにして取り掛りましょう。さ、みんな頬被り、マスク、その他、防塵対策をして、集合して下さい」

「防毒マスクを出しますか」と上野平吉が言った。

「防毒マスクじゃ事々しいです。手拭で充分です。どうです、事務長さん」

「はい、やりましょう」と夏江はやっと頷いた。

「そうじゃ」と利平が、昨今の衰弱振りには珍しく、元気よく言った。「みんなでやる、おれもやる」

「おやめあそばせ」といいと。「年寄の冷水です。あなた、このごろ、湯タンポをお持ちになってもぎっくり腰ではありませんか」

「じゃ、お前やれ」

「わたしは、〝花壇〟なんか法事に使うの反対です。たかが一職員のために、分が過ぎます」

「何を言う」と利平が爆発し掛けたとき、いとはするりと、巧みに姿を消していた。

姉さん被りにマスクにモンペの夏江が事務員たちを引き連れて現場へ行ってみると、五郎を頭に営繕の男たち、看護婦や賄方たちなど、二十人ほどが、みんな思い思いの装束で集ってきた。

隊長は事務長さんがなるようにと、口々に言われて夏江は後込みした。すると菊池勇が、

「では不肖、菊池が指揮を取らせていただきます。全員集合！」と号令を掛けた。一同を、重量物担当の男の班、小物担当の女の班に分け、撤去したものは不燃物と可燃物に分け、可燃物は庭で焼却する。さすが元兵曹長の采配振りは理にかなって見事であった。

広間の半分ほどまで片付けたとき、破れ鏡や古時計を入れたボール箱があり、何気なく箱をつかんだ夏江は、ぬらっと指先を包む冷たいものに触れた。箱をどけると大きな鼠の屍骸があった。悲鳴をあげて箱を放りなげると鏡と時計があたりに散乱した。腐臭が鼻を突く。

「おう、溝鼠だ」と菊池勇が言った。夏江が大急ぎで手を洗って戻ると、鼠の屍骸は数匹に増えていた。菊池勇を先頭に男たちが、蒲団の山や新聞紙の壁を崩して、鼠を引きずり出した。菊池勇は、尻尾をつかんでは、「七、八」と数をとなえて林檎箱に投げ入れた。「全部探し出せ、こいつが悪臭の源だった」

「臭い、臭い」と上野事務次長が鼻をつまんでへっぴり腰になった。「こいつはたまらんわ」

「次長さん、そこの寝台の下を見てよ。多分何匹か死んでるはずだ」

「ぼくは鼠は嫌いでね……」

「特攻精神はどこへ行ったんだね」菊池勇は五郎と二人で鉄の毀れた寝台を片寄せた。三つの黒い塊が埃の中に横たわっていた。

　結局、一切のガラクタを取り除いたとき、二十七匹の屍骸が集められた。林檎箱四杯分である。菊池勇は、それを畑で〝荼毘〟に付させた。一同箒で掃き、雑巾掛けで清掃する。間島五郎は、柱や壁を調べて、鼠たちが齧り開けた沢山の穴を発見した。彼は夏江に言った。

「やれやれ、この穴はすべて炊事場に通じていやがる。あそこに猫いらず入りの毒団子を仕掛けたら、団子はほとんど無くなったのに屍体がさっぱり出てこねえ。変だと思ってた。この建物は鼠どもにいいように利用されている。古くてもろくて隙間だらけだから、こいつらは簡単に四通八達の通路を作りあげやがった。具合悪いことに、それが通気管となって、建物全体を燃えやすくしている」

「何だか末期的症状ね」

「そうか、わかった」と上野平吉が、拳を振り上げ、スリッパをパタパタさせた。「この鼠どもの発見は、お久米さんの魂魄の為せる業ですよ。彼女は猫いらずを大量に調製したが、戦果が今一つで、自分の作った毒薬に効き目がなかったと気に病んでいたです。だから、死して魂魄漂い出でてわれらをして戦果を知らしめた。ハッハ、そういう訳ですよ」

　五郎が、大工や左官たちと、応急の穴ふたぎ工事をしているあいだ、茣蓙を敷き詰めると見違えるような空間が出来上った。葬儀屋が棺を運び込み祭壇を組立てた。遺影用に、久米の持物から写真を探し出し、現今品薄の花屋から菊の花を掻き集め、大松寺の住職に連絡を取るなどの気配りは、〝おばさん〟こと神谷昌子が手際よくやってくれた。検分に来た利平は大満悦であった。

「やればできるではないか。これでお久米の霊は浮ばれるわ」

職員たちが集ってきた。久米薬剤師は、生涯独身で通し、長年東京に暮らすうち故郷の萩の親族との交際も跡絶えていたので、喪主には利平がなった。僧侶が到着して通夜の勤行が始まった。参会者は三十人ほどで、この人数では〝花壇〟は広すぎ、一隅に寒々と片寄る有様であった。読経半ばで焼香となったとき、事務員の須藤弓子が夏江に耳打ちした。「西大久保のおねえさまがお見えです」

夏江が行ってみると、初江は柱の陰に立っていた。

「お久米さん、亡くなったのね」

「そう、今日の午後三時過ぎ」

「ちっとも知らなかった。ちょっと電話してくれればよかったのに」

「ごめん。何しろそれから大車輪でここの掃除で、外に連絡する暇なかった。ところで、おねえさんはどうして」

「今日は月末でしょう。偶然、主人の眼薬取りに来たの。そしたら知らない男の薬剤師がいて、さっぱり要領を得ないの。やっと処方台帳を見付けてもらって、〝前方〟で作ってもらったんだけど、お久米さんじゃないと心配だわ。ああ、あの人には小さい時から世話になったもの。わたし最初の赤ん坊でしょう。鶴丸とお久米さんが、取り合いで子守りしてくれたらしい。夏っちゃんなんか、薬局の調剤机にのぼって、お久米さんのコルク人形で一日中遊んでいたじゃない」

「そうだった。いい人だったわ」と夏江は目頭を熱くした。

「お久米さんは、一生をこの時田病院に捧げたのよ。開院以来の古参職員といえば、お久米さん、おとめ婆さん、鶴丸の三人だったけど、とうとう一人欠けたわね」初江は、妹の涙を見ているうち、自分も目を潤ませ、頰を光らせた。「九月末に会ったときは、元気だったのに……たったひと月で……人の命ってわからないわね」

「お焼香してあげて」と夏江は姉を誘った。

「でも、こんな恰好だから」と初江は後込みした。色の褪せたモンペを着ている。

「構わないわよ。みんな不断着なんだから」

「でも夏っちゃん、ばっちり五つ紋じゃないの」

「わたしはこれでも事務長だもの。体面上、仕方がないのよ」妹は渋る姉を香炉の前へ引っ張って行った。利平が初江に会釈し、いとが丁寧にお辞儀をした。遺影を見上げて手を合せ、振り返った初江の顔は、くしゃくしゃに濡れていた。

　夏江は数珠をまさぐりながら、香の煙が昇って行く天窓を見上げた。すると、この八角形の夢殿に似た大部屋で行なわれた、さまざまな催しが、回り灯籠のように、つぎつぎに脳裏に映じてきた。まず母の通夜。二・二六事件のさなかに母は死に、ここで行なわれた通夜は、それは盛大なものであった。利平はまだ壮年の勢いを保ち、演説をぶち、この〝花壇〟は、時田病院の最初の拡張工事をしたとき、故人の発案で作ったと告げた。かつて百人の家族が煮炊きをし、煙が天窓から濛々と吹き出した場所、天井や柱の煤に母の心が染みついている部屋、それがここだ。新年宴会も華やかなものだった。今は、鉄製品回収で取り払ってしまったが、軍艦のスチーム装置を払い下げてもらい、威勢よく蒸気が通うさなかで、盛り沢山の料理に酒、時田の家族が揃い、大勢の友人たち、全職員に近所の人々まで蝟集しての大宴会であった。史郎の友人たちは慶応大学の器械体操部員で身が軽く、余興にアクロバットをしてみせたり福引きをして騒いだり、酒に酔った職員たちが踊ったり、それはもう賑やかであった。夏江がまだ小学生の頃、晴着を着ていたから七五三の七つの時だったろう、すると初江は十四か、二人並んで長唄の『元禄花見踊』の三味線の〝打合せの合方〟をしたのもここだった。「花と月とは、どれが都の眺めやら、かつぎ眼深かに北嵯峨御室、二条通りの百足屋が辛気こらした真紅の紐を、袖へ通して、繋げや桜……」あのとき母は、三十代の女盛りで、娘たちの演奏が嬉しくて、こぼれるような笑みを浮べていた。すべての催しの中心には常に利平がいた。そして、利平とともにこの〝花壇〟も年を経、古びてきた。ああ、お久米さん、と夏江は遺影を見た。おそらく最近の写真は見付けられなかったのだろう。頬笑んでいる彼女の顔は若かった。すくなくとも十年前、まだ母がいて、病院が華やかだった時代のものだ。〝花壇〟を通じて、時間が異様な速さで吹き抜けて行った、そんな思いで夏江は、もう一度久米の顔を見、ふと隣で、小刻みに震えている利平の肩を見て、はっとした。いかにも辛そうな、脂汗を一杯に光らせた父の額だ。また薬が切れてきたらしい……。

坊さんが退出し、通夜振舞いが始まったとき、利平は末広婦長を連れて別室へ行き、しばらくすると何食わぬ顔で戻ってきた。震えは嘘のように治まっており、モルヒネを打ってきたのは明白だった。

昔のような豪奢(ごうしゃ)は望むべくもないが、お久米さんの親友だったおとめ婆さんの心尽しで、当節としては材料品数ともに豊かな料理が運ばれてきた。鮪(まぐろ)の刺身、海老雑魚(えびじゃこ)の空揚(からあ)げ、山掛け豆腐などの皿がずらりと並び、合成酒ではあったが一升瓶(びん)が回された。

初江は感心して夏江に言った。

「やっぱり三田ね。うちなんか、毎晩雑炊で魚なんかめったに……」

「お料理持ってらっしゃい」夏江はアルミの弁当箱に詰め合せを作って姉に渡した。

玄関まで送って出た妹に姉は言った。

「おとうさま、ますます弱ってらしたわね」

「でしょう……モルヒネ中毒で体はぼろぼろ。それでも、薬が効いているうちは、何とか普通におできになるけど」

「今夜も黙りこくってらしたわね。いつもだったら、長々と訓示を垂れなさるところだけど」

「そうなの。今は、何もかも他人まかせで、御自分はひっそりしてらっしゃるの。でもね、今日は違ったのよ。お久米の通夜も葬式も、〝花壇〟でやると突然言い出された。〝花壇〟は荒れ放題でとても使える状態じゃなかったけれど、わたし、おとうさまが、久々にバッチリ意思表示なさったのが嬉しくてね、夢中で片付けと掃除をしちゃった」

「わかるわ、夏っちゃんの気持」と、初江は三度合点した。「何かと大変だけど、あなた頑張って。そして時には息抜きに西大久保にいらっしゃいな。八丈島から帰ってきたあと、お見かぎりよ」

「行くわ。でも、おねえさんとこも様変りね。悠ちゃん、研ちゃん、オッコちゃんの三人がいないいんじゃ、火が消えたようでしょう」

「あらあ、暇が増えて楽になったわ」と初江は明るく笑った。

弁当箱を大事に抱えて、真っ暗な町に融けていく姉の背中を見送りながら、夏江は、「ねえさんも寂しいんだわ」とつぶやいた。


葬儀は翌日の午後一時すこし過ぎに始まった。職員のほかに、近所の人々や三田地区の大日本婦人会員も加わって、通夜よりも大勢の参集者となった。

丁度、誦経が中盤に入り、一同が回し香を始めたとき、突如として警戒警報のサイレンが鳴った。導師はびくりと首をすくめ、経をやめた。

「演習ですかな」と平吉がつぶやいた。「おいとさん、何か聞いていませんか」

「さあ、何も。演習なら婦人会にあらかじめ連絡が入る手筈になっているけど……」

「ラジオを聞いてみましょう」と菊池勇が走り去った。と、空襲警報が鳴った。

「どうも演習ではなさそうですな」と平吉が腰を浮かした。

五郎の姿が見えなかった。防空監視台へ駆け登ったらしい。天窓から海の底のような青空が望めた。人々のざわめきが〝花壇〟の広い天井全体に響いた。

菊池勇が帰ってきた。

「東部軍情報です。ただいま、敵大型機数機、高々度にて京浜地区に対し侵入中なり」

「退避だ。退避、みなさん急いで」と平吉が息を弾ませた。一同はがたがたと立ち上った。

「静まれえ」と菊池勇の胴間声が響いた。「みなさん落ち着いて。患者さんの退避が第一です。看護婦さんは二手に分れ、演習のときと同じように、重症者を担架で防空壕（ぼうくうごう）に運ぶ。ほかの患者さんには自力で退避するよう伝達し誘導して下さい。末広婦長さん、指揮を頼みますよ。それから婦人会の方々は当院の防空壕に入って下さい。院長夫人、誘導をお願いします」

昨日に続いて、菊池勇のテキパキとした態度であった。夏江は利平と、期せずして顔を見合せた。

「菊池さん」と利平は言った。「あんた、ようやるのう。立派な防空隊長じゃ」

「いやあ」と勇は照れて、白髪をがしがしと太い爪（つめ）で掻（か）いた。「海軍時代を思い出しただけです」

「あんた、日本海大海戦に出たそうじゃな。艦は？」

「日進（にっしん）です」

「第一戦隊の最後尾じゃな。おれは八雲（やくも）じゃ。第二戦隊の四番艦じゃ」

「存じております」

「四艦前にあんたがおった。戦友同士じゃ。これからも戦友として敵と戦いたい」

「光栄です」

「大海軍の精神、これで行かにゃならん。何の空襲ごとき……」と言いさして利平は咳込んだ。


利平は勇より十歳年上だが、ごつごつに痩せて猫背が目立ち、二十も老い込んで見えた。他方、白髪ながら、勇は、五十九歳とは見えぬ頑健な体軀を誇っていた。

「さ、おお先生も、防空壕に入って下さい」と勇が言った。利平は、勇の部下のように従順に、地下への階段をとぼとぼと降りて行った。


残ったのは男たちだ。西山副院長、番場医師、大工、左官、下足番……。勇は彼らを三群に分け消火班を組織した。本当は十班ほしいのだが現在のところ手動ポンプが三基しかないのだった。


菊池勇の指揮下に男たちが去ると、夏江は取り残された。葬儀屋の男たちが夏江に尋ねた。

「飾り物はどうしましょうか」

「仕方ありません。葬式は中止ですわね。祭壇は取り払って下さい。空襲で燃えたとなるとあなた方もお困りでしょう」

「はい。しかし御棺は?」

「建物が燃えたら、それで野辺送りです。燃えなかったら、なるべく早くこちらで出棺しますわ」

「はあ……」にわかに周章した体で、雪洞やら香炉やらを撤去しだした葬儀屋を後目に、夏江は位牌を風呂敷に包んで持つと、何も考えないうちに足は防空監視台へ向っていた。三階から先の急階段が、紋付を着た身には難儀だったが、ままよと臑を露わにして登った。五郎は双眼鏡を手に振り向き、「夏江さん」と目を剝いた。「あぶないですよ、こんなとこ」

「敵機が見えまして？」

「一機だけ、さっき、西から東へと、えらく高い所を飛んで行きやがった。四発の爆撃機。北の方で高射砲らしい音が盛んにして、炸裂の白煙が沢山見えたけど、当らねえな。味方の戦闘機が数機、追ってたけど、てんで追いつかねえ」

「敵はたった一機だけ？」

「今のところはね。どうもあれは爆撃に来たんじゃなさそうだ。偵察だあな」

「それなら心配ないわね」

「今のところはね。しかし桐一葉だ」

「菊池のおとうさま、見直したわ。沈着で堂々としてる」

「御主人のとうさまだけのことはある。とうさま、大勢の人間を命令で動かした経験があるから心強いです」

不意に透が案じられた。上京して以来、毎日毎日追いまくられていて面会に行く暇がなかった。一応葉書で強制疎開の事実を報告し、彼からは無事だから放念してくれとの返事をもらってはいたが、いよいよ空襲となると、コンクリートの密室に幽閉された身が心配だった。

夏江は防空壕に降りて行った。鉄扉を開けたとたん、生臭い人いきれが鼻に迫った。患者と看護婦と婦人会員がぎっしり詰っている。奥に、鉄兜をかぶった利平といとが認められた。「事務長さん、敵機の様子はどうですか」と誰かが尋ねた。「わかりませんけど、今のところ一機は双眼鏡で見えました」「たった一機ですか」「高射砲の音がしなくなりましたね」「ああ、暑っ苦しい」と数人の看護婦が外に出てきた。続いて婦人会の主婦たちがぞろぞろと出てきた。「家が心配ですので」「今日は御愁傷さまでした」と三々五々散って行った。

畑に行ってみると、消火班の男たちが、三台の手押しポンプを囲んでいた。壕に入りきれなかった女たちが大勢地べたにしゃがみこんで、見物している。菊池勇がメガホンを片手に歩き回っていた。夏江は監視台の五郎を見上げた。双眼鏡であちらこちらを見回している。

「敵一機だけは見えたそうです」と夏江は菊池勇に言った。

「ああ、さっき、間島さんが拡声器で放送してくれた。どうも大したことはないらしいな」と勇が言った。

徳川邸の森の奥で警防団員が見え隠れした。森の影が畑に伸びてきた。ラジオは、さっきの東部軍情報を繰り返すのみだった。やがて空襲警報解除のサイレンが鳴った。

「やれやれ」と勇が腕時計を見て言った。「午後一時二十八分警戒警報発令、一時三十二分空襲警報発令、二時五十分空襲警報解除というわけか。警戒警報から空襲警報までが四分しかない。つまり、不意を突かれたというわけだ」

勇は消火班員に号令をかけて、ポンプ車の収納にかかった。地下の貯水槽(ちょすいそう)に挿入(そうにゅう)したホースを抜き、工場脇(わき)の倉庫に仕舞う。警戒警報が解除になったのは、四時半頃だった。
翌朝、目覚めるとすぐ夏江は、自室のドアの下に差し込まれた新聞を開いた。まずは東京新聞。空襲の記事は第一面に出ていた。

マリアナ基地から
B29一機帝都侵入
我に鉄陣、投弾せず遁走(とんそう)

一日午後一時過ぎ敵B29一機帝都に侵入したがわが鉄壁の制空陣の前に一時半頃東南方に退去した、敵機はマリアナ諸島附近の基地から発進し目的は偵察にあると思はれる、敵機は全く爆弾投下なく今回の侵寇(しんこう)は比島方面の戦況と睨(にら)み合せ牽制(けんせい)と十一月七日の大統領選挙日を控へてルーズヴエルトは最近政略的に太平洋の戦ひを引ずつてゐることを考へれば多分に今次の侵寇は政略的な意味をもつてゐる、然(しか)しサイパン島を含むマリアナ周辺の敵基地は既にB29が使用可能の状況にあり、今回の侵寇に依(よ)つてB29が同基地に進出してゐることが確認されたわけであり、空襲警報解除となつた現在でも以上の動向は厳戒を要するものがあるが、我に俟(ま)つあると恃(たの)むの態勢さへあれば何等動ずることはなく不断の用意を忘れぬことが肝要であるそのほかの新聞も大同小異であった。要するに一機の飛来は、政略的であって戦略的ではなく、わが鉄壁の防衛陣によってあわてて遁走したので戦局全体の見地からは取るに足りない出来事と看過されていた。しかしと夏江は首を傾げざるをえなかった。鉄壁の防衛陣ならば、なぜたった一機を撃墜できなかったのか。射撃能力にすぐれていたはずのわが方の高射砲は、あれほど弾を射ったのに当らず、水も漏らさぬ防衛陣を敷いていたはずのわが戦闘隊は邀撃できなかった。たった一機でさえむざむざと逃してしまったのならば、二十機、いや、五十機、六十機と、大挙して来襲したらどうなるか。そう考えると夏江はぞっとした。

## 13

十一月一日以降、時々警戒警報や空襲警報が発令されたけれども敵影はさっぱりで、警報のたびに重症患者を壕に退避させる面倒を職員が怠りがちになっていた矢先、二十四日になって、到頭多数の敵機を見た。

正午前、警戒警報のサイレンが長々と鳴り、ラジオは、敵編隊が伊豆半島上空を北進中と告げた。直後、空襲警報発令のニュースがあり、ただちにサイレンが断続するとともに高射砲の轟音が響いた。芝公園のどこかに高射砲陣地があるらしく、地鳴りとともに建物がビリビリ震える迫力だった。「敵機が見えるぞ」と防空監視台の五郎が拡声器で告げたので、看護婦や事務員ともども、夏江は事務室を飛び出した。

あれがＢ29という飛行機なのか。すこし靄に薄まった青空の底にキラキラと鮮かな銀色の細長い翼が素晴しい速さで白い筋をつけていく。五機が横並びで、あまりに高い所なので、高射砲の弾幕はとどかず、下のほうに流れてしまった。味方の戦闘機らしいのが一機――たった一機――がのろのろと追い掛けたが、Ｂ29はグオングオンという爆音のみ残して、すでに飛び去っていた。

「重症患者を避難させて下さい」と菊池勇が末広婦長を促した。

婦長の命令で看護婦たちがにわかに動き始めた。敵機に刺戟されたらしく、いつもと違って慌しく働く姿が窓に見える。菊池勇がメガホンであちらこちらに指示を与え、西山副院長を先頭に、医師たちも走り回った。いとがおとめ婆さんら賄方に何やら指図をしている。重症患者の寝台車や担架の移動に混って入院患者がゆっくりと歩いている。「早く、早く」と誰彼がせかしたが患者たちの歩みは変らない。二百人の患者全員が退避を完了するまでに小半時は掛かったろう。不意打ちに爆弾の雨が降り、しかも夜間であったらどうなることかと、夏江は改めて憂慮した。

職員も退避し終え、あたりが静かになったとき、遠くで高射砲の音がしきりにした。西の方角だ。病院前の道路を見渡すとみんな壕に入ったらしく人気がない。事務室に戻り、〝非常持出〟の文書箱が持ち出されたのを確かめながら、自分の机上に損益計算書と貸借対照表が開いたまま置き忘れられているのに気付いた。この計算書と対照表には税務署向けの〝表〟と、すべての受注関係を克明に記した仕訳帳から作った〝裏〟との二種類があるのだが、何と門外不出の裏帳簿まで堂々と置いてある。夏江は軽い舌打ちをすると大急ぎで帳簿類を片付けた。この三週間余、〝表〟と〝裏〟との差違の検討に追われてきた。まず判明したことは、多量のモルヒネを他の麻薬、オピアトやパヴィナールなどに書き換え、さらにそれらを患者に使用したことにして患者名簿を捏造していたのが、この一年ほど患者の病名と使用麻薬との関連が、夏江のような素人が見ても不合理だと気付かれることであった。何の痛みも訴えない結核患者に鎮痛の名目で麻薬を連用していたりすると、気になってカルテを調べてみる。が、カルテのほうには使用時の症状の記載が全くなく、これでは捏造の事実を証明するようなものであった。

　久米薬剤師と協力して二重帳簿の作成にあたっていたのは上野平吉前事務長である。彼に質問しながら、なぜこの一年間で帳簿の記入がチグハグになったかを調べているうち、奇怪な事実に気付いた。〝裏〟の元帳に記載されている〝時田式レントゲン撮影機〟の販売収益はこの二年ほどはほぼ横這いであるのに、〝表〟の仕訳帳では売行き不振で販売収益が極端に落ち込んだと記載されていて、その差額は病院の改築費で消費されている。ところが、同じ時期の建築資材の購入費にはさしたる変動がないのだった。かねがね平吉は、部品が不足してきたためにレントゲン撮影機の製造能力が落ち込んだと言い立てていたが、そのような事実はないばかりか、莫大な額の販売収益がどこかへ秘匿されたことになった。この点を平吉に問い質してみても、納得の行くような返答はなく、次第にしどろもどろとなるばかり、ついさっきも、「さあて不思議ですな。その金はどこへ消えたのですかな」と空とぼけていたのだ。

夏江は帳簿類を鞄に詰めて防空壕へと急いだ。壕の入口付近に消防班員たちと居並んでいた菊池勇が声を掛けてきた。

「事務長さん、逃げ遅れたんじゃないかとみんなが心配してましたよ」

「すみません。重要書類を忘れたものですから」と頭をさげ、勇にそっと尋ねた。

「上野さん、中にいますか」

「いや、壕には入らないで、家に帰ると言って門から出て行ったな」

「空襲中なのに、あぶないじゃないですか」

「おれもそう注意したんだが、家族が心配だとか言って……」

「変ですね」夏江は小首を傾げた。平吉は妻と二人の子供をこの夏、山口県の母親——利平の先妻の上野サイ——の所に疎開させていて、それ以後は独りで院内の空き病室に寝泊りしていたのだ。

満員の壕内にも夏江が入れるくらいの余地はあった。重症者のベッドの脇に利平と医師たちが固まっていた。そこまで人を掻き分けて行き着くと、薄暗い電灯の光の下に消毒薬の臭いが鼻を突いた。何回か改築して換気孔を増やしたのだが、この多人数ではなお及ばず、酸素欠乏で息苦しい。

「外の様子はどうですか」といとが尋ねた。

「遠くのほうで高射砲の音が盛んにしてます」

「今日のは本格的のようね」

「こんなのが続くと、何かと大変ですな」と番場医師が言った。

夏江は目を瞑(つむ)っている利平を見詰めた。明らかにモルヒネを打ったあとらしく、頬(ほお)を緩め、口を薄く開いて、口角からよだれを長く引いている。現在、病院が数々の難問を抱えている危機に院長がこの有様では心許(こころもと)ない。看護婦の不足、医師の不足、空襲対策、杜撰(ずさん)な麻薬管理、平吉の不審な行為など、難題を数えあげれば切りがない。夏江は父の呆(ほう)けた顔から目をそむけ、暗闇(くらやみ)に顔を浸して思案に暮れた。


何とかしなくてはならない。先々週のこと、豊多摩刑務所の透に面会に行ったとき、それとなく利平の中毒の件を相談した。「友だちのおとうさんなんだけど、一日中酔ったようで、ぼんやりして、仕事はいい加減で、その人、困ってるの」「ダニエルがひどいのか」「そうひどいダニエル、真っ昼間から」旧約聖書の但以理書(ダニエル)のダニエルは数々の幻を見たことで有名である。ダニエルと言えば、夏江と透の間では、モルヒネ中毒の利平を指すと決っていた。「そういうのは精神科のお医者さんに見せたほうがいいのじゃないかな」「精神科……」利平の中毒症が精神科医の対象となる病気だとは夏江も気付いていて、事務長に就任した直後、利平に専門医への受診をすすめたところ、ただちに「莫迦(ばか)を言うな」と強い拒否に出会ったことがある。「一度診察を受けるように持ち掛けたんだけど駄目(だめ)だったんですって」「もう一度やってみるよう、お友だちに言えよ。駄目だったら何度でもやってみる。大丈夫、ダニエルは英雄だから」「そうね……」

刑務所の帰り、夏江は西大久保に初江を訪ね、透の意見を伝えた。最初姉は、精神科などとんでもないと反対したが、最近の利平の痴態を知るにつれ、「仕方がないかも知れないわね」と同調するようになり、一度そう思い込むや人一倍熱心になる質(たち)だから、帝大医学部の内科医に嫁いだ聖心女学校の友人に電話し、帝大付属病院精神科講師の北岡龍太郎という医師を紹介してもらった。その人に夏江が会ったのは、つい数日前のことであった。禿頭(はげあたま)で、揉(も)み上げから顎(あご)まで続くひげを蓄えた精神科医は、概略の話を聞くなり、「入院治療が必要です」と明快に結論を下した。「入院すれば父のような中毒でも治るでしょうか」「治りますどのくらいの期間かかりますか」「中毒を治す、つまり脱慣させるのに三週間ですが、あと一、二箇月再発予防のための教育期間が必要です。これも長いほうがよく、半年から一年が理想です」「入院しないで治す方法はありませんか」「絶対に(と声を大きくした)ありません。麻薬中毒の脱慣は苦しい禁断症状を克服しなくてはならないので、患者単独では絶対に治せないのです」「禁断症状は相当に苦しいものなんですか」「非常な苦痛を伴います。危険もあります。ですから専門医が関与した状態での克服が不可欠です」「入院は帝大にお願いできるのでしょうか」「いや、この大学病院には隔離室がありません。ぼくが併任になっている松沢病院なら部屋をお取りできます」「松沢病院ですか……」夏江はひるんだ。松沢の名前は、当今、気違い病院の代名詞になっているほど有名だ。父が狂人として監禁されると思うと胸が痛んだ。第一、誇り高き父は松沢病院と耳にしただけで猛烈な反撥(はんぱつ)を覚えるだろう。北岡先生にお願いしますとは言えなかった。本人を極力説得しますと言って話をつないでおき、夏江は帰ってきたのだ。

　空襲警報が解除されたのは三時頃だった。ぞろぞろと壕を出ながら、昼食前に退避を強いられた人々は一様に空腹を覚え、「腹が減った」という声が多く飛び交った。

　翌日の新聞は、マリアナ諸島より敵Ｂ29が七十機内外帝都に飛来し、数梯団となって高々度から郊外および市内を盲爆したが我方の損害は軽微であると報じていた。もっとも記事をよく読むと、敵の目標は郊外の工場施設にあり、投弾されたのは燃焼速度の速い油脂焼夷弾であり、水による消火活動では消し止められなかった例があるとわかった。工場が目当てなら病院は大丈夫、郊外が狙われるなら都心部は安全などと事務員の話すのを耳にしながら、夏江は平吉が出勤して来ないのを不審に思った。

　胸さわぎがして事務室の金庫を開けてみると、仕舞ってあった千五百円ほどの現金が消えていた。平吉の机の引出しを開いてみると、紙切れ一枚見当らぬ空であった。蒲田の工場に電話したが姿を見せてないという。ざっと計算してもこの一年内に十万円余の大金が行方不明になっていて、それを平吉が横領して逐電した公算が大きい。逃げた先は山口県の妻子の所がまず考えられるが、警察に通報すればすぐ手が回るだろうから、おそらくそこへは行かないだろう。そこまで考えて、夏江ははっと思った。警察に届出れば二重帳簿のカラクリがばれてしまうし、利平の麻薬取締規則違反も露顕してしまうのだ。こっちが警察に通報できないと知っていて、平吉は平然と妻子の元に行ったのではないか。

「上野さんはどうしたんでしょうね」と夏江は独り言のようにつぶやいた。それから、〝おばさん〟の神谷昌子に尋ねた。「彼、何か言ってませんでしたか」

「いいえ」と神谷は頭を振った。と、白毛まじりのほつれ毛を掻き上げて、思い当るふしがあると言うように頷いた。「上野さん、おやめになるんじゃないでしょうか。こんところ、毎日、身辺の片付けをしてましたから」

「そうそう」と簿記係の宮田花子が思出し笑いをした。「上野さん、好物の乾燥芋を片付けてしまったので、おとといなど食べるものがなくなって、お腹がグウグウ言って困ってました」

「事務長さんがいらっしゃらないと」と神谷が続けた。「フウフウと深呼吸みたいな溜息をついたり、『疎開しねえとあぶねえや、ねえ、この病院も』なんていきなり大声を立てたり、こんところ、おかしかったわねえ」

「きのうの空襲では、泡を食ってたわね」と宮田がまた笑った。「空襲警報の最中、震え上って出て行ったんで、お便所かと思ったら、そのまま帰って来ない。夢中でどっかへ走って行ったんじゃない」

「走って行って、方向音痴になり、帰ってこれなくなった……」と神谷が真顔で言うと、宮田は堪え切れず、もう野放図に笑い転げた。

「やめるなら、わたしにそう言うでしょうにね」と夏江が思案顔になると、二人はしゅんとなった。

須藤弓子に平吉の部屋を見てくるよう命じた。帰ってきた彼女は不思議そうに報告した。

「いませんでした。ドアの鍵が掛ってなかったので中を見ましたら、お蒲団が残ってるだけで何もありません。お引越ししたみたい」

「やっぱり」と神谷昌子はしたり顔で頷いた。「上野さん、やめたんですよ」「そうですよ」と宮田花子も頷いた。「きのうの空襲で、怖くなって逃げ出したんですよ」

夕方まで夏江は算盤片手に、この三年間ほどに紛失した金額が十万二千五百円余であると突き止めた。ほぼ時田病院の年間収入に相当する額である。さてどうしたものかと頭を抱えているところに、菊池勇が訪ねてきた。事務長さんに折入ってお話があるという。人目を避け、外来診察室で二人きりになると、勇は舅と嫁の間の話振りになった。

「きのうの空襲の被害を偵察してきた。三鷹の中島飛行機工場とその付近がひどくやられている。工場は憲兵が見張っていて見られなかったが、民家の被害は相当なものだ。爆弾で倒壊したのや焼夷弾で焼けたのや、いろいろだね。壕の上に燃える家が倒れて蒸焼きになった人もいる。焼夷弾の威力は相当なものだ。落下の途中で何十本かに分れて四方に飛び散る仕掛けらしく、一発で火災を同時多発させる威力がある。油脂弾で水を掛けるとかえって燃えひろがるので砂を掛けたほうが有効だと教えてくれた隣組長がいた。三鷹だけがやられたのではない。杉並や荏原にも焼跡があった。工場だけじゃない、街も狙っている。小学校も病院もやられていた。無差別爆撃だよ」

「方々見てらしたのね。ありがとうございます」

「きのうは昼間だから退避するに勝手がよかったが、夜だったらどうか。風があったらどうか。いろいろと考えねばな。油脂焼夷弾に対して砂袋の用意をせねばならんし、おれは思うに、職員の介護を必要とする重症者は、退院させて地方の病院へ移し、自力で退避できる患者だけにするのが得策だ。その分、消火活動に人手が回せる理屈だ。それをお前から時田院長に言ってくれ」

「はい」夏江は悲しげに言った。「その点は何度も忠告したんですけど、父はこの節、弱ってきてまして、自分の意見を持てない様子で……」

「院長の統率力が弱いところに持ってきて、院長夫人は投げ遣りだし、婦長はだらしがない。久米さんが亡くなったあと、院内の纏め役は、夏江、お前しかいないな」

「わたしはその器ではありませんし……」

「事務長が弱音を吐くな。棟梁もおれも、協力する。何とかこの危急存亡の秋を乗り切ろうよ」

「お願いします」そう言って頭を下げたとき、不意に目頭が熱くなってきた。顎が張って、ズングリとした勇は、厚い胸板に重圧を撥ねのけるような力強さを持っている。十年前の利平にはこのような活力があったと懐かしく思い出した。

　勇と別れ、夏江はいとに会いに二階へあがった。土曜日の午後と言うと婦人会の主婦たちと何かしているのが決りのいとは、珍しく〝お居間〟に一人でいた。広間から利平の間延びした謡が流れてくる。いとは、文机に向って何か書き物をしていた。藍染めの久留米絣に見覚えがある……母の菊江のお召しだったものだ。

「おやおや、事務長さん、おんみずから、何か御用ですか」いとは向き直った。夏江より十年上だから三十九歳である。しかし締った浅黒い肌(はだ)は滑らかで皺(しわ)もなく、三十そこそこに見え、絣が憎いほどに似合って、奥様然とした気品まで備えている。夏江はそんな相手に挑(いど)むように、つんとした調子で言った。

「上野平吉さんはどこにいます?」

「知りませんよ。ここには来てませんけど」

「きのう、ここに姿を見せませんでしたか」

「いいえ。上野がどうかしたんですか」

「朝から姿が見えないんです。で、探してるんです」

「土曜日だから、午前中休んでどこかへ旅にでも出たのじゃないかしら」

「事務所の所持品も部屋の荷物も全部持ち出していなくなったんです」

「それはおかしいわね」

「おかしいでしょう、夜逃げ同然なんだから。で、もしかしたら、おいとさんが訳を御存知かと思ったので……」

「どうして、わたしが……知るはずないでしょう」いとは心持ち居住いを正して夏江を睨(にら)んだ。が、すぐ背の力を抜くと薄笑いを浮べた。「夏江さんもおお先生の影響を受けて、わたしと上野の仲を疑ってるのね。言っときますけど、あれは主人の邪推ですわ。わたしと上野の間に、疾(やま)しい関係なんか何一つありはしない。用があって、院長夫人が事務長と話すのがなぜ怪しいんですか。主人が勝手にお話を作りあげて、嫉妬（しっと）に狂ってるだけよ。主人がああなったのは、モヒを使い始めてからよ。モヒの中毒でおかしくなってから、わたしと上野の仲を疑いだしたの。この後先（あとさき）を誤らないでちょうだい。主人の言うように、わたしと上野がなにしたからモヒを打ち出したなんて、とんだ作り話ですよ。この作り話は、主人がお久米から薬を引き出すために考えついた策略なの。お久米はそれを信じて同情して、おお先生の言いなりに薬を出した。そういう訳。夏江さん、いい機会だから、事務長としてのあなたに洗い浚（ざら）い真実をお話しとくわ。ちょっと御免なさい」いとは、長火鉢（ながひばち）の銅壺（どうこ）の蓋（ふた）を取って竹柄杓（びしゃく）で湯を急須（きゅうす）に汲（く）み入れた。自分の茶碗（ちゃわん）に茶を注ぎ、一口うまそうに飲んでから、はっと気付き、立って客用の茶碗を出してきて、夏江にすすめた。

「お久米はああいう人だから、有る事無い事尾鰭（おひれ）を付けて言いふらすでしょう。すると誰彼が、受け売りで、忠義面（ちゅうぎづら）で、おお先生に御注進御注進となる。最初の作り話が、巡り巡って主人の耳に帰ってくると、主人は元々疑い深い人だから、嘘（うそ）から出た真（まこと）だとか、火の無い所に煙は立たぬとか、悪事千里を走るとか――これはみんな格言好きの主人がわたしを責めるときに言ったものなんだけど――ともかく、わたしが平吉と不義密通した――いやあね、これもあの人が使った時代掛かった言葉なの――なんて、わたしを責め立てたのよ。そのうち、主人は自分が作った話だというのをケロリと忘れてしまい、みんなが事実を自分に話す、悪いのはいとだということになってしまった。嘘を本当だと信じちゃったのね。夏江さん、あなた、御自分のおとうさまだからよく御存知でしょうけど、おとうさまには突飛な空想癖がおありになるでしょう。発明研究のためには、それが大層役立ったけど、それが裏目に出ると非常識な悋気になるのよ。それに、おとうさまときたら、お酒と眠り薬を毎日お使いで、それに加えてモヒでしょう。空想癖がひん曲って、気が狂ってこられたの。夏江さん、それをお認めにならない？」

「たしかに……困った有様ですわ。とくにモルヒネ中毒ははっきりしてます。でも、それと上野さんの件とは別のような気がするけど」

「〝気がする〟……つまり、夏江さん、そうだと確信はしてらっしゃらない。悪いけど勘繰りでしょう」

「わたしだって情報網はにぎっているつもりですよ。自分であちこち当って調べもしましてよ」

「夏江さんの情報源て誰ですか。五郎だったらお生憎さまだわ。五郎は平吉を憎んでるの。だから平吉とわたしの醜聞を主人の耳に垂れ込むのよ。最近、あなた五郎と頻りに会ってらっしゃるけど、あの大工の言うことなんかみんな大嘘のコンコンチキだから、誑かされちゃ駄目よ。五郎に言わせれば、わたしが主人と別な部屋に寝るのは、平吉となにするためなんだけど、もともとわたしを寝室から追い出したのは主人ですからね。真夜中にモヒを打ちたい、そのためには口うるさい女房が傍にいては目障りだというの。その結果、わたしはこの〝お居間〟に独りで寝ることになったの。主人はすこし耳は遠いけど敏感な人で、夜中にこの部屋へ誰かを引き込むなんて不可能ですよ」いとは不意に口を閉じた。広間での利平の謡がはっきりと聞える。

「……行くかとみれば、しのわらの、池のほとりにて、姿はまぼろしとなりて、うせにけり。まぼろしとなりて、うせにけり……」

「ご免なさい。変な話を長々として。でもね、一度、夏江さんに真実を聞いていただきたかったの。わたし後悔してます。後添いになんかなるんではなかったわ。一度、主人が変になると、すべてわたしのせいにされる。ところで、平吉が夜逃げですって？」

「えっ？」と曖昧に夏江は対応した。いとの話術に乗りながら、一体事の真相はどこにあるのかと思い惑っていたので、相手が突如本題に戻った理由をつかみそこねたのだ。

「ともかく、わたしが平吉の夜逃げの訳を知るはずがないとはおわかりでしょう？」

「そうですわね」夏江の心中で、一つの決心がはじけた。ともかく事実を告げて相手の反応を見ようと思った。「上野さんは、病院の金を十万二千五百二十七円持ち出して姿を消しました。蒲田の工場の収益や診療報酬が消えて無くなっています。まだ工場の帳簿を精査していないので、疑いの段階ですが、納税関係書類と元帳や損益計算書とを照合すると、事務長時代に業務上横領の罪を犯したとしか考えられません」

「十万円も……大金ですわね。金額に間違いないのですか」

「間違いありません、三回も験算しましたから。ここに計算表があります」

いとは書類を手に取って眺めたが、すぐ返してよこした。

「簿記は弱いの、わたし。でもどうして、こんなことが今までばれなかったかしら」

「麻薬の過剰購入を隠すため、二重帳簿にしていたからですわ。上野さんは裏帳簿を利用して大金を操作したんです」

「あの人、どこか信用が置けない感じだったけど、まさかそこまでやるとはね」

「何かそれらしい兆しがあの人にありませんでした？」

「何にも、ほんとに何にも気が付かなかったわ。おや、主人が謡をやめた」

広間は静まり返っていた。いとは夏江にささやいた。

「土曜日はお師匠さんの来る日でしょう。一時間ほどお稽古があって、そのあと独り練習。以前は二、三時間は平気で唸っていたのが、この頃は三十分と続かないの。きっと今、寝室に入ったところですよ。鍵を閉めて、カーテンを降ろして、暗いなかでベッドに横になる。そしてモヒを注射して、うとうとと夢を見てるのね。時々、鍵を閉め忘れるので覗いて見るとぞっとします。話に聞く阿片窟ってああいうのじゃないかしら。暗い密室で、痩せた蒼白い老人が、独特の臭い、モヒを打ったときの体臭をふりまいて、ぼんやりとしている。食が細くなって、以前の夕食は鍋料理に熱燗と決っていたのに、最近はお茶漬け一杯で、お酒もあまり飲めないんです」

「怖いくらいに痩せてしまった。骨と皮ですもの。いつ倒れてしまうか心配です。外来の始まりは遅いし、処方は間違うし、手術のときは手が震えるし……」

「身形にも締りがないでしょう。ネクタイは忘れる。ズボンの前釦は締めない。白衣の釦はずれている。ぼんやりして肝腎のことをしない。そうそう、まさにきのうの真夜中のこと、窓の外から誰かが怒鳴るので起きてみたら、見回りの警防団員で『お宅から明りが漏れてる』と言うのね。主人の部屋からでした。空襲の直後で先方は殺気立っているでしょう。通り掛りの人も『非国民』と叫んでるし。急患があって飛び起きたのでついうっかりしましたと平謝まりで、やっとみんな散っていったけれど、当の御本人は、昼間からずっとモヒの夢にひたっていて、自分の過失にも平気で、にやにやしていたんです。あの夜の顔を、夏江さん、一度見てごらんになったら、ぞっとなさるわよ。目蓋もほっぺたも口も、融けた蠟みたいにだらりと垂れさがって、話し掛けても、ウンウン言うだけで、うわのそら。わたしがね、時田病院なんぞもうやめて、田舎へ引き籠ったほうがいいと言うのは、主人の様子を夜ごとに見てるからなんです。疎開という名目でここは廃業するんです。まあ、田舎で小さな診療所を開いて、風邪ぐらい診るくらいなら、今の主人にもできるかも知れない」

「おいとさん」と夏江は、すこしにじり寄り、相手の視線をとらえて言った。「わたしね、おとうさまの中毒を治したいの」

「もう手遅れよ」といとはかぶりを振った。「あんなに進んでしまったら治せないわ」

「入院させて治すんです。この件で帝大精神科の講師の先生にお会いして相談してみたら、三週間入院させれば中毒症は治るんですって。実際は、再発予防のため、もうすこし時間はかかるけど。その先生は松沢病院に入院させろとおっしゃるの」

「松沢……主人にはお似合いだわ。でも、本当に治るかしら」

「治るんですって。ただし、モルヒネを切ったとき、ちょっと苦しむらしいけど」

「治るなら苦しむのなんか我慢させなくちゃ。だけど誰が主人に入院を納得させるの。わたしにはできないわ」

「その点もいろいろ考えたんです。西大久保の姉とも相談しました。どうでしょう、おいとさんと姉とわたしの三人で強く迫ったら」

「駄目よ。もう何回も、専門の先生に診てもらうようすすめたのに、そのたんび雷が落ちるだけだったし、今はわたしが何を言っても、平吉と結託してると勘繰るだけだから。それに女だけじゃ力足らず、男の力がほしい。唐山竜斎先生ならいいけど、最近は年を取られてすこし呆けられたようだし……」

「菊池のおとうさまなら、こちらのおとうさまの信頼があるから、どうかしら」

「駄目。あなたの義理のお父上でも、主人にとっては使用人ですもの。同じ理由で西山先生も失格」

「じゃ誰もいないわ、猫に鈴を付ける人」

「小暮の悠次さんがいいんじゃない?」

「悠次さんじゃ……」初江の夫の悠次は中々に弁が立ち、とくに時事や経済に明るくて、舅の利平とは滑らかな会話を交せる人だが、優柔不断で煮え切らぬ所もあり、自分の眼病(眼底出血と聞いた)と糖尿病の主治医である舅の利平に対してはどこか遠慮しがちで、直言などできる人ではない。

「大丈夫」といとが何か思い当る節があるらしく自信ありげに言った。「一度、こうと決心したら、結構物怖じせず突き進む度胸が彼にはあるわ」

「一応、おねえさんに話してみるけれど……」夏江は自信なげに言った。しかし、〝お居間〟から下に降りると、すぐ西大久保に電話した。初江は、「うちの人は今、駿次と防空壕の修理してるの。とにかくあなたの意見を伝えてみるわ」と言った。三十分ほどして電話が掛ってきた。「うちの人は、そういうことなら自分がやってみるが、わたしと夏っちゃんに同席してほしいんですって。十一月三十日に十二月分の眼薬を取りに自分で三田へ行くから、その時にしようというの」

「おいとさんも同席したほうがいいのじゃないかしら」

「平吉さんとの件があるから、おいとさんはまずい。ここは娘二人と娘婿で、うちうちで諫めるのが良策だって」

「わかりました。よろしくお願いします」夏江は、悠次が乗り出してくれるのが頼もしく、何だかうまく行きそうな気がした。

上野平吉は雲隠れしたままだった。蒲田の工場に出向いてみると、平吉が工場長からも数千円の借金をしている事実が判明した。熟練工の出征と部品の不足のため工場の生産力は落ちてはいるけれども、舶来品の払底のためレントゲン撮影機の売行きは好調で、平吉が言うほどの、そして帳簿に記載してある数字ほどひどい業績不振ではなかった。それやこれやで夏江が走り回っているうち、十一月二十七日と三十日、立て続けに空襲があった。三十日のは満月の夜の来襲で、月光に機体を蒼白く飾った魚群さながらのB29の大編隊が、まがまがしいながら変に煌びやかに見えた。やがて東の空に赤い炎が吹き出し夜の底を焼き続けた。監視台の五郎は芝増上寺のあたりだろうと推測した。夜が明けて偵察に行ってきた勇の報告では、芝公園から浜松町にかけて一面の焼野原で、いくつかの病院が焼け、患者の死者も多数あったという。

「完全な無差別大量爆撃だ。一度火が出ると、その火を目標に集中攻撃をするから、隙間なく街が燃えつきてしまう。当院の防空対策を根本的に考え直さんといかん。一発二発ではなく、十本二十本の焼夷弾が同時落下では、消火の余裕もないのじゃないか」

「そうですわね。アア」と夏江は、押し潰された小動物のような呻き声を立てた。あまりにも大きなもろもろの問題を同時に即決せねばならない。どうしたらいいか自分の小さな能力では皆目見当もつかない。差し当り、夕方に悠次と初江が来て、利平に入院を迫る。その結果……それから……。主よお助け下さいと祈る心をおびやかすように罪の影が真っ黒な霧のように覆ってくる――そもそも二重帳簿などで、長年のあいだ税金のがれをしていた、母の菊江の代から続いてきた不正の付けがいよいよ回ってきた……。

## 14

見上げる高さに海がひろがっている。黒潮とはまるっきり異質の薄青い日本海だ。生きている。騒いでいる。波が高い。巨大な龍、小癪にもわが時田病院の露台はもちろん、東京一高い丸ビルの屋上なんぞ越してしまうほどの龍が、するすると滑り、いとも軽々と厖大なエネルギーを運び、と、頭頂部が裂けて血を流すとともに荒れ狂い、荒れ狂いながら持てる全エネルギーを放出して、わが軍艦に押し寄せ、土手っ腹を撃つ。二の龍、三の龍、つぎからつぎへと撃つ。わが軍艦は、けれども、煙霧のように波を難なく通過させてしまい、つまり幽霊船の八雲なのだ。天の着物のような雲を衝く怪艦八雲の、時田利平は艦長として艦橋に立っている。おのれもまた幽霊さながら波を体に通過させて、平気で立っている。波のおもてが沸き立つ湯のように泡立ち、泡の一つ一つが人間の頭に変る。赤、茶、金の頭、頭の大群は、見れば露兵ども、色とりどりの髪の毛に赤い顔の連中だ。海防艦アドミラル・ウシャーコフの漂流兵どもなり。血色の水は傷付いた体を包み、こうして波は無数の露兵を含んだまま迫り上り、ついに天と接触する。海は龍巻となって天に吸い込まれて行く。つぎの瞬間、天は滝つ瀬となって落ちてくる。海は天になり、天は海になる。何万年何億年の循環。

海、薄青い、正確に言えば勿忘草色の日本海だ。少年のおれは波打際に立つ。波の舌に洗われた足裏の砂のずらずらずれていく感じを楽しんでいる。手製の倭寇船に帆を掛けて走らせる。おれの船造りの才能は先祖が漁師と船大工を兼業していた遺伝のせいだ。おれの精巧な倭寇船は小学校の先生も嘆賞したほどで、拡大すればそのまま荒くれ男どもを乗せて朝鮮や支那の沖まで往来できる。この地方の言い伝えをおれは信じているが楊貴妃を日本へ連れてきたのも倭寇船である。おれは長門の二尊院の楊貴妃の墓に立つ。古びた五輪塔が絶世の美女の住家である。美女の魂魄は海に横たわり、悠久の昔より、何万年も何億年も昔から大陸の岸辺を洗い、霧の産着を着たり密雲の肌着をまとったり、底の底まで攪拌する嵐をおこし、天を押しひろげる高波をたて、生命を誕生させた海の話を聞いている。おお、海のささやき、叱責、愚痴、悲鳴、そして無限の物語とともにおれは育った——赤ん坊、少年、苦学生、軍医、開業医、いずれのときも海を友としてき、これからも臨終のときも、そして死後の魂魄もそうであろう。

　おれは海のなかに欲望を見る。女たちを見る。温い水に包まれ、それは女たちの皮膚と粘膜のようにおれを愛撫する。楊貴妃のような美女をおれは知らぬ。しかし肌を知った女たちを忘れはせぬ。素裸の菊江、若い、二十ぐらいの若い体は、乳白に光り乳房が張って柳腰で、可憐に喘いでいる。サイが現れた。おお、稀代の醜女なるかな。ずん胴は太い脚に接続し、減り張りをまるで欠いちょる。こんな女に欲望を覚えるためには当方が若くなくてはならぬ。日露の役終りしとき三十歳なりしおれには、すでに無理で、菊江に乗り替えたのは自然じゃった。鶴丸か。痩せちょるのう。小さな腰を振って一所懸命じゃが、あまり情が深くない。お義理でおれを迎え入れた。おれはすぐ飽きてしまった。お久米は肥っちょる。こういう脂肪の塊はおれを好きになったら一途に離れんから怖いわ。そう怖い顔をせんでもええ。ほんの一度抱いたきりなのに、一生おれを追い、ほかの女を嫉み、彼女たちの動静を綿密正確に調べおった。キヨは、平均値の、顔も体も膣も女性の標準で、さしたる特徴はないが、ほどほどの女体じゃ。情もほどほどで、深からず浅からず、菊江の悋気に対してはさらりと身を避け、息子を他人にあずけて知らん顔できる女。いとは……駄目じゃ、見とうもないわ。これは誰か。女たちの皮膚は柔かで粘膜は熱く、要するに女とは皮膚と粘膜の連なりじゃ。女たちが水中を泳ぐ人魚のように見え隠れする。人魚を追っておれは泳ぐ、水が皮膚と粘膜のようにおれを撫でていく快感、泳ぐと言うより愛撫されている、おれ。

荷車を曳いて坂に差し掛る。車には牛乳瓶が山積みで、おれはうんうん登っている。済生学舎で医学を学ぶ苦学生だ。おのれ独りの力でこの世を生きる、貧乏漁師の八男が、尊敬される医者になり、大病院を建てるのがおれの志だ。坂の街、三田、白金、麻布、どんな坂に出会っても、おれは荷車を曳いてうんうん登る自分を思う。おや、自動車を運転して坂を登っている。楽々と牛乳を運んでいる。アメリカの活動写真に出てくる大きな車を乗りこなし、都大路を疾走する。宮城前広場から滑走路のような大路が四通八達。摩天楼の連なる街を自動車が沢山走り、東京とは思えぬ。それはどこかの永遠の都、歴史始まりしより多くの都が亡び、廃墟となり、忘却の彼方に去ったが、わが永遠の都は亡びず。その大都の中心がわが時田病院じゃ。

宮殿のように金銀で飾りたてた病室に患者たちがいる。廊下は果てが見えぬほどに長く、〝花壇〟は色とりどりの花と森をそなえ、まるで公園だ。サンルームは、すべての硝子窓が電気駆動で動き、正しく太陽の方向に隙間を作るように自動調節されている。周囲の山や平野が低く見渡される、ここは富士山頂、すなわち日本でもっとも紫外線の多量に降りそそぐ場所、富士山頂にサナトリウムを創設せし時田博士の盛名、いや高し。生物ガ太陽ノ恩沢ヲ蒙ムルコト甚大ナルハ既定ノ事実ナリ。芳香性植物ハ太陽ノ刺戟ニヨリテ芳香ヲ増加シ、甘蔗(ショ)ハ紫外線ヲ避ケテ発育セシムルトキハ、糖ノ産出ヲ十分ノ一ニ減ズ。蚕及鶏卵ノ孵化(フクワ)ニ紫外線ヲ応用スルトキハ発育佳良トナリ、蚕ノ如(ゴト)キハ為(タ)メニ糸節ヲ減ジ品質ヲ美化スルナリ。すなわち太陽はわれら人類を含めた生物の活性化に寄与するが、他方これら生物に巣食う陰性の細菌を殺す。腐敗液中ノ細菌ガ太陽光線ニヨリテ殺菌セラレタル証明ハ約五十年前ニ行ハレタリ。コッホ氏ノ記載ニヨレバ、直接日光ハ結核菌層ノ厚サニヨリテ数分以上数時間作用セシムレバ完全ニ死ス。窓ノ近クノ瀰散(ビサン)日光ニ曝露(バクロ)セル培養結核菌ハ五、六日ニテ死滅ス。これこそ、サナトリウムの理論的根拠にて、わが博士論文『太陽光線紫外線ノ化学的測定並ニ殺菌力ニ就(ツイ)テ』が、時田式自動電気駆動サンルームの富士山頂創設へと進むのは理の当然なのじゃ。

　富士山頂の景観が薄くなり、無障碍(むしょうがい)の紫外線が消え、薄暗く小ぎたない、狭くてあわれな部屋が見えてきた。誰かが邪魔しよる。うるさくドアを叩(たた)いていやがる。やめろ。利平は耳を押えた。が、ベッドの上にだらしなく伸びているおのが下半身はしっかりと見える。時空を自在に駆け巡っていた神通力が失(う)せ、見慣れた寝室の、つまらぬベッドにおれは横たわっている。どんどん叩け。返事をするものか。土台、返事をするのも物憂(ものう)いわ。影が入ってきた。女たちだ。初江と夏江だ。男がいる。小暮悠次ではないか。利平は驚いてベッドに半身を起した。

「何じゃ、鍵を掛けておいたのに闖入(ちんにゅう)しよって」

「鍵は掛っていませんでした」と夏江が言った。「おとうさま、大事なお話があるの」

「今は駄目じゃ。あとにしてくれ」

「今、お話を聞いていただきたいの。悠次さんとおねえさんも、わざわざ来てくださったのよ」

「何の話じゃ」利平は着物の襟を合せ、床に脱ぎ捨てた袴と足袋に目をやった。こちらは夏江が手早くたたんで脇に片付けた。

「おとうさま、あのね」と話し掛けた初江を制して、夏江が言った。

「寝室じゃ真面目な話はできませんから居間でお待ちしますわ」

三人が部屋を出ると利平はベッドから降りて、着物を着換えた。角帯をきりりと締め、鏡に向って口髭の形を整え、カフェイン末〇・五グラムを呑んだ。全身と精神に染みわたったモルヒネの影響がすこし鎮静した感じで、試しに歩いてみると、足元も確かだった。何の話か、おそらくモルヒネをやめろという忠告だと察しられる。悠次まで顔を揃えたのが何やら物々しいが、麻薬の余韻が不安を抑えこんでいて、別に気にもならない。

居間のテーブルを挟んで、利平は三人と向き合った。

「おとうさま」と初江が口火を切った。「わたしたち、とことん煮詰めたうえで参りましたの。モルヒネをおやめになって」

「それは……難しいな」

「やめていただかねば何もかも破滅です」と悠次が言った。「未曾有に激しい空襲が開始され、非常事態です。銃後の戦いは今こそ正念場を迎えたんです。その一大事のときに、おとうさんが今のままでは、病院も職員も、いや御自身が何よりも破滅です」

「おとうさま、モルヒネをおやめになって」と夏江が言った。「御自分でもやめると何度もおっしゃったでしょう」

「やめたいとは思う。しかし、独りでは難しい」

「ですから」と悠次が引き取った。「入院なさるんです」

「入院……」利平は首をすくめた。「普通の病院ではなかろう」

「精神病院です」

「癲狂院じゃと……莫迦にするな」利平は大声を出したつもりが変な震え声になった。

「松沢病院です。そこに帝大精神科の北岡先生という方がいて診てくれます。この人は初江の聖心の友人の紹介してくれた帝大講師で、信頼のおける名医です。夏江さんがすでにお会いして話をつけてあります」

「癲狂院など、もってのほかじゃ。断じて入らん」

「おとうさん」と悠次は物静かに続けた。「モルヒネ中毒を治すには、自分の意志ではできません。それはお認めになりますか」

「まだ中毒までは行っちょらん」

「でも、一日平均二十本、つまり二グラムを体内に入れておられ、そんなに痩せて体力も気力もおとろえてらっしゃる」

「ま、中毒じゃとして、自分の意志でやめられる」

「それは無理です。今までも何度もやめようとなさって、できなかった。その点は初江や夏江さんから詳しく聞いてます。入院しなければ絶対に脱慣できません。ただし、期間はそう長くなくてすみます。三週間で一応脱慣できます。あと再発予防のためふた月ほど入院すれば、どんな重い中毒でも治るそうです」

「そんなに長い間、病院を空けるわけにはいかん」

「その点は御安心下さい。夏江さんの案ですが、院長御不在のあいだは、西山副院長を中心にした診療体制で、なるべく現状維持で、すなわち、外来患者は従来通り、入院患者は完治者から退院させていく方針でやります」

「西山におれの代りはできはせん」

「西山先生は立派なお医者さまですわ」と夏江が言った。「患者や看護婦の信頼できる方です」

「西山におれの入院を知らせれば全職員に漏れてしまう」

「いいえ」と悠次が言った。「おとうさんの入院の件は、限定されたスタッフだけの関知事項とし、一般職員には極秘にします。大丈夫ですよ。院長は、肝臓を痛めて温泉療養中だとでもしておけばみんな納得します」

「いとはこの件を知っちょるのか」

「法律上の配偶者ですから知らせないわけにいきません。すでにこの件を相談をして同意も得ています。しかしお間違いなく、入院の件を考えたのは、あくまで初江と夏江さんですから」

「松沢か。天下の癲狂院じゃ。ほかの病院ならまだしも……」

「大学病院だと各科がありますから、いろいろな人が入院します。ひょっとして知人に会ってしまう公算もあります。しかし、松沢なら大丈夫です。人目を盗むにはもってこいです」

「フン……」利平は考えた。いつかはモルヒネから脱却したいとは考えていた。ともかくも減量をと試みたが、減量するたび禁断症状の苦痛がおこり、苦痛のがれにまた常用量にもどってしまった。入院して薬を強制禁止するしか方法がないとは、誰よりも利平自身が知っていた。そして悠次の発言は理屈が通って説得力があった。思い切って、やってみるか……。

初江と夏江が、こもごも泣き落しに掛ってきた。「おとうさま、お願い」「お元気になって帰ってらして」「みんなで病院を守りましょう」「この機会に、ぜひ」

「よし」と利平は力んでみせた。「みんながそう言うなら、一度やってみよう。入院してみよう」

「おとうさま」と初江と夏江が抱き付いて泣き崩れた。娘たちの生暖かい涙が利平の胸に染み透(とお)ってきた。

利平の頭にある〝東京〟は、住み慣れた三田を中心として、高輪(たかなわ)、白金(しろがね)、麻布、銀座あたりにひろがり、宮城の東側、日本橋、本所(ほんじょ)、深川、浅草ぐらいまでで、宮城の西側へ行くと、何だかさびれた趣きがして、牛込(うしごめ)、四谷あたりはまだしも、淀橋(よどばし)となると〝郊外〟として思い浮べられた。新宿などは、そもそも豊多摩郡内藤新宿という江戸の端の宿に過ぎず、小暮一家の住む西大久保は大久保村、すなわち東京監獄の周辺にひろがる片田舎であった。むろん利平であっても、娘の嫁ぎ先の西大久保には時たま足を向け、昭和に入ってからの新宿のめざましい発展振りやその付近の住宅街の変化を知ってはいたが、なおかつ、そのあたりは〝本当の東京〟ではなく、〝新開地〟と感じられた。

だから、新宿からさらに西へ、東京急行電鉄などといううらぶれた名前の郊外電車で行くとなると、とんでもない僻地に追放されたような気がした。市街地があっけなく切れ、畑や森や高圧電線の鉄塔が飛んで行くのを見ながら利平は、おのれがみじめであった。木製の車体はガタピシし、ドアから吹き付ける風は冷たく、それに、泥まみれの野良着や長靴の人々の視線が、背広姿の自分をチクチクと刺している。

「着きました」と夏江が言った。八幡山という鄙びた名前の、山小屋のような駅である。プラットホームに降りると、いきなり風に煽られてよろめいた。改札口を通ったのは二人だけで、目の前には砂塵の舞う泥道が一本伸びている。右側の土手のむこうが病院らしかったが、兵舎のような粗末な平屋が並ぶあいだに、医者も看護婦も見当らなかった。ヒマラヤ杉が腕を振り回し、竹林がやたらとそっくり返っている。瞼の裏にゴミが入った。夏江が取ろうとしたが及ばない。ついに娘は父の眼球を舐めてゴミを吸い出した。

門のむこうに二階建の木造がある。面白味のない安普請で、わが時田病院の威容には比ぶべくもない。受付で医師の名を言うと外来診察室の前で待てと指示された。廊下のベンチは寒く、十数人の人々が凍り付いたように坐っていた。小刻みに震えている老人、父母兄弟に囲まれて歯を剝きだしている少女、両腕を万歳の形に挙げたまま動かぬ中年男。出掛けに打ったモルヒネの効力が減じてきたのか、黒々とした不快が胃の底から咽喉へと、何かの虫がぬるぬる這いあがる感じで伝わってきた。小一時間経って呼ばれたとき、利平は冷え切った体が不快の塊になった気がしていた。

　北岡という医師は、つるっ禿げで、長い頰髯の男だった。すでに夏江から話を聞いているらしく、既往歴については大した質問をせず、何もかも承知しているという態度だった。彼は上半身裸になるように利平に命令すると、すぐさま腕の注射痕を注意深く眺めた。左腕の内側に胡麻を撒いたような無数の穴があった。褐色の古い点から赤い新鮮な点まで、医師の眼差が走ると、心の内側の秘密を暴かれたような気がした。医師は最近の使用量が一日二十本と確かめ、〝その答は正確ですな〟と同意するように頷いた。頰髯は顎鬚に移行するや白毛となっていて、その部分が利平には刷毛のような剛毛に見えた。

　身長、体重を計ったのち、血液と尿を取る。レントゲン室で胸部撮影をする。ひとわたりの検査を終えて診察室に戻ったとき、医師が訊ねた。

「禁断症状についてはご存知ですか」

「は、多少は。何度か自分で減量脱毒を試みて体験があります。胃腸障碍と分泌障碍……」

　医師は大きく頷いた。利平は、相手の顎の白髪で心の内側を擦り上げられた感じがした。

「では、ここで娘さんとお別れください」と医師が言った。夏江は持ってきた風呂敷包を残して去った。するとすぐ二人の男が現れた。白衣を着た頑丈(がんじょう)な男たちは利平の背広を脱がし、褌(ふんどし)一枚にすると北国の角巻(かくまき)に似た上っ張りを着せた。上っ張りは綿入れらしく暖かったが、粗布が硬く、首のあたりが痛かった。男たちは利平を両側から挟むようにして前へとうながした。連行される罪人のように連れ出される。風が埃(ほこり)を舞い上げ、利平が揺らめくと、すぐ両側から腕を支えられた。同じような四角い建物が無愛想に並ぶ。その一つに、利平はぐいぐいと引き摺(ず)り込まれて行った。「西第四病棟」という看板がやっと読めた。

廊下は墨色の霧を詰めたように暗い。左右に鉄扉(てっぴ)が規則正しくうがたれている有様は、かつて見た旅順海軍監獄にそっくりだ。男たちの歩度があがり、利平は爪先立(つまさきだ)ちになった。と、部屋の中に突き飛ばされていた。鉄扉が鉄槌(てっつい)を下す響きで閉められた。「オウ」と利平は叫んだ。するとそれまで無言でいた自分に気付いた。男たちは終始黙っていて、無声活動写真のように動いていたのだ。

八畳間ほどの板の間だ。隅(すみ)にコンクリートの五十センチ四方の場所があり十センチ幅の穴がある。そこが便所らしかった。窓枠(まどわく)には鉄格子(てつごうし)が嵌(は)まり、鉄格子から腕を差し出しても硝子まで届かなかった。家具は全く無く、一重ねの蒲団(ふとん)があるのみだ。蒲団を敷いてみた。敷蒲団も掛蒲団も青く、脂染(あぶらじ)みている。嗅(か)いでみると黴(かび)の匂(にお)いとともに誰かの腋臭(わきが)が鼻を突いた。不潔じゃ、と思ったが誰かを呼ぶ気力がなく、横になって蒲団を引っ被(かぶ)った。湿った蒲団の、重い氷のような圧力に利平は震え上がった。高い天井の裸電球が目玉のように睨(にら)んでいる。懐中時計を取られてしまったので時間がわからない。窓の磨(す)り硝子は黒々と汚れて外光を遮(さえぎ)っていた。昼間であることは確かであった。昼飯もまだだと思うが食欲がまるでない。昼食をしたかどうか思い出そうとして、一体何時に家を出たのやら何も覚えていなかった。郊外電車の中はぼんやり浮び上るが、その前の記憶が欠落している。今日は晴だったか曇りだったか、それすら定かでなかった。

## 15

けだるい。何をするのも億劫(おっくう)である、指一本を動かすのも……。全身の筋肉が一本一本の繊維にほぐされて、死んだ肉片のように、ぺたっと彼は横たわっていた。嵐(あらし)のあと、海藻(かいそう)やら流木やらが、数えきれぬ浮遊物とともに波打際(なみうちぎわ)に寄せてきて、ものうげに揺れているような心地(ここち)である。

こうして二時間、いや三時間ほどが経ったろう。彼は知っていた、嵐は去ったのではないことを、ふたたび、いやもう七度目か八度目かの、来襲があることを。嵐は二、三時間（そう思うだけで本当の時間はわからない）は荒れ狂い、それから遠退(とおの)いて行く。束(つか)の間(ま)の、およそ二、三時間の平穏があったのち、不意にまた始まる。

始まった……彼は、臍(へそ)の下に熱い珠(たま)が入り込み、その熱が八方に放散するのを、嵐の前触れとして感じた。熱はじわじわと、風船玉を膨らますようにひろがってくる。腹の中に蔵されていた臓器という臓器がぐつぐつと煮え立った。腸も肝も脾(ひ)も腎(じん)もぐつぐつと煮えたぎっている。熱い、熱い。耐えられぬ熱さだが、唯一のなぐさめは、それが前回ほどではない事実だ。前々回あたりから、すこうしずつ、ほんの心持ちながら、熱の勢いが減っていて、やがては消失する気配が出てきたのだ。

熱が腹から膝へと、飛び火した。膝の骨がバーナーであぶられている。まさに灼熱、それが脚の骨に伝わり、骨の髄が空になって、笛のように熱風が吹き抜ける。吹き抜けたあと、痒くなった。ああ、骨の髄が痒い。たまらぬ。膝から先を切断してしまいたい。

熱さにかまけていたが、さっきから立て続けのアクビに見舞われている。口をこじあけ涙を吹き出させ、同時に唾、鼻汁、汗、すなわち体中の水分を放出させる。オウオウ、滝の汗と無様なアクビで、いたたまれぬ。彼は立ち上り、狭い室内を、壁から壁へ、鉄扉から鉄格子へと、誘蛾灯に飛び込んだ蛾さながら、じたばたと飛び回った……いや、飛び回ろうとする気のみ焦って実際はのろのろと蝸牛の歩みだ。足の運動神経がどうかしていて、おのが体がまるで自由にならぬ。

寒い、唐突に寒くなってきた。凍りつく、頭が胸が脚が。彼は蒲団を頭から引っ被り、顫えた。ガチガチと歯の根が合わぬ。蒲団を胴と脚に巻きつけた。転がった。叫んでいる。凍死寸前の彼が叫んでいる。今度はなぐさめがない。この寒さは前回は襲ってこぬものだった。これからは、この氷地獄に投げ入れられると思うと、異常な恐怖にとらえられた。

せっかく体中に巻き付けた蒲団を、おのれの腕が撥ね除けてしまった。神経を電撃されたように腕がピンと伸び、脚が伸び、背中が反り返っている。そして、猛烈な腹痛が、槍の穂先をズブリと脇腹から差し込まれたような激痛が走った。何とか右の手首を左で押えて腹を触った。固い。腸捻転（ちょうねんてん）のときの腹壁の固さと彼は見立てた。要するに腸内ガスが膨れて気圧が異常に高い、すなわち〝鼓腸（こちょう）〟メテオリスムスの状態である。即刻手術せざれば、腸は爆発をおこさん。彼は叫ぶ。医師を認めた。あの男じゃ。主治医じゃ。「大丈夫ですか」と尋ねられた彼は、しかし「何のコレシキ。大丈夫じゃ」と答えていた。かつて、腹膜炎をおこせし自分の虫様突起炎を自分の手で手術せし経験ありき。あのときの激痛にくらぶれば、何のコレシキなのだ。が、医師が去ると、彼は後悔しだした——せめて、スコポラミンかアトロピンなど副交感神経麻痺剤（まひざい）を打ってもらえば楽だったのにと思う。

けれども、あの若僧医者のおかげで、彼はすべてに耐え、すべてをやり過す意志を持てたとも言える。ともかくも、おのれの意志でモルヒネより脱慣（だっかん）せんと決意せし以上、若僧医者の前で、無様な敗北は喫したくないのだ。何十度、何百遍、モルヒネを一筒打ってくれと頼みたかったことだろう。それが叶（かな）わぬなら、せめて苦痛を軽減する薬剤を使用してほしいと思ったことだろう。が、最後の最後となると彼は踏ん張った。何も哀願せずにすました。こうしてともかく、二昼夜か三昼夜を我慢し通した。窓が白くなったり黒くなったりする時間を、心のどこかで数えながら、やがて嵐が過ぎ去る希望を持ちつつ苦痛に耐えた。

腹痛は鎮（しず）まってきた。まるでモルヒネを使用した場合のように、すうっと、よい気持で治ってきた。そうとも、この鎮痛は見掛けのみと知っちょる。ほら案の定、吐き気が襲ってきた。腹の底から（〝腹の底〟などという非医学的表現しかできんのは残念じゃが）、蜥蜴（とかげ）か蛙（かえる）

が這い出して来よって、胸を塞いで、息苦しい、ム、咽喉から飛び出しそうで飛び出さぬ……。から嘔吐きじゃ。

しばらくして吐き気が消えた。けだるい。彼は仰向けに倒れたまま、指一本動かすのも面倒であった。褌すら締めていない赤裸を誰かに見られているがそちらを見返す気力もない。誰かが敷蒲団の上へと運んでくれた。老いた醜い痩身は軽々と運ばれた。誰かが体を拭っている。湿った蓋のような掛蒲団が掛けられた。重い綿に圧され、息苦しい。頭も重い。脳が重力でひしゃげてしまい、頭の底、後頭部をぐっと押えこんでいる。そう、指一本動かせぬのは重力のせいだ。何と重い指。

窓の白黒が何回も交替し、何回も発作の嵐が襲い、何回もけだるい間歇があった。発作は、多分五、六回目が最高度であって、そのあと軽く短くなってきた。丁度その頃クサメが出始めた。一つクサメをするごとにモルヒネの毒気が抜けて行く、そんな感じであった。とろとろと淡い眠りが続き、いくつもの夢を見た。モルヒネを注射しようとすると注射器が毀れてしまった。いとが現れて注射を勧めるので、ぜひ打ってくれと腕を出すと、女は帰ってしまった。看護人に金をつかませ注射させようとしたら物凄い風が吹いてきて薬を吹き飛ばしてしまった。その後もクサメが続き、一クサメごとに毒は抜けて行った。そしてある日、アルミ食器の冷えた粥を、おかかと梅干のお数で初めて全部啜った。米の一粒、おかかの一枚が滋養分として腹に沁み込み、素晴しく美味であった。

「食欲が出て来ましたな」と誰かが言った。医師の声ではない。利平は男を見た。見知った顔が、初めてのように新鮮な印象であった。五十年輩の肩の盛り上った看護人である。

「おかげさまで」と利平は言った。微笑が顔に染み出してきた。顔の筋肉がどこかぎこちないのは微笑を忘れてしまっていたからだ……。

「もう峠は越しました」

「ありがとう。いろいろとお世話になった」

「先生はえらいもんだ」と看護人は言った。話好きらしかった。そう言えば、よくこの男の話し声を聞いた。

「大抵の人間は、音を上げて、途中で麻薬を打ってくれえと泣き叫ぶもんだが、先生は一度もそんなこたあしねえものな。まあ、大変だわな、この禁断症状ちゅうの、おれたちと患者の喧嘩騒ぎになるのが落ちだがな、先生はちがうわ、えれえもんだ。北岡先生も感心してたわ。ま、これからは栄養つけて、体力回復だね」

「北岡先生に会いたいが……」

「そのうち来るでしょうよ」

看護人は食器を運び出した。胃の幽門部が鳴っている。突然闖入してきた粥に驚いたように、しきりと身もだえしている。壁——板壁だった——の中でどんどんと音がした。隣室の人間が叩いているのだ。叩きながら何か喚いている。この人は、絶え間なしに叩き続けている。何のために、あんなふうに、おそらくは夜も碌に寝ないで興奮し続けているのか。今の今まで別に気にもしないでいたことが、にわかに気になった。
　扉の小窓に耳をつけると、隣人の声が聞き分けられた。叫び続けた果ての嗄れ声でなおも叫んでいる。
「わがはいは天下の天才である。大日本の大天才である。大天才はわがはいである。何たることぞ、みぞれ降る未曾有の国難にあたり、わがはいごとき大天才を狂人あつかいするとは凶事なるぞ、きょう限りに国難がくるぞよ、ぞよぞよ。大日本帝国の国難は、刻々にここに来てるぞよ。恥じよ、おい看護手、看護助手、お前らなんかにわがはいの苦衷が忠義がわかってたまるか」
　彼は歌を唱い出した。
「こころのやまいやむひとも
こうあにたたむはらからぞ
かくてとうときみとりわざ
このつとめをばはたさなむ」
急に滑らかなよい声になった、それによい節だ、と思っていると、肩の盛り上った男が、悠太ぐらいの年頃の少年と入ってきて「風呂ですよ」と言った。
　独りで歩けると言うのに二人の看護人は左右から利平を支えて風呂場へ連れて行った。のみならず、彼に湯を浴びせて素洗いすると湯船に沈め、ついで引きずり出すと体を洗い出した。赤ん坊になった気で彼は彼らの為すがままにまかせた。皮膚を剝がれたかと思うほどの垢を見て、彼は自分一人では到底これだけの大仕事はできぬと悟った。肌にひりひりと湯が沁みた。体重計の針が28を指したとき、何かの間違いかと思った。入院時、たしか40キロはあったはずなのだ。鏡の中には骨格標本さながらに痩せさらばえた鬚髯蓬々の老耄がいた。年輩の看護人が口髭を残して綺麗に剃ってくれた。まるで床屋のように鮮かな手並みだった。利平は鋏で口髭を整え、入れ歯を返してもらって嵌めた。歯齦が痩せたせいで入れ歯はガタガタだったが、ともかくもやっと自分らしい顔貌を見出して一息ついた。新しい下着をつけズボンとセーター姿になった。

「お嬢さんが持ってきてくれたんですよ」と年輩の看護人が言った。

「夏江かな」と利平は言った。「菊池夏江が病院へ来たんですかな」

「さあ、面会簿を見ないと……娘とありましたから……じゃ、先生、病室へ帰って下さい」

案内に立ったのは少年の看護人だった。部屋に入ると非力な少年は重い扉を力一杯押して閉めた。重々しい軋みを聞いたとき、自分は監禁されていると思い知らされた、ついさっきまで、おのれの意志で入院していると感じていたのに。

机も椅子もない。ただ青い蒲団が敷いてあるのみだ。彼は蒲団を二つ折りにして、その上にきちんと正座してみた。しゃんと背筋を伸ばす。角帯をきりりと締め、扇子を手にする心になる。それから『実盛』を謡い始めた。

「さなきだに、立ち居苦しき老いの波の、寄りも付かずは法の場に、よそながらもや聴聞せん、一念称名の声のうちには、摂取の光明曇らねども、老眼の通路なほもつて明きらかならず……」

耳を澄ます。隣人がこちらに刺戟されたと見えて何やら唱っている。利平は負けじとすこし高調子になった。

「この称名の時節に逢ふこと、盲亀の浮木優曇華の、花待ち得たるここちして、老いの幸ひ身に越え、喜びの涙袂に余る、さればこの身ながら、安楽国に生まるるかと、無比の歓喜をなすところに、輪廻妄執の閻浮の名を、また改めて名のらんこと、口惜しうこそ候へとよ……」

隣人はいらだったようで、今度は壁をどんどんと叩いている。彼はかまわず続けた。

「げにげに翁の申す所理至極せり。……もとより翁の姿余人の目に見ゆることはなけれども、所望ならば人をば退くべし……」

扉が開いた。主治医だった。

「時田先生、なかなかお見事ですな」と白い顎鬚を振っている。

「いやま、大したことは……」

「診察室にいらして下さい。ちょっと検査しますから」

病棟の玄関、看護人溜りの向いが診察室だった。血圧計をはじめ計器類が揃い、棚にはカルテが並べてあった。型通りの診察を終えると、「異常はないようですな」と主治医が言った。「ただし栄養状態は悪いです。ずっと食事を摂取なさらんで来たから」

「さっき朝食を摂ろうとしたら急に食欲を覚えました」

「結構です。それこそ回復の兆しですな」

「脱慣に成功したのでしょうか」

「大体は……吐き気はもうありませんか」

「無くなったようですが、何となく意欲が乏しい。諸事億劫なのです」

「謡がおできになるじゃないですか。あれだけの意欲があれば上等です」

「なに、永年の口癖で、眠っていても出てきます。ところで今日は何日ですかな」

「何日だと思いますか」と逆に主治医が訊ねてきた。

「さあて、入院したのが十一月の末で、一週間か十日経ったとして十二月十日前後ですか」

「今日は十二月二十五日です。入院なさったのは十二月四日ですから、丁度三週間です」

「そんなに経っていますか。記憶が混乱してましてね」利平は両の拳で頭をトントン打った。

「猛烈な禁断症状でしたから、覚えてらっしゃらないのも当然です。胃腸障碍と血管運動障碍と感覚障碍がひどかった。全部詳細に記録してあります」

「先生は、わたくしの状態を観察しておられた……」

「診察し、治療しました。苦痛を緩和するためにパヴィナールやコデインを何度も注射しました」

「それは御造作を掛けました。夢中でして、覚えてないのです」

〝当然です〟と言うように主治医は深く頷いた。そして、今度は口をすぼめて横に振り、いかにも感じ入るという顔付きとなった。

「時田先生は、よく闘われた。ぼくの緩和剤をしばしば拒否して、自分お一人の力で、麻薬と戦闘を交えるという態度でした。全く感心します。ほかの患者は、何とか楽になろうと哀願する、本当にうじうじ泣き付いてくるものなんですが、先生は毅然たる態度であられた」

「でもパヴィナールやコデインは使った」利平は自尊心をいくらか疵付けられていた。

「それは治療上の配慮からです。失礼ですがその高齢ではあまりに激烈な禁断症状は危険です」

　今度は利平が深く頷いた。この医者は頭は禿げ上っているが肌の張りから推すと、まだ四十前後だろう。落ち着いた物腰も、麻薬中毒の治療に習熟しているらしい話し方にも信頼が抱けた。

「では、これで脱慣は大体終了したと見てよろしいかな」利平はにこやかに言ってみた。

「いいえ」と主治医は言下に否定した。「まだ再発の危険性があります。それを予防するために時間が要ります」

「あと、どのくらいかな」

「理想を言えば半年。しかし、時田先生の場合あと二箇月ほど、まあ入院期間三箇月で何とかやってみましょう」

「二月末ぐらいまでですな。よろしい。頑張ります」

「その間に、絶対モヒに手を出さぬ覚悟を決めるとともに、できるだけ栄養をつけてほしいのです。ところが正直言って、現今、本病院は食糧不足で困っています。公立病院ですから真っ正直に政府の配給計画に従わねばならない。本院では自活農業と畜産を職員と患者が一体になってやっていますが、それでも焼石に水です。病院の空地を全部畑にしても千人の入院患者の数日分の食糧にしかならない。職員はまだしも買出しで補えるが、入院患者にはその手立てもない。長期の入院者は家族との絆（きずな）も切れているのが多いですし、疎開（そかい）で家族がいなくなった者も増えてます」

「大変じゃな」

「本院では慢性の病気で入院している患者が大多数を占めています。病院（ホスピタル）と言うより、収容施設（アンシュタルト）と言うべき所です。先生だから正直に申し上げますが、患者さんは飢えで苦しんでいます。その対策もままならぬ現状です」

「日本中が飢餓に苦しむ折じゃ。ましてここではひどい有様だとはわかっています」

「そこで、ここだけの話ですが、時田先生の場合は、家族の方に差し入れを特にお願いしました。お嬢さんが時々来院されるので、その件の御了承を得てあります。ですから、差し入れの分をお食べになって、体力を回復なすって下さい。ほかの患者に知れると騒ぎになりますので面会室でこっそりと召し上って下さい」

「こっそりと……いや」利平は身震いした。「そんなさもしいことは……どうも」

「はっきり言っておきますが、病院食だけでは必要カロリーに達しません。食べてみればおわかりになるが。それはひどいものです。さっき差し上げた粥は、お家からの差し入れの米を本病棟で、特別に、こっそりと調整したものです」

「そうでしたか……」利平は複雑な思いで言葉を失なった。

「お嬢さんから伝言があります。ええと、病院は今のところ無事だから安心してほしい。充分に滋養分を摂って元気になって帰ってきてほしい、と」

「娘は今来てるんですか」

「午後にはお見えになるかも知れません」

「会えるでしょうか」

「もう面会してもよろしいでしょう」


玄関に近い病室に移された。部屋の構造は前のと全く同じだが、赤錆(あかさ)びた鉄製のベッドに藁蒲団(わらぶとん)と数枚の毛布があり、黄色く変色してはいたが一応洗濯(せんたく)したシーツがあった。床頭台(しょうとうだい)に椅子もある。つまり全体として病室らしい様相ではあった。前と違ったのは扉(とびら)が木製で、施錠してなく、自由に廊下に出られることだった。さっそく探訪に出掛けてみた。

病棟はロの字型の平屋で、廊下が回廊となっている。中央に中庭があったが畑として掘り返されてあり、殺風景だった。患者の行動範囲はそこに限られていて、玄関前の鉄扉を出なければ、外へは出られない。要するに閉鎖された空間内であることに変りはなかった。

ここは男子のみの病棟であった。玄関近くの十室ほどが鍵(かぎ)のかからぬ〝開放〟病室で、あとはすべて施錠された〝監禁〟病室であった。

この寒さに、素っ裸でいる男がいた。男は部屋の隅(すみ)の綿屑(わたくず)の山を掻(か)き回して中にもぐり込み、目を光らしていたかと思うと、また出てきてペニスをぶらぶらさせながら歩いた。こちらが観察しているのにまるで無関心だ。しかし利平がちょっと声を掛けてみると、また綿屑の中に隠れてしまった。察するところ、男は着物も蒲団もすべて分解して糸や綿に還元してしまう癖があるらしかった。

　利平が前にいた部屋の隣には、ぼろぼろで裏の出た背広を着た五十がらみの男がいた。覗き窓に走り寄り、いきなり利平に唾を吐き付けた。驚いて飛び退くと男は真っ黒な歯を剝き出しにして叫んだ。

「お前は誰だ。お前は誰だ」

　利平が答えずにいると男は笑った。

「お前はあわれなやつだ。もうすぐ死んじまうさ。わがはいは天才である。医学博士である。永遠に生きる。医学博士は永遠に生きる」

「本当に医学博士かね」と利平が尋ねると、男は頤を解いて笑った。利平の言葉を鸚鵡返しに言う。

「本当に医学博士かね」

「それを聞いとるんだ」

「それを聞いとるんだ」

　利平はあきらめた。男はもう利平に背を向け、やがて部屋の中を熊のように歩き回った。時々、拳で壁を叩く。その時利平は気付いたのだが、男の手は、皮が破れ、血だらけだった。

それでも平気で、力一杯に板壁を叩いている。

〝裸男〟も〝医学博士〟もおそろしく痩せていた。裸男など肩胛骨が三角の翼のように飛び出し、医学博士の背広は衣紋掛けに掛けられたように体の実質を失なって頼りなく揺れていた。彼らだけでない。どの部屋の患者も、飢死寸前という具合に痩せさらばえていた。異常に細い手足と膨れた腹――自分と同じ栄養失調の症状と利平は診断した。総じて騒がしい患者が多いようだった。独り言、演説、意味不明の繰り言、栄養不良の棒のような男たちの騒ぎは死神の舞踏のように異様だった。一番奥の一室に、木綿の拘束衣を着せられた青年が監禁されていた。袖先の閉じられた中で腕を動かし、利平を見るや扉を蹴った。その反動でばったり後ろに倒れたが、また起き上って扉を蹴り、利平に敵意を示した。

もっとも、じっと動かぬ者たちもいた。俯せに寝そべったり、膝をかかえて丸くなったり、要するに亀のようにじっとしている。彼らの不動の姿態は屍体を思わせて無気味だった。

廊下には、黴臭い異臭が漂っていた。それは動物小屋の腥さとは違って、干物に似た、生気のない臭いで、氷のように冷たい空気の中に保存されていた。

歩いているうち元の位置に戻っていた。と、誰かが利平の部屋に入り込んで、床頭台の引出しを探っていた。色褪せた浴衣を藁縄で締め、背の高い患者だった。

「何をする」と利平は怒鳴った。

男は悠然として引出しを締め、ベッドに腰を掛けると、ようやくこちらを向いた。

「人の持物を勝手に物色しおって」と利平がなおも怒声を浴びせると男はにやりと笑って、

磨（す）り硝子（ガラス）を擦（こす）るような耳ざわりな声で言った。

「お爺（じい）ちゃん、怒らないでよ」

「お宅、時田利平さんね。わたしゃ渡辺リョウヘイ、隣の住人です」

「何しに来た」

「見りゃわかるでしょう。隣に来た新人の持物を調べに来たのさ。お爺ちゃん、何にも持ってないね」

「無礼な」

「そう一々つんけんしなさんな。気が狂ってると思われますよ。お爺ちゃん」

「フン」利平は拍子抜けして椅子にへたり込んだ。

「お爺ちゃん、時田利平さん、何か食い物を持ってませんか」

「あんた、今調べたんじゃろ。何もないわ」

「ほんとに何もないね、がっかりだ。腹が減ってね。ああ、何か食べたい」

男は腹をさすった。貧血気味の蒼白（あおじろ）い顔は無精ひげで被（おお）われ、前歯が欠けていた。硝子を擦るようなシュウシュウという音は歯から空気が漏れるせいだった。

「この病棟の食事は最低だからね。看護人が上前をはねてるんだから」

「まさか」

「本当だよ。調理場から飯と汁を運んでくるだろう。すると看護人室で飯は粥（かゆ）にし、汁からは肉や野菜や栄養分を取り除く。患者に出されるのは滓(かす)だけだ」

利平は疑わしげに相手を見た。自信に充(み)ちた口調が、かえって上っ調子に聞こえる。この男は患者の一人だから、どこか狂っている筈(はず)だ。それはどこか。残念ながら利平の医学的教養の中で精神病学は最も欠落した部分であった。済生学舎で一応講義は聴いたものの、あらかたは忘れてしまった。二、三年前、三宅鉱一帝大教授の『精神病学提要』を買い込んだのは、もっぱら麻薬中毒について知るために過ぎなかった。持ち前の好奇心がむくむくと頭をもたげてきた。この男の診断は何か。どこが狂っているのか。無礼極まる行為も精神病者と思えば症状の一つとして許せる。

「あんた、患者だろう。どこが悪いんじゃ」

男は不意を突かれてのけぞった。それから、逆に顔をぐいと近寄せて、利平を穴のあくほど見、からからと笑った。

「わたしゃ狂ってないよ。狂ってるのは西洋思想に毒された医者のほうだ。わたしが新学説を発表したら、それが精神分裂病的妄想だという。そうして、入院して治療しろという」

「あんたは学者か」

「神職(しんしょく)だ。埼玉県の××という神社だ」

「神主(かんぬし)さんか……」

「ある夜、天照大神(あまてらすおおみかみ)のお告げがあった。そして、皇道を体する三種の神器(じんぎ)の奥義(おうぎ)を教えたもうた。神器の八咫鏡(やたのかがみ)、八尺瓊曲玉(やさかにのまがたま)、天叢雲剣(あめのむらくものつるぎ)は、偉大なる象徴である。鏡は明らかにして曇りなく、万物を照して其の正邪曲直を分ち、人心においては知である。曲玉は円満にして温潤、あたかも慈悲深き温克なる人物なれば、すなわち仁である。剣は、無論のこと、勇気決断を示す勇である。これすなわち三種の神器は知仁勇の三徳の象徴である……」

利平はこの説なら物の本に述べられていて別に不思議はないと思ったが黙っていた。男はなおもシュウシュウと喋り続けた。

「このお告げを聞いてはたと思い当った。神職のかたわら、皇国積年の古書を繙くこと二十年、まさに万巻の書に接して、人の道の根本を極めんとしたわたしゃ、なかでも北畠親房、新井白石、中江藤樹、山鹿素行、頼山陽、徳富蘇峰、杉浦重剛などをわが読書尚友としてきたのである。にもかかわらず、この三種の神器の奥意ほど、魂を震撼させるような教えは受けなかった。まさに、天照大神の、じきじきのお教えに頭が下った」

男は床に降り、がばと平伏した。「ははあ」と目に見えぬ神（ひょっとすると男には見えるのかも知れぬ）にしきりと礼拝する体である。男はベッドに戻り、今度は腕組みして利平を下目遣いに見た。

「三種の神器の知仁勇の教えは、『中庸』の知仁勇を天下の達徳とする説に先んじ、実に皇祖大神の昔よりわが神国に示されていた。むろん西洋の知情意などより、遥かに古く、遥かに深遠宏大だ。すなわち三種の神器は人倫道徳の根本だ。畏れ多くも歴代の明天子は、この三種の神器の示された道、すなわち皇道を進みたもうた。日本の歴史は、徹頭徹尾この皇道に基づいた輝かしい記録であり、未来久遠にわたってそうなのだ。違いますかな」男はじろりと利平を見た。妙に迫力のある目付きだった。

「あ、そうですな」と狼狽えた振りをしつつ、利平は、〝だからどうなんだ〟と思った。

「だから」と男は激しく言うと腕組みを解き、拳を振り上げた。「わたしゃこのお告げこそ、精神病を治す根本の指針だと考えた。そもそも、精神分裂病というのは精神内界の乖離分裂だ。すなわちまず知の障りだ。つぎに感情が鈍麻して他者に慈愛を向けることができぬ。すなわち仁の障りだ。最後に意志が減退し決断前進ができぬ。すなわち勇の障りだ。これも要するに精神病の魔王、精神分裂病こそは、三種の神器の精神に離背した人間がおこす病気であり、反日本主義の精神に胚胎するものなのだ。違いますかな」

「はあはあ」と利平は頷いてみせた。

「そもそも」と男はまた激しく言い、拳を振り上げた。「精神分裂病発生の原因は近代の欧米文化である。すなわち、鏡、玉、剣の象徴する三徳を欠く、物質主義、個人主義、自由主義である。この欧米文化の悪しき結実が精神分裂病であるから、それを治療するにはどうしたらよいか。答は一つ、たった一つ、すなわち三種の神器の三徳を精神病院において教える以外にはない。違いますかな」

「はあ……」

「おわかりにならんようだな。理は明々白々ではないか。原因を除去すれば病気は治る。だから、わたしゃ、自費で印刷した大論文を持って東京帝国大学精神科を訪れた。教授に会わせろと要求したら不在だと言う。仕方なく、下っ端医者に会い、精神病院を三種の神器の大精神による皇民の練成道場にせよと説いた。国体観念に徹底した、明き浄き直きまほろばの場にすれば、精神分裂病など立ち所に治ると説いた。下っ端医者は三人も出てきて、わたしの意見に賛成し、先生の理想を実現するために松沢病院にお出で下さいと丁寧な申し出だ。そこで、わたしゃこの病院に出向いた。ところが、それが陥穽だった。わたしゃ逮捕されて、この狂躁病棟に監禁された」

「狂躁病棟？」

「そう、この西第四病棟こそは、全松沢の中の松沢、最も重症で狂暴で不穏で騒がしい患者を監禁する病棟だ。ほかの病棟は木造なのにここは鉄筋コンクリートの頑丈な作りだ。逃亡できない鉄壁の監獄だ」

「なるほど……」利平は納得した。道理でこの病棟は騒がしいのだと思った。

「お爺ちゃんは何の病気だい。大分狂暴だったね」

「見てたのか」

「見てもしようがない。ここじゃ狂暴だの不穏だのは珍しくもない」

「自分では病気はわからない」と利平は用心深く言った。

「ここの北岡医者が言ってる――精神病てのは自分で自分の異常がわからないんだそうだ。しかし、わたしゃ思うに、精神病なのは医者どものほうだな。あいつらは自分の異常に気付いていない。だから精神病だ。第一、欧米に皇道を示す聖戦のさなかに、平気で欧米の医学とやらを使っていやがるのがおかしい。違いますかな」

「さあて……」と利平が首を傾(かし)げた瞬間、男は焼火箸(やけひばし)でも当てられたように飛び上り、さっと消えた。「配膳(はいぜん)」と廊下で少年看護人が呼ばわっていた。

　食堂は玄関と反対側の広間だった。もっとも大部分の患者が監禁病室に収容されていたので、そこに集ったのは十人ぐらいだった。配膳口からアルミの盆に載せて飯と汁のアルミ・ボールを各自運んでくる。飯は、大豆と菜っ葉入りの粥で、汁は得体の知れぬ海藻(かいそう)の浮くスープ、お数は二切れの香々(こうこ)のみだ。粥は米粒の数が数えられるほど薄いもので、大豆は生煮え、菜っ葉はそこらの野草と見えて硬くて嚙(か)み切れなかった。スープの海藻は腐敗臭がして、香々は水気も塩気もない、ただの切り干しだった。利平が躊躇(ちゅうちょ)している脇(わき)で、神主はあっという間に粥をすすり、汁を飲んでしまい、香々をうまそうに嚙んでいた。不意に彼は、アルミ・ボールで隣の男——二十代後半と見えた——の額を打った。男が「何すんだよ」と怒った隙(すき)に、神主は男の粥を大急ぎですすってしまった。男は神主に殴り掛った。二人は取っ組み合うと床に転がった。が、誰も止めようとしない。看護人たちも患者たちも我関せず焉(えん)としている。やがて、「やめた」と神主が言って立ち上った。二十代の男も立った。

「喧嘩(けんか)するだけ、体力を消耗するからな」と神主が言い、若い男も「全くだ」と額の血を唾で濡(ぬ)らしつつ言い、二人ともいかにも苦しげに肩で息をした。骨張った肩が槌(つち)を上げるように上下した。

　利平が気付いたとき、彼のボールは二つとも空になっていた。隣の唇(くちびる)の厚い——普通の人間の唇の二倍は厚い下唇がペロリと垂れている——男が舌なめずりしている。

「あんた、食べちまったのか」と利平が咎めても、男は素知らぬ顔でいた。

「お爺ちゃん、ぼんやりしてるからだよ」と神主がせせら笑った。彼は、いま取っ組み合った相手の男を指差し、「紹介しよう。こちらは学生、五年前に治安維持法で検挙されて、刑務所でおかしくなり、それ以来ずっとここにいるのさ。なあ学生」

「全く、いじきたねえ、神主だ」と学生は言った。「他人のものは自分のものだという思想なんだから」学生は、額の血を鉤裂きになった綿入れの袖で拭った。「チェッ、血が薄くなって、大して出血もしねえや」

「やるよ」と唇の厚い男が、利平の皿に何か載せた。潰された虱が五、六匹だ。

「きたねえな」利平は舌打ちして皿を床にあけた。

「まあだやるよ」と唇男がまた五、六匹皿に載せた。腹の長い衣虱で、つぶされた腹からは血の色が食み出て、まだ脚がひくひく動いている。「まあだだよ」とまた三匹追加だ。利平はあきれて、小さな昆虫の塊と男の紫に染まった脂だらけの爪とを見較べた。寄生虫がついたように、急に首筋が痒くなってきた。

「その男はな」と神主が言った。「癲癇の発作があるんだ。時々大声をあげてぶっ倒れるが、根はいいやつだ。何しろ虫取りの名人だ。この病院は、虫の天国でね。蚤、虱、南京虫がうようよいる。お爺ちゃんにもいるよ」

「おれは清潔にしてるからな」

「駄目さ、ほら」と神主は利平のセーターを捲くると前腕に点々とある赤い点を指差した。

「ほら、これは南京虫に食われたんだ。赤い点が二つ並んでるだろう」

「痒くなってきたぞ」利平は腕をさすった。

「お爺ちゃんはもう感染してるのさ。体中に、南京虫が潜り込み、下の毛の中には毛虱がついて、蚤はいたるところに跳ね……」

「よせよ、本当に痒いわ」利平は二の腕を回して背中を掻こうとした。

「はっは、だからよ、この癲癇と仲好くしておいたがいいよ。こいつは虫取りの天才なんだ。なあ癲癇」

「まだやるよ」と唇男は虱を二匹、どこからかつまみ出して皿に入れた。

患者たちは空の食器を配膳口に運んだ。看護人たちが受け取った。肩の盛り上った中年男と少年と、もう一人は利平の年頃に近い老人で、腰がすこし曲っていた。

神主が利平の耳元でささやいた。

「な、お爺ちゃん、見てみな。あいつら、みんな体格がいいだろう。同じ日本臣民なら、一日の配給量は同じであるはず、これを要するに一日一一五〇カロリーであるはず。ところがあいつらならば一五〇〇グラム、米ならば三三〇グラム、饂飩ならば三一七グラム、馬鈴薯ならば二〇〇〇カロリー以上で患者は五〇〇カロリーがいいとこだ。この差はどこから来るか。原因はたった一つ、患者の配給品の上前を看護人がはねているからだ」

「ありうるかな……」

「ありうる……じゃなくて、そうなんだ。一度、この学生がな」看護人たちが食器洗いを始めると神主は声を高めた。「看護人室に忍び込んだところ、一貫目もの薩摩芋を発見、盗んできたことがある。ところが焼いたり煮たりする火がねえ。仕方なしに生で齧っているところをあいつらに見付かって、焼きを入れられた」

「どうされたんだ?」

「拷問よ」と学生が話を引き取った。二十代後半と見えるひげ面だが、学生らしい、はきはきした口調だった。「あいつらが焼きを入れる方法は一杯あるけどよ、あの大杉主任（と肩の盛り上った男を指差した）がやりやがるのはまず十字架だね。十字の角材に患者の手足を磔にしやがる。そして床に転がしとく、たまらねえのは蚊と蚤と南京虫で痒くとも掻けねえことさ。水だけはすこし飲ませてくれるが食事なしで、二、三日、ほっとかれる。ありゃつれえさ」

「大小便はどうする」

「垂れ流しよ」

「そいつはひどいな」

「ひでえ。だけど、この病棟は不潔患者用に作られてるから、あいつらは平気なのさ」

「寒かったろう」

「秋だったからな。今より増しだった。今だったら凍え死にだね」

学生の話し振りを観察しているうち利平は疑問に思った、この男はどこが狂っているのだろうか。が、主任が主面で命令した。

「こらあ。みんな病室に戻れ」

「主任さん」と猫撫(ねこな)で声で言ったのは神主である。腰をかがめ、追従笑(ついしょう)いを浮べ、まるで別人だ。「庭で日なたぼっこしちゃいけませんか。衛生上、日光消毒をしたいのですが」

　主任は常にも増して肩を怒らせ、つまり奮然とした様子で出てくるや、大袈裟(おおげさ)な鍵音(かぎおと)をたてて庭へのドアを開けた。庭は建物で囲まれた東西に長い矩形(くけい)で、北側の幅二メートルほどの草地に日が当っていた。草地も畑も冬ざれで緑のかけらも見当らなかった。神主、学生、癲癇、利平は、日溜(ひだま)りの枯草の上に腰を下ろした。風がなく、ぽかぽか暖い。病棟内が冷え切っていた事実を改めて実感させるような温みが手足に伝わってきた。

「この病院はストーブってものがないのかね」と利平は誰にともなく言った。

「あるもんけえ」と答えたのは学生だった。「燃料が何もねえ。木炭も石炭も配給はとんとねえし、院内の燃える木はみんな切っちまった。たとえばよ、松沢の桜と言や名物だったんだが、もう桜の木なんか一本もねえ。仕方ねえから、このごろは根っ子掘りよ」

「根っ子？」

「そう。井(い)の頭(かしら)公園の杉の大木を軍が航空機の材料にするってえんでみんな切り倒した。その根が残ってるのを作業療法と称して患者を動員して掘り出して来るんだ。ぼくも動員されたが空(す)きっ腹にゃ、そりゃ重労働だ。掘っても掘っても根が張ってやがる。その張った根を一本一本鋸(のこぎり)で切断してよ、でっかい芯(しん)の根をやっと取り出すと牛車(ぎゅうしゃ)に載せて引っ張ってくる。一日仕事だよ。だけど、せっかくの燃料も医者と看護人が使っちまい、患者までは回ってこねえ」

「きょうは突然風呂沸かしたな」と神主が言った。「珍しいこった。風呂なんてひと月に一回がいいとこで、あとは行水でごまかしてたからな」

「誰かが燃料を差し入れたのさ」と学生が言った。「お爺ちゃん、最初に入れてもらったろう」

「……そうかも知れん……」

「じゃ決りだ。お爺ちゃんの家族が薪か石炭を持ってきたのよ」

「見な」と癲癇が言った。紫の指が神主の浴衣の襟に列をなす衣虱を差している。「あたたけえからな、出てきたのよ」彼の指は虫を正確にとらえ、爪は確実迅速に潰していく。

「畜生」と学生が言った。「虱が食えたならな。腹すいた」

利平もさっきから飢えを覚えていた。何か食べたい。ぐつぐつと煮え立つちり鍋に、ほかほかの飯を腹一杯に食べたい。モルヒネを打ち出してから食が細くなり、食欲、まして今のような食欲をすっかり忘れていた。と頭上で窓が開き、声が落ちてきた。「おい、お前たち、日光浴は終りだ」大杉主任だった。

「やっとぬくぬくしてきたところなんですよ」と神主が鼻を鳴らした。

「ちょっと手伝ってほしいんだ」

「やれやれ」神主は渋々腰を上げた。神主を真似て三人ものろのろ立った。廊下へ行くと看護人たちが床の担架に裸の男を運んでいる。糸や綿の山にもぐり込んでいた男だ。室内は綿屑の散乱で目も当てられぬ。利平が脈を取ってみると体にはまだ温みがあるが、脈はない。顔と下腹のみが浮腫で膨れ、あとは肋骨も手足も骨の一本一本が見分けられ、まるで骸骨だ。汚れた布（どうやらシーツらしい）で屍体を蔽うと、担架の前を主任と少年、後ろを学生と利平が持った。拍子抜けするほどの軽さで四人で持つほどのことはない。玄関前に出て、大八車に載せた。看護人二人が梶棒をにぎる。利平は、一瞬ためらったが、学生が下駄を突っ掛けて後押しに回ったのを手伝うことにした。

　荷は軽いけれども、凸凹道に車が飛び跳ね、押すのにも力が要る。布の中では死者が動き回り、やがて布がずれて細い脚が現れた。それを覆うと頭のほうが剥き出しになった。学生は主任に断って、屍体の両手両足を車にくくりつけた。死者は大の字になって胸や腹を波打たせ、また布を押し除けた。「面倒だ」と学生は布を取った。死者は目を開いて虚空を見詰め、骸骨の踊りだ、体をくねらせながら、墓場へ入る準備体操でもしているかのようだ。

　いくつかの病棟の前を通り、元は運動場であったらしい広い畑を横切り、やがて池と築山のある、ちょっとした日本庭園風の場所に来た。もっとも池の水はどす黒く濁り、池を中心に配したらしい樹木は切株のみで、荒涼としていた。築山の蔭に草地があり、あちらこちらが掘り返されてあった。湿った土が車を吸い込み進めなくなった。ふたたび担架で屍体を運んだ。とある穴のそばで停ると、少年が利平と学生にシャベルを渡し、主任が「掘れ」と穴の底を手で示し、命令した。穴の底に降りると下駄がズブズブともぐり赤黒い液に足首が漬った。猛烈な腐臭がする。「たまらねえ」と学生が悲鳴をあげた。言われた通り土を掘ると、何と腐爛した屍体が出てきた。「どけ」と命じられると、その上にさっきの屍体が投げ落された。「土をかけろ」と言われて、利平は穴の内壁をへずっては屍体に被せた。ここは屍体捨て場で、さっきの屍体の下にもまだ何十体もの屍体が埋められてあるに違いなかった。

池で足を洗っている利平に学生が言った。

「以前は、患者が死ぬと営繕で棺桶を作って焼場まで運んだもんだけどよ、戦争になって蓆になり、蓆もなくなると穴に裸のまま埋めることになった。着物なんて着てると、看護人と患者が争って剝いじまう。で、素っ裸で捨てることになったんさ」

ここまで夢中でやって来たが、帰り道利平は一歩歩くのも難儀なほどに疲れ果てていた。空き切った腹も細い脚も、まるで力を引き出してくれず、ついにがくっと膝をついたまま人形のように前に倒れてしまった。「先生、先生」と慌てふためく主任の声がして、彼は大八車に担ぎ上げられた。「先生って、この人は学校の先生かね」と学生。「この人はお医者さんだ」「お医者さんの先生かね」と学生は驚いていた。利平は自分の脈を取った。トトトトとトロットの速さで微弱だ。一分間一六〇ぐらい、血圧九〇以下だ。老齢で栄養失調の心臓に負担を掛けすぎた。今後は用心せねばならぬと思う。そのまま眠ってしまい目覚めるとおのが病室のベッドにいた。

「ああ先生」と大杉主任が言った。「気ィついたですか。いやあ、心配した。先生を死なせたら責任問題ですからね。腹が減ったでしょう。これでも食べて下さい」と蒸かし芋を一本手に握らせた。

「芋か、ウム」利平はいきなり芋を口に持って行き、大口をあけて齧ったつもりが、入れ歯が抜かれていて、歯齦で柔かいものを捏ね回し、息が詰った。

「先生、あわてないで」主任は利平を抱きおこすと背中をさすり、水を飲ませてくれた。

「ありがとう、ウム、栄養の絶対量が足りんでのう」

「順序を間違えました。はい入れ歯」

利平は、今度は慎重に、すこしずつ、芋を齧った。冷えた、筋の多い、芋の一口一口が、天下の美味であった。

「すこし元気になった……」

「よかった」と主任は、さっきまでの権柄尽な男に似ず、人の良い笑顔を見せた。「ただし、芋の件はほかの患者に黙っていて下さい」主任が立ち去ろうとしたとき、不意に吐き気が利平を襲った。

「どうも気味が悪い。おれは屍体を持った手を洗わずに芋を食べたぞ」

「いいえ、御心配なく」と主任はにっこりした。「眠ってるあいだに、体はよう拭いておきましたから」

「そうか」利平は単純に信じ、たちまち吐き気は治った。が、手の匂いを嗅ぐと、何やら腥い。また吐き気が突き上げてきたとき、神主が入ってきた。

「やあ先生、あんたはお医者さんなんだってね」

「もう聞いたのか」

「聞いた。そんな体で墓掘りなんていう重労働は無理だったね。ずらかりゃよかったんだよ、わたしのように。何も患者が手伝う義務はない。ありゃ看護人の仕事なんだから」

「まあ……しかし驚いた。屍体の山じゃった」

「そりゃそうだ。この病院じゃ患者がばたばた死んで行く。年間数百人が飢死している。この病棟だって、今年になって二十人以上は死んでいる。わたしも、学生も癲癇も、公費患者はどうせ長くは生きられない」

「恐ろしいことだ」

「先生みたいな自費患者で〝食い物蔓〟のある人は生き残れるけれども」

少年看護人が来た。面会だという。神主はしきりと目を眇めると出て行った。

面会用に診察室を貸してくれた。待っていた夏江は、利平を一目見るなりわっと泣き伏した。

「仰山な……びっくりするではないか」

「おとうさま、そんなにお痩せになって。さぞお苦しみになったでしょう」

「過去のことは、もう忘れた。痩せはしたが今は元気じゃ。食欲も出てきた」

「すみません」夏江は涙を拭った。その顔の窶れが目立ち、今度は利平が涙ぐんだ。「どうした。大分疲れちょるのう。苦労が多いか。病院はどうなってる」

「おとうさまの入院なすったのが十二月四日でしたでしょう。きのうがクリスマスイブですから、この二十日間に七、八回空襲がありましたのよ。でも病院は無事でした。今の所一等近くは芝公園ですけど、三田は被害を受けてません。防空対策も随分と拡充しました。病棟の各階に砂嚢を常備し、手押しポンプ車も近所の疎開した病院や会社のを譲ってもらって、十台になりました。防空壕も道路ばたに三十人分ぐらい増設しました」

「菊池は頑張ってるか」

「防空対策は全部菊池のおとうさまの発案と熱意によるのです。五郎さんも全面協力でよくやってくれてます」

「いとは何をしちょる」

「おいとさんも一所懸命です。本土決戦近しというので婦人会の集りにも積極的に出るし、病院のことも何かと手伝ってくれます」

「手伝う……手伝う程度か。元来いとが病院の元締めをすべきなんじゃ。今までも散々ほっぽらかしよって。菊江とは大違いじゃ」

「わたしに遠慮している向きもあるんです。病院の統轄は事務長がするものだと思ってるんです」

「平吉の件はどうなった」利平は十万円もの大金を持って平吉が失踪した事実を思い出した。この一件の報告を受けたのは入院直前で、麻薬の夢幻に浸っていたため気にも留めていなかったのが、今となって俄然気に懸ってきた。

「覚えてらしたのね」と夏江は嬉しげに言い、すぐさま憂い顔になった。「それが複雑な結果なんです。あの事件をどう解釈していいか迷うような風になったんです。いいですわ、ありのままをお話ししましょう。平吉さんは帰ってきたんです」

「帰ってきた……で、金はどうした」

「お待ちなさいませ。つい先週、ひょっこりと病院に姿を見せたんです」

「金はもどったのか」

「それを問い質す前に妙な具合になったんです。まず本人は、病院の食糧事情の逼迫を見て、止むに止まれず旅に出、山口県を駆け巡って買出しをしてきた、大量の食糧を集めたと言うんです。ともかく話が大きいので半信半疑でしたが、男たちが品川駅へ荷物を受け取りに行くと、貨車一台を借り切った食糧の山でした。米十俵、麦二十袋、薩摩芋十俵に、正月用の餅や数の子や蒲鉾なんかがどさっとあるのです。それに〝陸軍御用時田工場用糧秣〟という憲兵隊の輸送許可証までついていました。家のトラックに山積みで二往復で、やっと運びました。ですから大金横領の件は、しばらく触らずにおくという始末になりました。本人は事件のことなんか知らぬげで、自分はむしろ救世主だと言わんばかりに意気揚々、例によってべらべら喋りまくっています」

「おかしなやつじゃ」

「おかしな人です……それより、おとうさま、一刻も早く、滋養をおつけになって、お元気になって下さい。ともかく、おとうさまの回復に必要な食糧だけは充分に差し入れます。そのために病棟の看護人さんにも鼻薬をきかせておきました。ここの食事はひどいんでしょう」

「ひどいなんてものじゃない。人間の食べ物じゃない。悲惨その極だ。おれは、退院したい。もうモルヒネからは完全に脱慣しちょる」

「北岡先生からお聞きしました。一応、毒は抜けたけれど、今退院すると体がまだ毒を欲しているから百パーセント再発するんですって。やっぱり先生のおっしゃる通り、あと二箇月は我慢なさいませ。わたし、せっせと食糧を運びますわ」

「仕方がないか……しかし退屈じゃな。ここじゃ何もやることがない」

「思い当った物は一応持って来ました。御命じになれば何でも持ってきますわ」夏江は風呂敷包を開いた。博文館の『当用日記』、大学ノート、インク、万年筆、何冊かの謡の『稽古本』などが出てきた。

「これはありがたい」利平はまっさきに『稽古本』を手に取った。

「そうじゃ、あと、三宅鉱一著『精神病学提要』と明治三十七年から大正の終りぐらいまでの『当用日記』をたのむ」

「明治三十七年……そんな古いのをですか」

「ああ、おれの居間の硝子戸棚の中に並んでいる。思わぬ暇ができたので、ちょっと日露戦争から開業までの時代をあれこれ回想してみたくなってな」

「はい」夏江は頷くと、アルマイトの弁当箱の蓋を取った。サンドイッチが詰まっていた。バターとコンビーフの匂いが利平を夢中にさせた。夏江は濡れ手拭で利平の手を丹念に拭うと、「ゆっくり召し上って。北岡先生に、最初は消化のよいもの。段々に栄養価の高いものをすすめるようにと言われてます」と言った。

利平はじっくりと味わいながら食べた。この上もなくうまい。嚙(か)むたびに滋養分が血液に転化して行く思いである。さっきのあわれな食事とは、こうも違うものか。全部を食べ終えたあとも、なお物足りぬ気がした。

「今日はこれだけですわ」と夏江は言った。「あした、また持って来ます。それから、この部屋で食べて、決して病室内に持ち込まぬようにと言われています。ほかの患者さんが羨(うらや)ましがるそうです」

患者たちが陥っている飢餓地獄を思うと、自分の特権が後ろめたかった。しかし、夏江が明日持ってきてくれる食事への期待の念が、すべてを打ち消してしまった。

「あすもな、頼むぞ」利平は娘に対し、卑屈な愛想笑いをしていた。

## 16

年が明け、昭和二十年となった。正月と言っても精神病院では格別の催しはない。薄い餅の雑煮が配られたがお節(せち)料理も酒もなく、まして人の集いもない。職員たちはどこかへ姿を消し、患者たちは各自の室内に片付けられた。利平も扉(とびら)に鍵(かぎ)が掛けられて、独房の囚人となった。

夏江が持参した新聞を、利平は隅々まで読んだ。元旦のには天皇陛下が最高戦争指導会議に親臨されている写真が載り、戦局をいたく御軫念、深更まで御親裁なさっている大元帥陛下の御姿に胸を打たれた。ともかく容易ならぬ戦争の様相である。レイテ島、ミンドロ島に上陸した米軍は物量作戦で皇軍をじりじりと圧迫していた。米内海相は議会における戦況報告において、正直に比島の現状を憂えている。「当初我が掌中に確保してをつた制空権も、最近はややもすれば敵の手に委ねることすらなしとせざる実情であり……」というのは、すでに制空権が奪われた告白と見るべきであろう。神風特別攻撃隊の相継ぐ出撃にもかかわらず、敵の占領地域は拡大している。特攻機は必殺必沈の果敢な攻撃を繰り返しているが敵の物量はあなどりがたいものがあり、我が軍は彼に及ばぬ形勢なのだ。何しろレイテ島に約七個師団十数万内外、ミンドロ島に約一個師団の上陸軍を送り、これに対する増援、補給等の動員船舶約二百万トン、さらに続々と機動部隊や海上艦艇が待機し、配する飛行機二千機というのだから物凄い。小磯首相は、「比島全域が天王山である。敵は我が方の反撃に出遭って甚大な出血を余儀なくされながらも、物量を恃んで無茶苦茶な侵攻振りを見せている」と言っている。〝無茶苦茶〟などという卑俗な形容詞を首相が用いざるをえないほど、敵の戦い振りは無差別徹底の極みなのだ。そして、皇軍将士の血が流されて行く。

利平は日露戦争の折の砲弾の炸裂に倒れた将士の、悲惨このうえもない傷や死を思い出した。首が飛び腸が食み出す。腕がもげ脚が引き抜かれる。ぐしゃっと潰れた頭、背骨が砕かれた貫通銃創。人間の肉体が、いかにもろく弱く毀れやすいものかを、この目でしかと見たのだ。敵の砲撃のすさまじさは、ガダルカナル、アッツ、サイパンでまざまざと報道された通りであろう。どうやらレイテはもっと凄惨目を覆う阿鼻叫喚の地獄らしい。

サイパンが落ちてから、帝都の空襲が頻繁にある。空襲警報が発令されると患者たちは中庭の壕に退避させられた。しかし度重なる空襲に、この頃では全患者の退避はおこなわれず、看護人が病室のドアの鍵を開けて歩くだけだ。それも興奮した反抗的患者は除外される。いざ直撃弾という場合にどうなるか。もっとも看護人は今のところ、玄関に近い彼の病室だけは真っ先に開放してくれるが……。

Ｂ29という大型爆撃機を何度も見た。空襲は夜が多いので探照灯の光芒の中に白い機体が光っていた。西から来て、超高度で東の帝都へ向って行く。今のところ帝都の西に位置するこの病院は通過地域で安全だが、東には三田の病院がある。東方の爆撃で赤い火災の空を望むたびに、利平は気が気でない。ま、まだ、三田は被害を受けていない。が、そのうち……。

夏江は自分が見た災害地の惨状をいろいろ語ってくれた。焼夷弾というのは木造家屋を燃やし尽してしまうらしく、あとには瓦礫の山しか残らない。それが連なって、茫漠とした焼野原となっている。コンクリートの建物や煙突がポツンポツンと寂しく残っている。逃げおくれた人々の黒焦げの屍体が方々に放置されていて腐っている。「例外はないのか」と利平は問うた。「木造の家々が一画だけ焼け残る場合は見なかったか」「どうもそういう場面は見当りません。木造は一軒燃えればつぎつぎに類焼して、結局は焼野原になるようです」「そうか……」利平の心に大震災のときの焼野原の情景が鮮明に浮び上った。「いや」と彼は頭を振った。「震災のときはな、懸命な消火をした家は焼けずにすんだのじゃ。要は住む人の心掛けじゃ」「でもおとうさま、米軍の焼夷弾というのは、猛烈な威力を持っているようですよ。何でも〝モロトフのパン籠〟というのだそうで、重さ四十貫近く、長さ五尺もある爆弾が上空で三十六本に分れて落ちてくるんだそうです。だから、同時に三十六個所の火の手があがる。それはもう、震災の時とは大違いですわ」「そうか……」利平は戦災のさまを思い浮べようとしたが、自分の想像には絶することだとあきらめた。

空襲でわが時田病院がやられる前に、何としても退院したい。退院して大事な病院を守るための陣頭指揮をしたい。そのためには体力の回復だ。完全な脱慣脱毒だ。利平は夏江の差し入れをむさぼるように食べた。毎日毎日、活力が体に甦えってくるのを実感できた。足腰がしゃんとしてきた。体重も三十キロをすぐ越え、一月末には四十キロになってきた。顔の皺がピンと伸びてきたのがわかる。入れ歯がしっかりと歯齦にかみ合うようになった。体力がつくと同時に精神力も備わってきた。ともかく、じっとしておられぬのが利平の性分で、入院中にできることをあれこれ考えて実行に移した。

長年の習慣になっていた目覚めの胃洗滌と浣腸を何とか続行しようと北岡医師に願ってみたが、硝子器具やゴム管を病室内に持ち込むことは、「先生もご存知の通り、他患者がすぐ侵入して盗まれますから」という理由で拒否された。仕方なしに水をコップ一杯飲んでは、指を咽喉に差し入れて吐き、胃洗滌の代用とした。浣腸のほうは、排便後指を肛門に突っ込んで残った糞をほじくり出して、よしとした。

朝の身体を整えると部屋の中央に正座して素謡をした。都合がよいことに、この狂躁病棟では、朝っぱらから喋りまくったり壁を叩いたりする患者があちこちにいて、利平の力を込めた大声も目立たずにすんだ。まずは入院前に習っていた『実盛』を二日間ほど謡い、『忠度』『八島』『頼政』と移っていった。どういうものか最近老体の修羅物が好きで、師匠に頼んでは教えてもらっていた。

利平が謡や仕舞いを習い始めたのは九年ばかり前だ。手引きをしてくれたのは友人の医師唐山竜斎で、魚籃坂の自宅には能舞台を持つという凝り屋だった。長らく忙しい臨床医家として過して文学や芸能に大して関心も持たなかった利平は、妻の菊江の趣味の影響で長唄や歌舞伎を好むようになっていたが、能は今ひとつ難解で近付けないでいた。それが菊江の死とともににわかに親しみを覚えたのは、唐山邸で、専門役者の演ずる『葵上』を見た時である。六条の御息所の怨霊が現れたとき、亡き菊江の心が痛いように了解できたのだ。菊江と結婚してから、つぎつぎと看護婦に手を出し、最後はいとを妾にし、しかも菊江の死後、一年も経たぬうちにいとを妻としたことを、菊江がどんなに恨めしく思ったかを悟った……恨めしの心や……あら恨めしの心や……人の恨みの深くして……もちろん生前の菊江の嫉妬に気付いてはいたが、彼女を憐れみおのれを責める心が薄かったと反省したのである。

利平は持ち前の熱中癖で能の世界に踏み入った（それと同時にいとを求める心が薄らいで行き、次第に疎遠になって行った）。とくに彼が興味深く覚えたのは、夢幻能で、すでにおこってしまった過去が物語の骨格をなしていて、それをシテ一人の懐旧談にする構造だった。

精霊、亡霊、怨霊、鬼神、妖怪、言ってみれば「この世ならぬもの」がまざまざと出現して現世の人に語り掛けるのが、丁度六十の坂を越えた彼には切実な人生の相と思えた。世阿弥は、死後の世界を描いたのではなく、死後の世界から現世を見ている、そこのところがおのれの心境に素直に一致したのだ。もっとも現世の人物、ワキやアイの心にシテの語った物語が影を落すには違いないが、彼らの生活や旅がそれによって変化するところに世阿弥の興味はなく、焦点は飽くまでシテの語りに集中している。ところでその語りは役者の肉声を通して所作や舞の形で表現される。曲舞にいたっては肉声と体とは不可分に結びつき、文章のみでは表現できない彼方を目差している。およそ小説や詩など読まず、無骨一点張りの彼の興味を引いたのが、素謡と仕舞いであった。声を出す、体を使う、その二事が何よりもの快感であった。

　唐山竜斎の手ほどきで、利平は秘伝書の『花鏡』を読み、「一調二機三声」、すなわち、笛の調子をしっかりと把握したうえで機に合せ、目をふさぎ、息を吸い込んで声をだすこと、また「動十分心動七分身」、すなわち、心を十分に活動させたうえで身体の動きを七分に動かすことを学んだ。それを彼は、体を通じて機が働き、文章を越えた表現に到達する心得と解釈したのである。世阿弥は、舞や歌の根源を「如来蔵」から発しているとしている。如来蔵とは仏教本来の意味では、煩悩のなかに包み隠されている真如という意味らしいが、真如にあたる舞や歌の本質が、人間の身体を通じて絶妙な表現をうるところが、利平にはいたく気に入った。医学の中で内科学を選ばず、体と指とを使う外科学に徹したおのれの性分と能は合う。そして、見事に成功した外科手術こそ「如来蔵」なりと我田引水に思うのだった。もっとも『花伝書』に言う、「言葉賤しからずして、姿幽玄ならん」となると利平は躓いた。「何と見るも花やかなる為手、これ、幽玄なり」と言われれば、自分のような野暮な人間には、女が主人公の鬘物は演ぜられずと、初めから敬遠した。

ところで、七十に年が近付くにつれ、老体の修羅物を好むようになったのはなぜであろうか。かならずしもおのれの年輪がかさんだためばかりではあるまいと思うのは、『竹生島』や『嵐山』のように老いをことほぐ脇能は照れくさくて謡う気にならず、『雲林院』や『西行桜』や『融』のように老人が昔を偲ぶ体のものには、どうも意欲が生れないのだ。そうではなくて、やはり修羅に苦患を受ける武将の心へ破戒無惨な自分を重ね合せているような気がした。

一時間の余も素謡をしていると朝食となる。薄い味噌汁に大豆入り粥の形だけの食事だが利平はことのほか熱心に咀嚼して食べた。もうほかの患者に横取りされるようなヘマはしなかった。食事が終ると患者たちはさっさと自室へもどるか庭で日なたぼっこを始める。利平はそういう患者の誰彼をえらんでは問答を試みた。彼には十分な下心があった。せっかく天下の松沢病院に滞在しているのだから、精神病学の実地を勉強しよう、そのための症例として患者たちを利用してやろうというのだ。患者と交した会話を自分なりに整理してみる。『精神病学提要』をあちらこちら引っくり返して今の患者に相当する症状を探す。ある程度見当を付けてからもう一度患者に会ってみる。こんなことを反復しているうちに、患者たちの症状や診断がかなり的確に把握されてきた。

　火曜日の午前中、院長回診という大名行列があり、病院中の医師がぞろぞろついてくる。不断は姿を見ないのでどこから出てきたかと驚くほど大勢の医師が白衣代りに、白い綿入れを着て、脹れあがった感じで歩くのだ。もっとも医師たちは患者が近付くと後じさりするし、病室の中まで入ってくるのは少数で大方は廊下を通って行くだけだ。察するに患者の間に猖獗を極めている虱や蚤や南京虫が恐いのだ。利平は、院長回診のときはわざと汚れた角巻を着て、若い医者なんかに近付いてみる。そうすると周章した相手が飛び退くのだった。

　院長は東大教授で内村祐之と言い、内村鑑三の息子だそうだ。口髭をたくわえ、声がよく通る。そばに付き添った北岡医師がする患者の説明に対して、「オウ」と頷いたり、「しかし、きみ、何々じゃないかね」と問い返す。彼らの会話はドイツ語混りであったので利平には何とか理解できた。そこで医師たちの列の後ろから歩いて行くと、患者たちの診断や病状を知ることができた。

　Paralyse（progressive Paralyse 進行性麻痺）、Schizo（Schizophrenie 精神分裂病）、M. D. I.（manische depressive Irresein 躁鬱病）、Epi（Epilepsie 癲癇）、などの省略語、steif（硬い人当り）、stumpf（鈍感な）、flach（平板で深みのない）、läppisch（子供っぽい）などの形容詞が聞き分けられた。むろん中には複雑で推測のつかぬ術語もあった。すると発音をたよりに教科書を探索して何とか語意を捜し当てた。

　患者たちの中で第一に利平の興味の対象になったのは神主であった。ある日、院長に対し北岡医師は「まだパラノイシュでワーンゲボイデはくずれません」と報告した。利平は、教科書を繰って意味を解明した。「まだparanoisch(パラノイシュ)（妄想(もうそう)を持っている）の状態で、Wahngebäude(ワーンゲボイデ)（妄想の強固な城府）はすこしも崩れていません。つまり、この患者の精神異常に改善の徴候はありません」

風の無い、暖い日に利平は神主と並んで中庭の日溜(ひだま)りに腰をおろした。利平は、昨日夏江が持ってきた乾燥バナナを一本ポケットから出して神主に与えた。

「お、ありがたいね」と神主は、黒いバナナを大切に握りしめ、それを誰かに盗まれぬよう、鋭い目付きを左右に走らせながら、高価な珍味佳肴(かこう)のように味わい、食べ終えると手を差し出した。

「まだあるだろう」

「もうない」

「お爺(じい)ちゃんはいいやな。毎日のように面会だ。最近肥えてきた。差し入れでたんまり食ってるんだろう」

「まあ……なあ」と、利平は曖昧(あいまい)に言い、不意打ちに相手に質問した。

「あんたの説、精神分裂病が三種の神器(じんぎ)の示す三徳、知仁勇の障碍(しょうがい)であり、それを治すには神器の精神を体する皇道教育が必要だという説だがね、あのお告げはどこから聞えたのかね」

「あれか」神主の顔に生彩ある顔面筋の動きが現れた。「もちろん天からさ。はっきりと天照大神の御声だった」

「不思議ではないか、余人にはそのような体験はないのに、あんただけにそれがあるのは」

「そりゃ精進のたまものだ。二十年にもわたってわたしゃ読書探究瞑想沈思の生活を送った。神器三徳はな、天壌無窮の神勅とともに万世不易の大道だ」

「ウム、それはわかるけれども、神器の三徳が無くなると精神分裂病になるという所が、どうもピンとこん」

「そんなの自明の理ではないか。精神分裂病は、精神病の中で最多を占める病気で、この松沢でも七割以上の患者がそうだ。その病気の中核が知仁勇の障碍にあることは、わたしが何度も説明した通りだ」

「フウム、仮にそうだとして、あんたは精神分裂病を治すために精神病院を皇民の練成道場にせよというが、どのようにするのかな」

「〝仮に〟と言ったな。絶対の真理に仮定はいらん。練成道場と言うのはな、現今はやりの〝鍛練〟や〝訓練〟とは違って、ある生活環境において育成することだ。言うならば頭だけに教え込むのではなくて、身体の行として始め、心を陶冶していくのだ」

「理想は高いのう。しかし現実はどうじゃ。松沢病院はどうじゃ」

「まったくなっとらん」と神主は叫んだ。

「ここの医者は西洋医学しか知らん。患者に皇国精神の何たるかを教えず、ただ監禁しておくだけだ。知仁勇の三徳など無視して、患者を無知といがみ合いと無為のうちに放置しておる。徳を修めるための行の代りに彼らが考えだしたのは作業療法だ。農耕、園芸、動物飼育、営繕土木、木工、塗工、炊事手伝、掃除、雑役と患者を使っているが、何のことはない、職員の手助けに過ぎない。職員が元来果すべき労働を患者に肩代りさせているだけだ。しかもその労働の成果を職員が搾取している。たとえば、学生が言っていた井の頭公園の根っ子掘りは、一体何のためだったか。これを要するに燃料確保の労働にすぎない。まる一日掛って患者が掘り出した根っ子を医者と看護人が自分のために燃やしてしまう。こんな作業がどうして療法なのだ。それは知仁勇の三徳からもっとも遠い奴隷の使役に過ぎん。お爺ちゃんだって、屍体を埋めさせられたろう。あの、どこが知仁勇だ、三種の神器だ」

「ではどうしたらよいかのう」

「一揆を起すよりほかの道はない。われわれ患者が蹶起して医者、看護人、看護婦をすべて監禁する。われわれの手で皇道練成道場を作り、相互に切磋琢磨する。わたしゃ道場主となり、みんなを指導する。お爺ちゃんも謡はうまいし教養がありそうだから講師に採用する。日本芸能の粋である能をみんなに教える。みんなが声を揃えて連吟する。それで精神分裂病など治ってしまう」

「なるほどな」利平は、自分の謡をほめられて、ちょっとよい気分になった。しかし、神主の話はとんだ空想だと見極めていた。

「一揆は現実問題として無理じゃろう。患者が病院を乗っ取ったとなるとすぐ、憲兵が来る。警官が来る。たちまち潰されるわ」

「大丈夫、そんなへまはしない。患者が医者や看護人に化けりゃいい。白衣を着りゃ簡単に奴らになれる。反対に虱と蚤だらけのボロを着せりゃ奴らは簡単に患者になっちまう。わたしゃ、完璧に院長の役を演じてみせる。憲兵や警官を騙すのは何でもない」

「えらい自信があるのう……」と利平は呟いた。話の筋道に飛躍があって到底同意はできなかったが、相手の考えに一理ある気もした。二、三日後、神主がコンクリートの壁に耳をつけて何かを懸命に聴いている姿を見掛けたので、利平が「何をしてるんだ」と問うと、神主は「シッ」と唇に指を立てて制した。唇を嚙み、目を天井に据え、真剣そのものの形相で、壁を両手で撫でながら何やら聴き取ろうとしている。ふと利平は奇妙な事実に気付いた。神主が耳を付けている壁のむこうの病室は現在空き部屋で誰もいないのだ。

「何が聴こえた」と利平が言うと神主は、やっとこちらを振り向き、利平を室内に招き入れた。

「今、主任が看護長と密談していたのを聴いていたのだ。どうも大変な陰謀が進んでいる。松沢には千人の患者がいるが最近の食糧不足では人減らしをするより方途がない。そこで、まず食糧自活作業に役立たぬ患者から片付けて行こうというのだ。狙われたのは東病棟の精神薄弱者と西病棟の狂躁患者だ。食事の栄養を極端に落して――今よりも落すんだぜ、オイ――餓死させる。餓死と言うと職員の責任になるから、栄養失調とか胃腸炎、脚気とか適当な診断を死亡診断書に書く。まあこうして、三分の一、三百人からの患者を口減らしできれば大助かりというわけだ。そもそも聖戦完遂のための戦力にならぬ精神病者などただの穀潰し、大日本帝国にとって生きてるだけで害を与える存在だから、殺人作戦は国策にそい、聖戦完遂の大御心に答え奉る道だというのだ。そこでな白羽の矢が立ったのが、この西四だ。主任がわざわざ看護長に呼び付けられ、こんにちただ今より皆殺し作戦を強行せよと命令されていた」

「あんた、その話をどうやって聞いたのだ」

「壁芯に〝音声器〟が仕掛けてあるんだよ。この部分だ」

利平は壁に耳介を密着させてみたが何も聞えない。

「奴らはスイッチを切ったんだ。フン、今のわれわれの会話を聞いて、あわてて切りやがった。〝音声器〟によってな、こっちの話もむこうに筒抜けなんだ」

「ちょっと矛盾だな、あんた。相手が〝音声器〟とやらを仕掛けたとすれば、それを用いてそんな重大な殺人計画をわれわれに漏らすだろうか。スイッチを切って密談するだろうが」

「いや、うっかりスイッチを切るのを忘れる場合もあるし、わざとわれわれに聞かせる場合もある。今度の件はわれわれにそれを知らせて、恐怖を与えようとしているのだ」神主は壁に向って怒鳴った。「殺すなら殺してみろ。こっちにも考えがあるぞ」

「例の一揆だが……」と利平が言うと、「シッ」と神主は制し利平を廊下へ連れ出した。

「だめだよ、お爺ちゃん。〝音声器〟に聴かれるだろう。あそこじゃ、われわれの秘密は一言も喋られない」

「その〝音声器〟は各病室に仕掛けてあるのか」

「今の所、わたしが発見したのは五室だ。その五室には盗聴の必要な要注意患者を入れている。わたしと学生と……お爺ちゃんの部屋にもある」

「それは大変だ。あんた、おれの部屋のを捜してくれ」

「捜すのが大変なんだ。壁の全面を調査して、ある一点を確定しなくてはならん。わたしの部屋だってまる三年かかった」

神主はそれっきり、利平に無関心になった。破れた袖口から手を突っ込んで二の腕を掻きながら、誰かの声を、天上の声でも聴く体である。利平は自室に戻り『精神病学提要』を開いてみた。

神主は幻の声を聴いている。看護長や主任、天照大神の声が彼にははっきり聞えてくるらしい。幻聴という症状だ。が、なぜそのような不思議な症状がおこるのだろうか。教科書によると、幻聴はいろいろな精神病におこる。精神分裂病、アルコール中毒、進行性麻痺……利平は自分のモルヒネ中毒の症状と比較してみた。彼はさまざまな幻影を見た。しかし、声は聞えてこなかったと思う。ところで明らかに神主は狂っている。幻聴と妄想城府を持つ妄想患者と診断できる。その点は北岡医師の言う通りだ。しかし、困ったことに彼の妄想には理屈の通る面もある。監禁した患者がつぎつぎに餓死して行く、悲惨な現状を医師も看護人も放置しているのは事実だ。だとすれば彼らの組織的殺人とも言えるのではないか。知仁勇の三徳が精神分裂病に乏しいという説も全部は否定はできない。そして、その病気を治療する医師の側に知仁勇の心が乏しいのもある程度は事実だ。だから患者が一揆を起して病院を乗っ取れという意見は突飛すぎるが、患者の願望としては納得できる。

精神病学とはむつかしいものじゃな、外科のように、悪い所を切除し、毀(こわ)れた箇所を接合すればよいという具合には事が運ばない。おれのように黒白を定め、決断と猪突(ちょとつ)を事とする人間にはこの学問は向かないと利平は思った。

ある日、虫取りの名人、下唇が舌のように垂れている〝癲癇〟が食堂で倒れ、頭をコンクリートの階段に打ち付けながら、中庭に転げ落ちた。前頭部の裂傷で出血がおびただしい。利平は手拭(てぬぐい)で応急の止血をしてやり、看護人に救急箱を持ってこさせ、熱湯とアルコールで応急に針とコッヘル鉗子(かんし)を消毒すると、手ばしこく動脈を結紮(けっさつ)し、皮膚を縫合してやった。北岡医師が駆け付けた際には、すでにすべての外科的処置は終了していた。「緊急だったもんで、先生の御許可なく勝手に治療しまして」と利平が謝ると、北岡は「いやいや、時田先生の御助力に感謝します」と言い、「外科や内科に、ぼくは弱いので、これからも御助力下さい」と頭を下げた。北岡医師は、病棟に救急箱のほか胃腸薬や鎮痛剤を置くようにし、病棟内の患者の内科的診察を利平にまかせた。ほとんどの患者が栄養失調に陥っており、異常な痩羸(そうるい)、下痢、筋力低下、腹水、皮膚病、褥瘡(じょくそう)などをおこしていた。神主の言う通り患者たちは餓死寸前の状態に追い込まれていた。そこで患者たちは、ちょっとした出来事、外傷だとか風邪だとかでポックリ死んでいった。

利平の最初の病室の隣にいた興奮患者は本当の医師で、下町で開業し、医学博士の称号も持っていた。梅毒性の進行性麻痺の末期で、すっかり呆(ほう)けてはいたが、自分は天才であるという誇大な信念と饒舌だけは変りなく保持していた。もっともその内容はいつも同じで単調で、繰り返しに過ぎなかったが。「わがはいは天才である。偉大な医学的業績をあげた。博士論文を書いた。わがはいは不滅である。永遠に生きる」とわめき続けていた。よく見れば生地は高価だがボロ屑の背広を着、鼻筋の通った立派な顔形ながら知性の一かけらもなく、真っ黒な歯から泡を吹いて喋りまくっている男を見ると、利平はおのれ自身の末路を見せつけられたようで気が滅入った。おれも十年前に医学博士号を取ったとき、町医者の分際で、しかも還暦の身で医学博士の栄誉に輝くなどと注目され、新聞に写真入りで報道されたものだが、考えてみれば大した出来事でもなかった。この男の博士論文が何であったか知らんけれども、大した論文ではなくて忘れられ、こんな所で朽ちて行く。おれも結局は無名の町医者で終る身、この男と同じではないか。唯一の救いは、おれが麻薬中毒の蟻地獄から這い上ったことだ。初江と夏江と悠次に感謝せねばならぬか。

その〝天才〟が、ある朝、死んでいた。いつもそれに向って喋りまくっていた鉄扉に倚り掛り、少年看護人が扉を開くと冷い肉塊となって倒れてきた。少年の悲鳴で飛んで行った利平は、きのう天才が軽い風邪で微熱を出しているのを診察したばかりだった。直接の死因は感冒である。しかし、真の死因は餓死と言ってよい。ところで死亡診断書に北岡医師は「進行性麻痺性衰弱」と書いた。

数日後の夕方、丁度夕食時に食堂で発作をおこした〝虫取り名人〟が死んだ。虱を数匹潰したのを利平のアルミ皿に載せ、「これやるよ」と下唇を舐めたとたん床に落ち、癲癇の発作をおこした。全身を弓なりにそらしてガタガタ痙攣（けいれん）する大発作（グランマル）を、おそらく彼は何百回となく経験したのだろうが、その時は発作の途中で心臓が停止した。

パラノイア、分裂病、進行性麻痺、癲癇などの診断を周囲の患者たちにつけて利平は精神病学がすこしわかった気でいた。自分自身は「激烈な禁断症状をともなったモルヒネ中毒」である。しかし、〝学生〟だけはどうしても見当がつかなかった。どこと言って異常なところが見出（みいだ）せなかったのである。

もっとも過去に異常があったことは学生自身がポツリポツリと話してくれた。

彼は東京帝国大学の法学部学生であった昭和十四年に、治安維持法違反で逮捕されたのだ。切掛けとなったのは長髪で、この年の六月に出た学生長髪禁止令を無視して新宿の活動写真館に入ったところを警官に見咎（みとが）められ、応対の態度が悪いというので家探しをされると、禁止外国書のマルクスやレーニンの英語本が発見され、たちまち疑われた。予審判事は彼と外国共産党との関係を疑い、きびしい訊問（じんもん）を行ない、弁護人のない彼は追い詰められて、マルクス主義を信奉するという自白をさせられた。が、その頃（ころ）から様子がおかしくなり、独房の窓の金網の目が一つ一つロシア人の顔となって迫り、窓外の煙突に半分隠れた月がスターリンの顔になって彼を嘲笑（ちょうしょう）した。党を裏切った自分はコミンテルンの指令で暗殺されると思い込み、毒殺を恐れて食事をとらず、とうとう苦しさに耐えかねて水道栓（すいどうせん）に手拭を掛け縊死（いし）を企て、看守に発見された。それからの記憶は切れ切れで、看守を殴りつけたため革手錠を嵌（は）められて鎮静房にぶちこまれたり、医務室で医師の机を引っ繰り返して叫んだり、気が付くと松沢病院の病室でベッドに縛り付けられていた。

「それからの記憶が全く無いんだ」と学生は言った。「何しろ何回も電気を掛けられたらしいからね」

「電気……」

「電気ショックだ。頭に百ボルトの電流を流す。すると気を失なって、目が覚めると何も覚えていない」

「あんたは主義者なのか」

「主義者というほどではなかった。関心を持ったに過ぎない。今は関心もなくなった」

「裁判はどうなったね」

「心神喪失で不起訴になった」

「あんた、東大の学生時代にセツルメントに関係しなかったか」

「どうして」学生の目におびえの影が走った。

「やっぱりセツルにいたんだな。時田夏江を知っているか」

「知らない」

「菊池透は?」再びおびえの影だ。正直な男らしい。予審判事の思想的苛斂誅求には一溜りも無かったろう。

「知ってるんだな。菊池透はおれの娘婿じゃ。時田夏江がおれの娘じゃ。二人とも帝大セツルで働いていた。あんたがセツルにいたのはいつ頃だ」

「ぼくは昭和十一年に東大に入学しましたから、その年の春か初夏の候です」

「その頃には娘はもうセツルをやめていた。二・二六事件までは託児所にいたがのう。婿のほうはずっといた。レジデントとして法律相談所を受け持っていた」

「そうでしたか。よく御存知ですね」と学生は親しみの籠(こも)った眼差(まなざし)を利平に向けた。「もうずっと昔のことです。ぼくもレジデントをやり法律相談所で働いていました。菊池さんはよく知ってます。今どうしておられますか」

「壮丁(そうてい)に取られてな、満洲の歩三へ行き、ノモンハン事件で重傷を負って帰還した。右腕を無くした。おれの娘と結婚したのはその後じゃ」

「今、お元気ですか」

「元気じゃ。元気に勤めている」予防拘禁所に収監中とは言えなかった。

「よかった」と学生は素直に喜んだ。「ぼく、菊池さんには随分いろいろと教えていただきました。法律、人生観、宗教。あの方はキリスト信者でしょう」

「そうじゃ。娘もそうじゃ」

「それなら安全ですね」と学生は無邪気に言った。「主義者のように睨(にら)まれない。すくなくともぼくは主義者だと疑われて、ひどい目に会いました。気が狂いました」

「拷問(ごうもん)を受けたのか」

「多分……覚えてないのです。拷問を受けたら、ぼく、すぐ狂ったでしょうね。実に弱い人間なんです。ほんのすこしの苦痛、この虱(しらみ)の痒(かゆ)さにも耐えられない」学生は頭髪に十の指を突っ込むとがしがし掻き、二匹の毛虱を振い落した。

「ところであんたの病気は何なのだ」

「拘禁性精神病だそうです。Haftpsychose（ハフトプシヒョーゼ）」学生はドイツ語を見事に発音した。

「それは監獄においてだろう。今はどうなんじゃ」

「今は妄想（もうそう）性痴呆（ちほう）。Dementia paranoides（デメンティア・パラノイデス）」

「すなわち精神分裂病の妄想型か」

「そういうことになってます。さっき、ぼくがマルクス主義に無関心だと言ったのは嘘（うそ）です。ぼくはマルクスの階級闘争の原理は正しい、共産主義革命は歴史的必然だと思っています」

「おいおい」利平はあたりをはばかった。とんだ危険思想が相手の口から飛び出してきた。

「御心配なく」と学生はにっこりした。若者らしい気持のよい微笑だった。「共産主義革命のことは医者にも言ってます。すると医者は、そのような誤った信念を持続するのは妄想だ。言うならば妄想性痴呆だと診断してくれるのです。ぼくは安心して入院を継続できます」

「こんな癲狂院（てんきょういん）にいつまでもいたいのか」

「いたいですね。すくなくとも兵隊に取られ、戦地に送られ、人殺しをさせられることはない」

「人殺しじゃと」利平はむっとした。「戦争は人殺しではない。敵を殺さなければ味方が殺される。やむをえざる自衛の戦いじゃ」

「戦争に理由があることはわかります。しかし敵も人間ですよ。敵をやっつければ人間を殺すことになるんです。つまり人殺しです」

「……」

「時田先生、退院なさったら、菊池さんによろしくお伝え下さい。ぼくが戦争が終るまで――もし餓死しなかったらですが――松沢にいると。ぼくの名は……」

「知っちょる」病室の名札には水谷卓雄とあった。

## 17

病院の夕食は早く、午後四時には始まってしまう。雑炊、粥、水団と水っぽいものばかりで、白米飯などは絶えてないが、ともかく夕食の形として盆に載せられたアルミ食器は配られる。そのあと、病室の扉の鍵が閉められる。五時過ぎには宿直医の夜回診というのがある。白い綿入れで雪達磨のように脹れ上り薬の入った黒鞄をさげた医師が看護長を従えて回ってくる。医師によっては鍵をあけて室内に入ってくる人もいるが大抵は覗き窓から目を見せるだけだ。ま、海軍の総員点呼と心得、利平はベッドの上に正座し、医師の目に対して軽く頭を下げた。

看護長の持つカンテラの光が去ると闇が迫ってきた。病室も廊下も電燈が点かない。最初、読書ができず、便所へも手探りで行かねばならず、実に不都合だと利平は憤慨したが、松沢のような大病院となると、灯火管制を完全に実行するのがむつかしく、それならいっそ全病棟の電源を切ってしまえとなったらしく、何度看護人に抗議しても、病院の方針だからおれたちにはどうにもできぬという答しか返ってこなかった。

闇とともに寒気がつのってくる。闇と寒気が相呼応する十字砲火のように襲ってくる。利平はあるだけのシャツやセーターを着込み、毛布をかぶって耐えた。何のこれしきと思う。あの禁断症状の獰猛な寒さに較ぶれば、この程度は子供だましだ。相手が攻撃力を強めれば、こちらも勇猛果敢に応戦してやる。どうせ深夜までは眠れない。闇のなかに目を凝らし、星月夜のもとにひろがる景色を見たり、天気の悪い日には真っ暗闇を視線でやたらと引っ掻き回した。

こんなに深い闇をしげしげと、しかも長時間見続けたことはなかった。ある夜、利平は思った。医学生、軍医、開業医、ただもう我武者羅に働いてきた。働くだけでなく研究も沢山した。胃潰瘍の胃洗滌による治療法、紫外線の殺菌力検定、歯牙を通過せる結核菌の研究……紫外線と歯牙結核では医学博士になった……あのときおれは還暦だった……しかも大学病院の研究員でもなく一介の町医者であった……それだけではない。おれは数々の発明を成し遂げた。……そうとくに〝真水ちゃん〟と〝マッチちゃん〟は皇軍兵士の評判よく飛ぶように売れたものだ。おれ、時田利平、七十歳のお爺ちゃんは、並の人物ではないわ。とにかくおのれの製薬が聖戦遂行に役立ったとは嬉しい。むろん軍御用でたんまり儲けさせてもいただいたが。

これだけの仕事……診療、医学的研究、発明、薬品開発……まだまだある、時田病院、レントゲン工場、製薬工場、武蔵新田の別荘……それに子供たち、初江、史郎、夏江……まだいた、トシ、平吉、五郎……みんなおれが生みだしたもの、だから仕事の成果である……これだけの仕事ができたのは、そもそもおれが志を立てて故郷を出たからだ。

海辺の漁村、山口県阿武郡須佐村第四百一番屋敷がおれの生家じゃ。屋敷と言っても海が近い苫屋で日本海の波の音がもろに響いてきた。波音のせぬわが家など考えられもせぬ。それを聞けば海の様相がありありと見え、押し寄せては砂浜をひたと走る並みの海、潮頭が広くて砕けたあと余波を砂上に残す夏の大波、高いうねりで迫ってきて崩落の音ものすごくどんと浜を打ち奔流となる嵐の海、眠たげな舌でピチャピチャ砂を舐めて泡の音のみ残す夕凪、金属の重みを秘めて鉄壁のように襲い掛ってくる冬の荒波。まことに変幻極まりない海であった。

小学校五年生ともなると、父や兄たちと船で漁に出た。八男の末っ子のおれは兄たちに大喝叱咤されながら鍛えられ、櫓、投網、イカの夜釣などを教えこまれた。が、おれには漁師になる気がまるでなかった。何とかして故郷を出、身を立てたいと夢見ていた。

おれの先祖は代々宮大工をしていた。父方の祖父は次男で船大工と漁師を兼業していた。ところが父は四男で、ほんの苫屋と小船しか持てなかった。貧乏漁師の父の八男のおれには与えられるものは何もなかった。故郷を出る、東京へ行き、おのれの力で生きていきたいというのは、身のほど知らずの夢ではなく、切実な現実からの要請であったのだ。

村の近傍は断崖連なり磯に波の渦巻く、絶好の釣場となっていた。岩上に突っ立ち、釣糸を垂れ、繁吹きを浴びつつ、おれは水平線の彼方に思いを馳せ、海が全世界をつなぐ一続きの水である不可思議を思った。

村の裏山に登ると斑糲岩の採掘場があり、この墓石に用いられる黒き岩肌のむこうに、青々とした海が一層広く見渡しえた。とくに晴れた日の鮮かな青に真っ白な帆掛船が進むさまにおれは見惚れた。さらには煤煙濛々たる軍艦や汽船となると胸を躍らせた。いつの日かあのような大船に乗り、大海原を自在に旅せんものをとおれは心に決めていた。

何やら時代が地響きを立てて動き始めた、そんな実感を覚えたのが日清戦争の勃発であった。高等小学校を出てから漁師を生業としていた少年には、開戦の理由など一向に腑に落ちなかったが、若者たちがつぎつぎに出征して行き、村人たちとともに小旗を振って送るうちに気は高ぶり、清国軍との激戦の様子を父や兄たちの口吻から想像しては胸を熱くした。もっとも戦況の詳細を知ったわけではない。村には号外の鈴音もなく、一日遅れの新聞を回し読みする程度のニュース伝達であったが、人の口にのぼる捷報はすぐさま熱く脹れ上り、おれも人々の熱気に感染していった。おれにとって、戦争とはおのれの境遇を変えてくれる好機と感じられた。そうしてある日、浜で網の繕いをしている母に上京の志を打ち明けた。

「学問をしたいんじゃ。身を立てるんじゃ」と言うと、反対されるとばかり思っていた母は、案に相違して賛成してくれた。母の口から聞いた父は、「絶対にいかん。お前のような無学なものが東京なんかへ行っても、ダラクするだけじゃ」とののしり、厳に反対したくせに、わずか一日後にはなぜか気が変って、「お前の好きなようにせい。ただし、ダラクした書生にはなるな」と許してくれた。〝ダラク〟の内容が何を指すのかおれには判じかねたが、日頃そんな言葉をついぞ口にせぬ父が急にそれを繰り返したのは東京に集る学生たちの放蕩や盗みや自殺なんかの記事を新聞で読んでいたせいかも知れない。

父がくれたのは下関から神戸までの船賃と、神戸から新橋までの汽車賃だけであった。須佐から海岸伝いに下関まで歩き、それから東京に行き着いたおれは懐に一銭もなく、頼る知人は一人もなく、職も宿もなく、ただ持つのは海で鍛えた頑丈な体軀のみ。地方からの書生が集っているのは本郷や神田界隈だという聞きかじりの知識で、御茶ノ水橋から水道橋のあたりをあてどもなく歩き回った。こういう場合、別に心配も不安もなく、むしろ初めて見る東京の街への好奇心から、空腹も忘れてあたりを観察して満足しておられるのは我輩の特性であろう。孔子の聖堂が教育博物館となっているのを横目に見、高等師範学校や女子師範学校の煉瓦造りの建物に感心し、神田明神には賽銭がないのでやたらと鈴を高鳴りさせて頭を下げ、ニコライ西教会の大伽藍を後ずさりしながら見上げてホホウと嘆声をあげ、帝国大学の中をまるで自分が学生ででもあるかのように胸を張って見物し、こんな広大な贅沢な大学に入っている特権階級の学生らにフンと鼻を鳴らしてやった。官学の立派なのに私学の貧相なのがおれの最初の強烈な印象で、師範学校、帝国大学、第一高等学校の尊大な門構えとこれ見よがしの結構にくらべて、明治法律学校や数理学校や済生学舎は粗末な木造で、そこの学生たちまで哀れっぽく見えた。もちろん、この済生学舎で自分が学ぶことになるなどと予想もしていなかった。

「牛乳配達夫募集住込可」の貼り紙を見たのがその日であったか数日後であったか覚えておらぬ。ともかく半紙に金釘流の書が今でもまざまざと見えてくる。職と宿とが一度に得られる嬉しさにおれは店に飛び込んだのだ。ところが乞食と間違えられて追い出されてしまった。書生だと言っても親爺は聞く耳を持たぬ。兄の着古しの、継ぎ接ぎだらけの着物は汗と埃で発酵し、生来の黒い肌に日焼けの上塗りとくれば無理もないが、当方も必死、突き出された路上に正座し平伏すると、「わたくし、山口県の漁師の息子ですが、向学の志押えがたく、笈を負って上京してまいりました。どうか、牛乳配達夫としてお抱え下さい」と知る限りの丁寧語や小むつかしい言葉で述べたてた。すると親爺が腕組みして言った。

「お前は漁師か」

「はい」

「漁師なら体がよかろう。体を見せろ」

おれは着物を脱いだ。越中褌一つだけはつけておこうと思ったが、あまりに汚れていたのでそれも取った。午後遅くのまばゆい光線を受けて十九歳のわが肉体は彫り深く見えたろうか。乞食ではなく正真正銘の漁師なりと証明するため、必要な当然の行為をするのに恥ずべきことは何もないとおれは信じていた。

「もういい」と親爺が目をそらした。

「どんなもんじゃろ。漁師と認めるかのう」

「ああ認める」

「やとってもらえるかのう」

「ああ、やとう」

それでおれは着物を着た。褌をつけようとしたらぐるりと弥次馬(やじうま)に取りまかれていたので、まるめて懐に突っ込んだ。人々は何やらわめいている。親爺が「入れ」とせかすので、おれは家の中に入った。あとで聞いたところでは巡査が駆け付けてきたのだそうだ。

牛乳屋は明神下の台所町の大通りに面していた。ちょっと行けば湯島天神から不忍池(しのばずのいけ)に、また下谷(したや)や神田にも出られたが、問題は配達先がそれら平坦(へいたん)な〝下町(したまち)〟だけでなく、本郷から時には小石川の高台にもあったことだ。おれの体力を見抜いた親爺は、おれの受け持ちを本郷ときめた。早朝、ま、夜明け前に牧場から荷馬車で運ばれてくる缶入(かんい)りの牛乳をトタン製の小型缶（まだ硝子(ガラス)製の牛乳瓶というのは出現していなかった）に詰め替え、特製の箱車に積んで、今度は人力で曳(ひ)いて回るのだ。大八車の車輪に、四尺角の木箱をのっけたようなもので、側面と背面に「牛乳配達車」とあり、店の名が記されてあった。むろん車輪にタイヤなどない時代だから、車を曳くと振動がひどく中の牛乳缶は終始洗面器でもたたくような高音を発した。短い股引(ももひ)きにワラジ掛けで曳いて行く。登り坂は重労働だ。息が切れ汗みずくだ。が櫓漕(ろこ)ぎにくらべれば何ほどのことはない。およそ二時間でお得意先すべてを回って帰ってくると、白々と夜が明けてきた。朝食にありつける。味噌汁(みそしる)に漬物(つけもの)だけだが飯のお代りは自由で満腹できた。食後、朝だけ働く苦学生十人ぐらいは大学や塾へもどる。おれのような住み込みは十数人おり、掃除、ランプ磨(みが)き、空の牛乳缶の洗滌、配達車の整備とえらく忙しい。気がつくと一日が暮れている。夕食は親爺夫婦と一緒で煮豆のほかに目刺しか塩引、これが交互に出た。ほかの者が寝たあと、おれはランプの光で勉強した。

おれが医者になろうと決心したのは、得意先の済生学舎の影響が大きい。そこは天神坂をあがった湯島四丁目にあり、おれが真っ先に牛乳を届けるお得意先であり、むろん舎長の長谷川泰先生の家にも牛乳を届けたのだ。早朝から、来客を迎え、大声で議論し、笑い、あるいは卓をどんと叩く、まことに活潑な家に興味を持った。あるとき、まだ暗い時に牛乳缶を所定の箱に入れていると、いきなり勝手口から小兵の老人が出てきて、「おう、牛乳屋さんか。きょうは大勢客があるから十缶置いていけ」と言った。それが今まで何度か見掛けた長谷川泰先生ご本人だった。気さくで、配達夫のおれに「きみは将来何になりたいか」と問うた。おれは、とっさに「医者になりたいです」と答えた。済生学舎の生徒たちの授業風景や顕微鏡や試験管を使って実地演習するさまなどにあこがれていたせいもある。「そうか、なら当学舎に入れ。入学試験も何もない。誰でも入れる」と笑って、牛乳缶をバケツに入れて提げると、中に消えた。

早朝のみ配達夫をしている済生学舎の生徒から、学舎の内情を教えてもらった。明治九年（おれの生れた年）に、長谷川泰先生によって医学私塾として開校し、入学資格は高等小学校卒業又はこれと同等以上の学歴ある者、年齢十八歳以上なら、男女を問わず無試験で入学できる。束脩は一円五十銭、月謝二円、その他実地演習の実費を払えば誰でも生徒として勉強を続けられる。結局、学舎在学中に、内務省の医術開業試験に合格すれば、晴れて医者になれるのだ。生徒は全国より集り来(きた)り、苦学生も多い。牛乳配達夫、住み込み書生、印刷工、食客、中には人力車夫もいるという。ともかく、身分差や経済力など問わず、卒業証書など問題にせず、開業試験合格のみを目差す実用的な雰囲気(ふんいき)なのだ。さらに、耳よりな話もおれは聞いた。開業試験合格後医師としての実地研鑽(けんさん)を積まねばならぬが軍医学校に入れば、無料のうえ俸給(ほうきゅう)をもらえるというのだ。軍医への道が見えてきた。軍医になるなら海を経巡る海軍に決っている。海軍軍医になるという目標がすえられた。おれはいつもそうだが、一度目標が定まればまっしぐらに全精力を集中してそれに向って進むのみだ。自分が海軍軍人になれると思うだけで心が晴れ、身内に力が湧(わ)いてきた。

　おれを雇ってくれた牛乳屋は相当の大手らしく、日暮里(にっぽり)村あたりの牧場主たちの牛乳を買い込んでは配達する商売をしていた。親爺は自分でも牧場を持っていて息子に経営をまかせていた。頑固で口やかましく、起床や食事の時間には厳格だったが、こと配達業務となると配達夫まかせであった。配達夫のなかには悪い奴(やつ)もいて早朝の馬車おろしの際、五合ほどの牛乳をこっそり自分の車の中に隠し、その分の売り上げを横領している者や一升を一升二合ほどに水でうすめて二合分を失敬する者などがいた。

　おれは親爺に自分の志を述べ、消灯後も納戸(なんど)で勉強するのを許してもらった。ランプを一つ買い、むろん油も自弁であった。神田の書店街へ行っては参考書を求めてドイツ語の自習をした。済生学舎ではドイツ語の原書を教科書として使用することもあると聞き、ドイツ語だけは何としても読解できる能力を備えておこうと思った。また入学時の請人(うけにん)として「東京居住慥ナル者」を選ばねばならず、東京に知人のない我輩は、牛乳屋の親爺の信任をえて請人となってもらう必要があった。勉学のかたわらおれは大車輪で配達につとめた。当初一回お得意を回ってくると疲れ果てたのが、二回、三回と出掛けて、本郷だけでなく小石川や牛込の方、すなわち人の嫌がる坂の町専門に販路をひろげた。おれは生来無愛想だし世辞の一つも言えぬ人間だが、記憶力だけは抜群で、一度牛乳を買ってくれた家は忘れずに再訪することにしたし、漢語まじりの書生っぽい言葉が学校の職員の信を得るらしく、大口の注文などを時々とれた。自慢ではないが、普通の配達夫の二倍以上の収入をあげて親爺の覚えもめでたかった。で、請人の件を親爺にたのんだところ、済生学舎の昼間の学業以外の時間を当家で働くという条件で承知してくれた。

おれが遮二無二労働と勉学に体を張っていたあいだ戦争の進展はめざましかった。「号外号外、大号外」の呼び声とともに鈴を鳴らして走る売り子の姿を数えきれぬくらい見た。九月半ば、恐れ多くも天皇陛下は広島の大本営に出御されたまい文武百官を従えて全軍の指揮をとられたもうた。陸軍の第五師団は平壌を占領、第一軍は集結して鴨緑江を渡り、九連城から奉天への要地海城を占領した。

そうして海軍だ、聯合艦隊の九月十七日の黄海海戦だ。これは、おれ自身が参加した日本海海戦に比すべき大勝利であった。何しろ清国北洋艦隊が誇る経遠、致遠、超勇の撃沈だ。おれは新聞をむさぼり読み、切り抜いて帳面に貼りつけた。甲鉄装着の敵軍艦がわが方の速射砲によってもろくも沈没する。世界海戦史に新しい時代が開けたのだ。

海軍の大勝利で輸送が楽になった陸軍は、第二軍を編成して大同江沖に集結、遼東半島の花園口に上陸、激戦を交えつつ、十一月六日、金州城を落して大連湾を制し、さらに十一月二十一日には旅順要塞を攻略した。

明けて明治二十八年三月、第一軍の主力は牛荘城を落し、第一軍第二軍は連絡しつつ清国軍を追撃、三月九日、田庄台を陥落せしめた。

海に陸に我軍の大勝利である。「号外号外」の鈴の音が、すっかりお馴染みになり、清国が屈服して和平を請うてきた頃、おれは済生学舎の生徒となった。入学してすぐの出来事で今でも昨日のことのように覚えているのは、長谷川舎長が全職員生徒を率いて二重橋の外に聖駕の凱旋を奉迎した一事である。

五月三十日の朝であった。千人余の生徒の前で長谷川舎長は「頌徳表」を元気一杯に朗読した。この人一流の美文で、その後生徒が暗記して、何かの機会に舎長の手振り身振りを真似て演じたものである。「うやうやしく、おもんみるに、征清の一挙、わが武これ揚り、皇威八紘に輝き、図南の鵬翼、それ垂天の雲のごとく、支那海の大権、それわが掌中に落つ。ああ偉なるかな、盛なるかな、これみな叡聖文武なる大元帥陛下の御威徳によらざるはなし……今や六師凱旋し大旆東を指し、六龍駕を回らし、鑾輅天街を過ぎ、ふたたび尭風を仰ぎ、舜日に浴するをえ……ここに済生学舎生徒一千余名を代表し、つつしみて賀表を捧呈す」

一千余名の生徒を数十部に分ち、一部ごとに部長を置き、おれは第四十二部の部長として、二十名の一隊の前に立った。さて二列縦隊で学舎を出発だ。先頭には長谷川舎長が「済生学舎、祝御凱旋」と大書した一流の大旗のもと、胸を張って歩き始めた。全生徒は頭に紅白の帽（学帽に被いをつけたもの）をかぶり、裾高く袴を着け、靴をはき（おれは残念ながら草鞋であった）、おれは部長として、紅紫の特別帽をかぶり、紅白染め分けの地に「奉迎第四十二部」の文字を染め出した小旗をにない、延々たる行列は、淡路町、神田橋を通過し、和田倉門から二重橋正面に整列していった。時刻は八時半ごろ、朝日を浴びて一千余名の生徒が、整列し終えると、何とわが舎生徒は、左に宮内省官吏、右に高等師範学校生徒、前に帝国大学生という地歩を占め、聖駕を拝するのに最良の位置に並んでいた。聞けば、わが舎の先発隊十二人が午前四時、すなわち日の出前にこの地に来て、この好位置を占領したそうだ。

やがて人々陸続として繰り出し、他校の生徒も並び始め、前後左右から人波動揺して圧迫を加えてきたが、長谷川舎長の下知のもと部長や庶務の職員「踏んばれ」「一歩も動くな」と叫んで波を押し返し、一歩たりとも譲らず、この点、高等師範学校生徒や帝国大学生とともに三校の若者、天下の中心にいて厳然と地歩を守り、群衆をして畏怖せしめた。

待つこと五時間半、一天雲なく初夏の光耀は赫灼として頭上より降り注ぎ、炎天となったが、千人余の健児は列を乱さず耐えに耐えた。一年の聖戦、大捷に終り、太平をこそ謳歌しようとする大群衆の喜びがおれの心にも浸みて元気横溢し、日射病にて倒れんとする部員に水筒の水を掛け、同僚に支えさせて、二十名を守った。

午後二時、ファンファーレの奏楽に導かれ、前駆の騎兵隊が鉄蹄高く現れた。万歳の声が沸き、嵐の海の遠鳴りのようにして轟々と近付き、御料の馬車の蹄の音が、わが心臓に呼応したとき、おれは大元帥陛下の龍顔を生れて初めて拝した。（その時の龍顔は遠く、しかも一瞬にして去ってよくは見えず、それを間近にまざまざと拝するのは明治三十八年十月二十三日の日露戦争凱旋観艦式を待たねばならない。ともかく、おれは明治大帝の玉顔を二度も拝しえた果報者じゃ。）続いて、伊藤博文総理をはじめ扈従の大臣、文武百官が続き、気がつけば聖駕は千代田城に入御あらせたもうていた。

　長谷川舎長が宮内省玄関に出頭して頌徳表を奉りて帰るのを待ち、総勢引き上げに掛った。桜田門から新橋へ、銀座通りから日本橋へ、きょうばかりは馬車鉄道も運休して庶民大道に溢れる中を、わが舎生徒は行列をくずさず、堂々として学舎に帰り来った。最後尾は女生徒で、紫袴に草履をはき、男生徒とともに、終日よく勉めしものよとおれは感じ入った。

　入学早々の盛事で、おれの勉学への決意も鞏固となった。ともかく、長谷川舎長のもと、この済生学舎で医術を物にし、医者の開業へと一意専心進まんものと臍を決めたのである。おれにとって学舎は、田舎の高等小学校以来の学校、しかも大東京の有名な私塾であり、束脩も月謝もおのれ一個の力で払っているからには、勉強せねば損である。払暁より配達車を曳き、三回四回と荷を代えて働き、講義開始前に教場に駆け込む毎日であったが、したがって前のほうのよい席はとれずにいたが、耳目は健常にて鋭いほうだったから、講師の声もよく聞え、黒板に現れる速筆のドイツ語も完全に筆記しえた。ドイツ語の自習が功を奏しておれのノートは完璧なものだから他の舎生よりうらやましがられた。

知識に飢えていたおれには、解剖学、生理学、化学、理学などの講義が新鮮で興深く、乾土の水を吸うがごとくに頭に入るのだった。官学出の学士やドイツ帰りのドクトルなど、偉そうな肩書の講師が、おれと違わぬぐらい若く見ゆるのも、学問さえあれば人の上に立ちうる証左としてかえって挑戦と受け取った。おれの性にぴったり合ったのは解剖学で、皮膚一枚剝ぎしあとの筋肉血管神経の複雑にして精巧、錯綜して合理的なるに驚嘆し、さらに顕微鏡実地演習にて拡大実見せる肝腎肺脳の精緻にして美麗なるに驚喜した。ほかの者は、悪臭に辟易だとか手技が面倒だとか言って、敬遠し手抜きをせんとする屍体解剖がおれにとっては興味と陶酔の行為であり、痩せ過ぎて見るに値せぬと他人の捨てし老婆の陰部を丁寧に時間をかけて観察したり、他人が面倒と脇へよけし筋肉をもらい、筋肉と血管や神経の惚れたもの同士がむつみ合うような関係を飽かず解剖した。解剖学とは畢竟するに、手先の器用さと根気とで成立している学問であって、ホルマリン浸けで脆くなった筋肉と血管とをいかに巧みにメスにて切り分けうるかが観察成功の秘密なのだ。幼少の折より魚の料理法の手ほどきを受け、河豚のような毒魚を巧みに料理しうるおれには、筋肉と血管と神経の分離などいとたやすきことであった。

　講義がおわるとおれは明神下の牛乳屋に戻って、夕食後まできりきり働いたすえ、ほかの者が寝たあと、納戸に籠って深夜まで勉強した。夜明け前には配達に出るから毎日の睡眠は四時間ほどしかとれぬ。そのかわり日曜日は終日眠った。ほんとうに死んだように二十四時間眠り続けた。

勉学と労働で明け暮れしていたおれは、他の生徒と付き合う暇も金もなかった。それにわが舎の生徒は医術修得という一つの目的のために集っていて、それも青雲の志をいだいて地方より上京し来った者が多く、全体として向学心強く、他人をかまう人は少く、おれのような苦学生も特別の目で見られずにすんだ。

朝より夕刻まで、講義や実地演習がびっちり詰っていて、すこしの怠りや休みでも、欠落をあとで埋めるのが困難であった。どんなに眠くとも疲れていても、必死で教室に出、講師の一言一言を最大の注意をもって聴いた。とくに最近の医学的事件については耳をそばだてたものだ。ジェンナー氏種痘法発見百年祭、北里柴三郎博士がペスト菌発見、レントゲンが人体を透過するX線を発見、志賀潔博士が赤痢の病原体を発見などは若き医学生にとって興味尽きぬ事件であり、その時々に長谷川舎長が生徒を前にして報告する最近の医学界事情にも大いに啓発された。伝染病研究所でおこなわれた北里博士の講演会、帝国大学での新帰朝の呉秀三医学士の精神病学講話、同じく新帰朝のドクトル小此木の耳鼻科学の最近知見の講義など、未だにそこに臨席しているように、演者の風貌や声音まで思い出せる。

二年目前期には外科通論や眼科耳鼻科など臨床医術の講義が開始され、いよいよ白衣を着て病院での見学実習もあって、医師らしき気持にもなってきた。済生学舎付属の蘇門病院で患者の心音を聴き、打聴診の手技を覚えたときの感激は忘れられぬ。ただ、この蘇門病院は帝国大学付属病院の宏壮にして設備整いたるに比し、いかにも患者病床数少なく、設備貧弱にして、実地医学の学習には不便であった。私学の限界、官学の有利さなどを実地演習が多くなるにつれて、嘆じる日々となった。

　長谷川舎長は卓抜な医学者であると同時に、代議士に当選して衛生行政のための献策をしたり、内務省衛生局長となって行政の実際面を指導したり、まことに活躍がめざましく、舎長宅の人の出入りは、舎生徒、講師のほか、学者、政治家、実業家と数多く、それは言ってみれば、学舎本来の仕事がお留守となる原因ともなった。医学の実地を修得し医術を完成するためには、私塾の勉強のみにては不充分で、どうしても官立の学校、おれの場合は軍医学校を目差すのが得策と、改めて自分の進路をしかと見据えるようになった。

　ところで、いかに暇無し金無しとは言え、たまには帝都の繁栄を見聞したくて出掛けることはあった。驚かされたのは浅草の凌雲閣で、何と十二階の高層で、電動のエレベーターに乗って十階の展望台に昇ると、その眺望や素晴しく、五重の塔などは下に見え、上野の森、ニコライ西教会、わが済生学舎、帝国大学など一望でき、さらには千住製絨所や王子製紙の煙突までも見通せた。電動のエレベーターはあったのに、まだ電車はなく、浅草、上野、新橋間に馬車鉄道が通じていて、木造の車体を二頭の馬にて曳き、馭者は鞭をふるい車掌は切符を売り、ともに制服制帽にて巡査のごとく威張っていた。たった一度上野より新橋まで験し乗りして銀座の繁栄を見物したが、苦学生には無縁の別世界と映り、金と暇のある紳士淑女の遊び歩くものよと皮肉に見ていた。当時市内の交通は人力車が一般にて、青縞に半股引きの車夫が「アラヨ」と走っていた。幌をゆっくりと開き、蹴込みから黒鞄を出して提げ、ハイカラーに口髭の洋行帰りのドクトルが車を降りる姿を羨望とともに見たものだ。むろん、おれはどこへ行くも徒歩で、品川あたりまで平気で歩いて行った。

済生学舎で六期三年の学習をしたあと、一年間ほどおれは、顕微鏡実地演習、屍体的外科手術式および診断実地演習など、もっぱら実地の手技を同学舎で修得した。さいわい、学舎講師の助手として医師調剤手の仕事がえられたので、牛乳配達夫をやめ、勉学の時間的余裕も増えたのである。

明治三十二年正月、内務省の医術開業試験におれは合格して、念願の医者となった。登録番号一〇六八四号の医師免許証をおれは額に入れて下宿の壁に掲げた。

休む暇もなく、おれは海軍軍医学校の選抜学生の試験を受けた。折から清国やインドではペストが流行し、日本にもペスト患者が増えつつあったので、おれはペスト菌の顕微鏡検索を学舎で業としていた。だから、ペスト菌関係の出題には難なく答えることができた。海軍省医務局長の面接に、「これまでの学資をどこから得たか」と質問されて、「全部自分で稼ぎ出しました」と答えた。「軍医にはなぜなりたいか」「郷里を出るときより、海軍軍人になりたいと思ってました。少年の初志であります」「なるほど、初志を遂行したわけか」「これからも初志を遂行します」医務局長は、「よし」と言った。おれは選抜試験に合格し、海軍少軍医候補生を命じられた。明治三十二年六月二十一日のことだ。

築地四丁目の海軍軍医学校で軍陣医学を学んだ。戦傷外科学、選兵学など目新しい科目であった。陸軍と海軍の相違は、前者が銃丸などの小貫通創を基本とするのに、後者が砲弾による挫傷や穿入創を基本とすることであろう。日清戦争における海戦の経験が、講義実習のいたるところに生かされてあった。甲鉄装着艦の砲戦時代が幕を開いていて、医術も新分野の知見を必要としていた。たとえば銃丸による小創はあまり創内の汚染はみられないが、砲弾によるものは創内に衣服の断片を打ちこめられるため感染が多く、この両者は戦場倉皇の間において治療法を異にする。海戦時は、衣服の汚染を含む砲創に対するためとっさの止血は最小限にして負傷者を治療所に送り、そこで丁寧な消毒治療を施行する必要があるのだ。そのために発明されたのが「封創器」という鉄製の皮膚瞬間縫合器であった。これは、消毒された小カスガイで、針と糸を必要とせず、出血中の傷を簡単にはさんで応急の処置をする道具であった。

　軍医学校からは、銀座へ遊びに行き、左団次の明治座や団十郎・菊五郎の歌舞伎座などへ入りびたる候補生がいたが、およそ遊びや芸能に無関心なおれは、講義実習の余暇を細菌学研究室での細菌培養と顕微鏡の操作習熟にあてた。これは、のちに日露戦争中の研究や博士論文となった紫外線殺菌力や結核感染の研究に、大いに役立った基礎技術であった。

　明治三十三年六月二十九日、おれは海軍少軍医となった。内閣総理大臣山県有朋の発令による奏任官で正八位に叙された。貧乏漁師で平民の八男が、ついに軍人となったのだ。おれは任官令書を眺めて、思わず落涙した。本当に涙が溢れ出たので自分でもびっくりしたものだ。

　最初の任地は横須賀鎮守府の海軍病院であった。翌三十四年十月に、海軍中軍医、従七位に昇進したのを機に故郷須佐村に帰った。郷関を出でしより七年目で、貧乏漁師の末息子が軍人に出世して錦を飾ったとあって村では大騒ぎ、父母は鼻を高くし、兄どもは面映ゆげ、縁者の誰彼は羨望と嫉妬をこもごもあらわにした。網元の娘サイとの縁組みを父より話されたのは、村の有力者の集る宴席においてであった。父は先方の両親も乗り気だ、持参金もでるし、網元と縁戚となれば我家も好都合で、親孝行になると言った。サイはおれより三つ年上の二十九、太り肉で十人並みの容貌ではあったが、笑顔に浮き出る白い歯が美しく可愛らしくもあり、貧乏漁師の息子が網元の娘をめとるは名誉と思えたし、何よりも持参金が魅力で、それだけあれば下宿を引き払って一軒家を借りられるという算段があった。おれにとって一軒家に住むことが宿願であったのは、故郷では狭い苫屋に大家族の雑居、上京しては牛乳屋の下男部屋にザコ寝、候補生で寮生活、任官後は下宿住いであったからである。

サイをともない横須賀へ戻ると、すぐさま家捜しをした。サイはせっかく天子様のおられる東京の近くに来たのだから、いっそのこと東京に住みたいと言い、ならば汽車通勤のできる範囲新橋か品川あたりと見当をつけ、ようやくサイも納得したのが三田豊岡町（何と現住せる三田綱町の隣町）の一軒家で、ちょっと身分不相応の広い家だった。

共に住んでみてサイの本性が知れた。ともかく金の始末がまるでできぬ。軍医の月給で諸掛かりを払う才覚がまるでない。家賃が高い分だけ食費を倹約するなど考えも及ばず、足りないのは夫の稼ぎが少ないからだと愚痴を言い、最初の月給日より押問答となった。この諍いは、ずっと、離婚するまで続いたのだ。翌年平吉誕生、さらに翌々年トシ誕生。二人の子持ちとなった明治三十六年の暮、おれは装甲巡洋艦八雲、九八〇〇トンの乗組員を命じられた。

## 18

骨髄まで凍る寒気に身震いして、目を開く。変に重い静もりは雪であろう。窓の外はその通り、白一色の世界であった、畑も病棟も築山も竹林も。小便に立ったついでに水差しを一瞥すると氷が浮いていた。あの水を飲んで吐く、〝代用胃洗滌〟をする気にもなれず、利平はベッドに逆戻りした。大便も素謡もやる気がしない。習慣を破る不快よりも温もりを求める欲望が強い。寄る年波だと思う。春秋に富みし日の気力がない。床頭台に手を伸ばし、このところ読み返している日記帳を手に取った。明治三十七年、大阪積善館発行の『当用日記』である。しかり、前年の暮八雲付軍医となった記念につけ始めた最初の日記である。奇しくもこの年は日露開戦となり、戦いの記録ともなった。

おれは日露戦争の原因については本当のところよくは知らなかった。ただ、日清戦争後えた遼東半島領有を露仏独の三国干渉によって放棄したあと、日本が大陸での再戦を目差して臥薪嘗胆し、軍備拡充につとめたこと、ロシアが満洲を勝手に占領し旅順を要塞化し東支那鉄道の建設をすすめ、それが日本の利害とまっこうから対立したことは、当時の国民の平均値の知識として知っていた。また日本が満洲と朝鮮へと国力を伸ばそうとする場合、ロシアが最大の障碍者であることも理解していた。海軍では仮想敵国として露国海軍がいつも引き合いに出されていたのだ。明治三十六年八月来、日露交渉がおこなわれ、たがいに譲らず、交渉破裂、すなわち戦争という気運が強くなっていた。

明治三十六年の暮、わが八雲は横須賀鎮守府を出港し佐世保鎮守府に向った。この東洋一の軍港に着いて驚いたのは港内にひしめくおびただしい艦船であった。さしもの大軍港も六十余隻（せき）の軍艦、数十隻の水雷艇にて埋めつくされていた。大小の煙筒は不断に黒煙を吐き、林立する檣頭（しょうとう）に軍艦旗ひるがえり、港外に出（い）でては実弾射撃の音が遠雷のごとく響く。日露外交の危機切迫すとおれはひしひしと実感した。

軍港波止場は糧食の補給、炭載（たんさい）などで雑踏をきわめている。おれも八雲軍医長の矢野軍医少監の命令を受け、艦内治療所で必要な治療品を佐世保海軍病院療品庫より受け込み、艦内への搬入の指揮をしたが、必要品目数量が一つでも欠けたら海戦遂行に支障をきたすとあって、検品検荷（けんぴんけんか）に神経をとがらせた。軍艦には「大医療箱」「副医療箱」など応急の用に役立つセット品のほか、担架、封創器、繃帯（ほうたい）小包、外科器消毒器、直腸鏡、体重権衡（けんこう）、携帯薬籠（やくろう）、携帯外科嚢（げかのう）、小眼科器、そして数々の薬品を漏れなく揃（そろ）えねばならぬ。

おれがとくに苦心して集めたのは、治療品ではなく、雑用鋏（ざつようばさみ）であった。各艦治療所には雑用鋏を一挺（ちょう）そなえつける規定があったが、これが日清海戦の経験によると、負傷者の衣服を切断するのに二挺は必要であり、冬期の厚い衣服の切断のためには鋭利善良な刃のものが不可欠なのだ。おれは、佐世保中を探しまわったが、すでに他艦の軍医に買われてしまって、無用の鈍器しか残っておらぬ。諫早（いさはや）、長崎と足を伸ばしたがらちがあかぬ。結局、佐世保のとある斬髪店に飛び込み、親爺に事情を話したところ、使用中の二挺を「御国のためなら」とこころよく譲ってくれた。以来、佐世保に寄港するたびに、かならずその斬髪店にて用を足すことにしたものだ。

軍医が監視せねばならぬのは治療品だけではない。糧食の栄養価や品質の管理が重要任務だ。艦隊御用として二隻の給糧船、福岡丸と松山丸が艦隊所在地に糧食を供給するのだが、この二隻には冷庫の設備がないため、数日間も温暖な航行をすると、野菜類が腐敗してしまう怖れがあった。脚気を予防するために生糧食が必要な事実は、すでに明治十五年から十七年にかけて、海軍軍医大監高木兼寛の大々的な栄養実験によって実証されている。高木大監は乗組員の食事を洋食に近く、蛋白質と生野菜の多いものにしたところ脚気が激減したという。爾来海軍においては、パン食、牛肉、牛乳、生野菜を糧食の基本としたのだが、陸軍では日本食にこだわり続けたため、日露戦においても脚気患者が続出して、いちじるしく戦力をそぐ羽目となり、ようやく明治三十八年の三月になって、脚気に対処して米七麦三の混食奨励を訓令する始末であった。ともかく生糧食の確保は海軍軍医にとって重大な関心事であったのだ。

もう一つは水の確保だ。艦隊給水船として山口丸と広島丸の二隻を艤装して使用する予定だが、タンク裏面に防銹用のセメントを塗布する時間がないため、水が銹色に変じる怖れがあった。

この二点、給糧船の冷庫設備と給水船のタンク防銹は、艦隊軍医会が声を大にして要望したにもかかわらず、日露開戦に突入し、あとで生糧食の不足と飲料水、灌水の不足をおこしたのである。むろん、この二点は戦争中漸次改良されていくのではあったが。
ところで、若輩軍医ながら、時田中軍医が矢野軍医長に進言した一事がある。それは治療所で無腐的療法を実行する場合の殺菌水の確保のため杉の四斗樽を用いたらどうかと言うのである。これには先例があり、軍艦朝日で四斗樽に煮沸水をみたしたところ無菌状態が長く保たれて、治療のため便利であったというのだ。おれは日本酒用の新鮮な杉樽二個を八雲に積みこむ許可をえた。
一月中は、出港準備のため、忙しく飛び回っていた。さて、いよいよ開戦である。

**二月四日木曜**

艦は機関の炉中に点火す。乗組員は上陸を禁止せらる。

**二月五日金曜**

佐世保に家族を有する者のみ午後八時より十時の間上陸を許可せらる。乗組員多数上陸し家族と告別の宴を張り帰艦す。家族ら幾千の婦女童児、提灯を手に波止場に見送りたり。

**二月六日土曜**

午前六時半士官総員ケビンに集合を命ぜらる。艦長より、わが八雲は第二戦隊に所属す、所属艦は出雲、浅間、常磐、磐手、八雲、吾妻の装甲巡洋艦六隻なり、なほ第二戦隊は第四戦隊とともに駆逐隊、水雷艇をひきゐ第二艦隊と称し、第二艦隊司令長官は上村彦之丞中将なり、と告げらる。ちなみに第一戦隊は三笠、朝日、敷島、初瀬、富士、八島の戦闘艦六隻にして、第三戦隊とともに第一艦隊を編成し、第一艦隊と第二艦隊の聯合艦隊司令長官は東郷平八郎中将なりと。

陛下の勅語に「我独立自衛ノ為メニ、自由ノ行動ヲ執ラシムル事ニ決定セリ」とあり。

午前十一時半わが第二戦隊は（浅間をのぞき）出港す。佐世保鎮守府の軍人軍属端艇に乗り、また陸岸にて帽子ハンカチーフを振りゐたり。浅間は第三艦隊と合して京城に進軍せんとする陸軍兵の護送をなしたるのち、本戦隊に復帰する予定なりと言ふ。

乗組員、長年にわたる演習調練の成果を今こそ敵露国艦隊に知らしめんものをと士気高く、汽缶音の高まるにつれ、治療所の若き看護手の「いよいよですな」と頷く微笑に余は頷き返したり。


八雲には下甲板に前後二つの治療所が設けられた。おれは前部治療所の責任者であった。下甲板とは水線下であって窓がないが、上は上甲板と中甲板に覆われ、前後は隔壁と砲塔、舷側は六インチ鋼鉄板で保護されていて、艦内でも安全な部位であったけれども、せっかくの海戦の一部始終を実見するわけにはいかない。しかし、生来の好奇心から、おれは敵弾の到達する寸前まで上甲板に出、戦い終りとなるやすぐさま上甲板に出という具合に、なるべくこの目で海戦の模様を見て、見た以上は全部を記憶しておこうと努めた。

いや、それを好奇心という単純な動機に一元化はできないと今は思う。おれは二十九歳の若き軍医で、若き看護手の微笑に、自分と共通する喜悦の情、聯合艦隊という大きな組織の一員に所属してその戦力の底を支えている満足感、世界の大帝国露国の艦隊と敵対する緊張、歴史の一齣の当事者となる誇り、それらが混り合った微笑を認めたのだった。戦争が祖国の国力を増進させる原動力であるという認識、したがって戦争への協力が祖国への忠誠の証しであるという信念は、考えてみれば、日清戦争の聖駕凱旋を目撃したときに始まり、日露戦争、欧州大戦、満洲事変、支那事変を通じ、そして今次の大東亜戦争に当面するまで、おれの心に牢固として植え付けられている。

二月七日、まずは露国商艦の拿捕から戦いが始まった。最初が二三〇〇トンのロシア号であったので、東郷司令長官から、「ロシアを獲たり」と打電があり、一同手を打って喜んだ。

第一第二艦隊は朝鮮八口浦沖に集結、各艦は駆逐艦と水雷艇に石炭を供給してから旅順方面へ向った。北上するにつれて寒気は増し、零下三度の気温となった。旗艦三笠を先頭に第一戦隊、続く第二戦隊の八雲は三番艦であった。左右には駆逐艦や水雷艇が伴走し北部黄海を切り割いて進む艦隊の偉容に、おれは寒さも忘れて見とれた。艦隊は旅順沖に碇泊し、夕刻から駆逐艦十八隻が旅順港の露国艦隊攻撃に出発した。

わが八雲が実戦に参加した最初が、二月九日の旅順沖海戦であった。昨夜来、わが駆逐艦や水雷艇の夜襲におびえた敵が港外に出て、われに海戦をいどんできたのだ。

二月九日火曜

午前八時、わが八雲は第二戦隊の三番艦として旅順沖にあり。天候静穏にて昨日の寒気嘘のごとき暖気なり。試みに計るに上甲板気温摂氏十四度前後なり。

本艦には山階宮殿下座乗せられ、艦長以下乗組員六百五十五名、うち休業患者三名ありしも重症ならざるをもつて全員戦闘部署につかしむ。

午前十一時二十分昼食に就き、午後零時九分、旗艦三笠が砲門を開き、本艦は零時十四分開砲し、戦線は五千五百メートルより八千メートルの距離にあり。零時四十五分砲火やむ。

敵は砲台および艦隊より応戦せしも、敵艦の五六艘は、前夜わが駆逐艦水雷艇の襲撃を受けその自由を失ひたるもののごとく一定所に静止し、航走するもの四艘のみなりき。

旅順砲台よりの敵弾、本艦の左右に落下し、水柱をあぐれども、乱射の気味にて命中せず、と見て余が前部治療所にさがりし一刹那、大いなる衝撃ありて全艦振動す。後部八インチ砲塔をかすめ四十七ミリ砲の楯を打つ。ついで海中に破裂せる破片と思はれる数十の右舷を乱打す。「一名負傷」の伝声あり、零時四十分なり。負傷者運搬手、モツコ形の吊架にておろし来るは、K少尉候補生なり。下腿鮮血淋漓。余はくだんの雑用鋏にて軍袴を切り開き、右腸骨の筋肉挫滅、右大腿部失肉砲創を認め、ただちに消毒、動脈を止血す。本日の戦闘における唯一の負傷者なり。


旅順沖海戦はわが艦隊の大勝利に終ったが、おれにとっては初めての負傷者治療で、大いに勉強になった。消毒止血の技、とくに創底に圧縮された衣服のフランネルを根気よく除去する方法などを学んだ。K少尉候補生は翌朝、通信船玄海丸に、ほかの艦隊負傷者とともに乗せられ、佐世保海軍病院へ送られた。紅顔の彼は、激痛に呻き声もたてず耐え、ひたすら心配したのは、おのれが部署を離れたため戦力が減る一事であった。

二月十日、旅順近くの牙山に投錨中、宣戦の大詔が渙発され、上甲板にて士卒頭を垂れて艦長の奉読を拝聴するあいだ、風浪高く艦の揺れはげしく、寒気劇烈、甲板外舷凍結して白かった。いよいよ戦争であると心は勇めどもあの寒さはものすごく、さっき日記帳を手にするとき、心のいずこかでその日を思い出していたようだ。

しかし、その後緒戦のような華々しい戦闘はなく、だらだらと時が過ぎていく。敵艦は旅順港内に逃げ込んで出てこず、しかしあまり港に近付くと敵砲台よりの砲撃に出会うのでわが艦隊は近付けず、結局老朽船舶を湾口に沈める閉塞作戦を取った。ともかく急霰迅雷のごとき猛烈な敵砲火の下に幾多の戦死者を出しつつ自船を爆沈させる決死行であった。

ところで堅氷に鎖されていた敵のウラジオストク艦隊が春とともに南下してわが商船や運送船を撃沈する事件が相次いだため、上村第二艦隊が出動したが濃霧のため索敵に成功せず、そのすきに敵の水雷艇が元山に侵入して三隻のわが商船を撃沈した。このウラジオストク海域は濃霧が多く、まるで彼我の隠れん坊と鬼ごっこの繰り返しであった。ともかく海は広く、天候は変りやすいとあって、まとまった艦隊同士の海戦はなかなか生起せず、軍医のおれは脾肉をかこつ有様であった。そのためであろうか、おれは医学実験などを始めている。

四月二十三日土曜

午後三時半体重を計りタカジアスターゼの研究を挙行す。体重裸体にて十三貫四百五十匁目。ただし朝一回上圊して充分に排便、正午に昼食をとり秤量前排尿をなす。間食間飲せず。昨夜は八時間安眠し体調壮なり。かく準備をなししのちタカジアスターゼ毎食後一錠あて内服す。

定量の糧食にタカジアスターゼを加えれば消化良好のため体重増加し、糧食の節約となるという予想で実験を始めたのだが、当時給せられていた糧食は、一人あたり白米百匁に牛料理生野菜で栄養価高く、それだけを食べても運動不足の軍医は肥満しつつあり、結局タカジアスターゼの効果判定は不能でこの研究は失敗した。おれが毎日陰部まるだしの素裸にて体重権衡に乗るのを見て看護手どもは苦笑していた。

つぎにおれが思いついた研究は、佐世保出師の折に積み込んだ四斗樽の殺菌効果の測定であった。すでに、樽には毎朝煮沸水を入れて、治療所の使用水としていたが、これを放置した場合何時間ぐらい無腐的療法用の殺菌水となりうるかが、研究課題であった。

おれは、こういう細菌学的検索法を済生学舎や軍医学校の細菌学研究室で存分に習熟していた。培養基を寒天と肉汁と卵白を加えて作り、そこで樽の水を培養して検鏡すればよい。むつかしいのは卵白の消毒で、摂氏六十度以上になると凝固するため細心の注意がいる。また、一立方センチメートル中の細菌コロニー数を算定するためには顕微鏡の操作に熟達している必要がある。

煮沸水を培養してみると、第一日はコロニー数零、第二日は四百五十個、第三日は千八百五十個、第四日は数万個であり、四斗樽を用いれば丸三日間は殺菌しなくても無腐的療法に十分用いうるとおれは結論した。この結果を海軍省医務局に送ると、S医務局長の評言が返ってきた。

戦時倥偬の際、かかる細密なる試験を行ひたるは嘉すべし。然れども沸騰水はあへて数日間樽内に貯ふるの必要なければ、一日のみ無菌なればその目的を達すべし。

「然れども」以下の評言におれは反撥した。医務局長は煮沸水を毎日取り替えればよしとするのだが、おれの研究は三日間取り替えなくてよい、すなわち激戦の間に煮沸の手間をはぶけるというのが眼目である。医務局の上層部の石頭めとおれは力み返った。あまりおれが上官をののしるので、温厚な軍医長矢野軍医少監は、おれをたしなめ、実戦を知らぬ医務局などに立腹するより、聯合艦隊で四斗樽を用いるよう宣伝するのが得策と言った。彼は、のちに、艦隊の軍医長会議で四斗樽の効用を吹聴してくれ、それが多くの艦の治療所で四斗樽が用いられる切掛けとなった。

ところで、おれが医学実験などしているあいだ戦局は急展開しつつあったのだ。海軍が三次にわたる旅順口閉塞作戦で、東郷司令長官が「港口は少なくとも巡洋艦以上の通航に対し、十分閉塞されたるを認む」と大本営に報告した直後、五月五日、奥陸軍大将の率いる第二軍が、第三艦隊の援護を受けて、塩大澳（遼東半島東岸）に上陸を開始した。その時、わが八雲は旅順沖にあり、閉塞隊の行方不明者の捜索と露国旅順艦隊の牽制に当っていた。翌々日、八雲は塩大澳に近付き、陸軍運送船が続々と兵や大砲や弾薬を上陸させているのを掩護した。この時、おれは初めて端艇にて上陸した。鶏卵と生野菜を買い集めるためである。民家は石造りで藁屋根、牛豚鶏を飼い、トウモロコシ、アワのたぐいを作り、米作はほとんど認められなかった。山は大樹を欠く禿げ山で、土地は乾き切った感じであった。鶏卵は一個五銭、鶏一羽五十銭でかなり買い集めえたが、生野菜はついに発見できなかった。すぐそばで激戦が行なわれているのに、支那人たちの日常生活は別に変化なく、日本軍を見ても、鶏卵買いの商人くらいに思って、値段を釣り上げようとしていた。

　第二軍は遼東半島を横切り、五月二十五日夜半から西岸の要害金州地区を攻撃し始め、大変な激戦のうえ、翌二十六日夕刻には金州を陥落させた。これは遼東半島の地峡を制圧し、旅順の露軍を孤立させたことを意味する。

　金州城外南方の高地、南山がことに悽愴な戦場であり、わが軍の負傷者が夥しかりしと軍医長が教えてくれた。そこに露軍は堅固な砲台を築き、掩蓋で覆い、鉄条網と地雷をめぐらし、七十余門の大砲と多数の機関銃が火を吹き、わが軍は平地で隠れる場所もないままに死屍累々であったという。

わが八雲は裏長山列島の根拠地に投錨していたが、五月二十八日、午後四時、おれは突然、聯合艦隊付鈴木軍医大監の命令を下達された。金州攻撃において負傷者多数出でしため、陸軍第二軍から海軍の応援を申し入れてきた、よって艦隊より五名の軍医を選抜し、おれもその一人に選ばれたという。追って陸軍側の回答を待って出発するにつき準備せよとも付言された。陸軍式の軍陣医学についておれは何も知らぬ。おれの学んだ戦傷外科学には海戦の負傷については実例と治療法が示されていたが、陸戦については通り一遍の知識が述べられていたに過ぎない。設備の整った艦内治療所と陸上の繃帯所や野戦病院は随分と様子が異なるであろう。おれは看護手一名を引率することにして、外科手術具、消毒器などとともに石炭酸、硼酸を始めとする消毒薬、脱脂綿紗、繃帯など、必要と思われるものを用意させた。しかし、正確に何人分の対策を立ててよいものか見当がつかぬ。三笠、朝日、富士などの同行軍医と相談して、一応百人分ぐらいを用意した。それが牛車で搬送しうるぎりぎりの量でもあった。しかし、実際の死傷者は四千人を越えていたので、あとで医薬品の不足を来すことになった。

翌々日の午後、根拠地の艦から水雷艇にて陸地に近付き、さらに陸軍側の伝馬船に乗り換えて塩大澳に上陸した。前に鶏卵を買い集めるため来たときと様子が一変し、そこは陸軍の一大兵站地となっていた。カーキ色の方錐形天幕林立し、陸軍将士の姿多く、徴発された支那人のジャンクが帆檣を束ねるようにして群れ、伝馬船、ボート、小蒸気船も夥しい用意だ。これは思うにこの海浜は遠浅で大型船が接岸できず、軍隊の上陸用に小さな船を多数要するためであろう。

われわれが上陸してすぐ、露国の商業港青泥窪（大連）陥落の報知があった。これで金州に続いて、遼東半島は完全に横断され、旅順は陸路からも海路からも孤立させられたことになる。われわれは万歳を三唱して喜んだ。

陸軍が用意した支那人御者つきの牛車一輛に荷物を積み、荷台の端に二、三人が腰掛け、あとは徒歩で出発した。日清の役の激戦地遼東半島にいよいよ足を踏み入れるのだと思うと、感激で胸が高鳴った。しかし何という荒地であろう。道とも言えぬ斜面は、ざらざらの黄ばんだ砂で、風は砂塵を舞いあげ、一木一草もない砂漠である。進むに従って泥土で作った民家に貧弱な楊柳が添えられた体の村落を見掛けたが、それもすぐ去り、ふたたび風の唸る砂原となった。やがて日が暮れた。案内の陸軍衛生兵が、とある民家に宿泊を交渉した。入って見て一驚した――鶏、豚、羊、牛が人間と同居している。ともかく奥に通されたが、一メートルの所に牛の鼻面がある。乾パンに牛缶、水筒の水の夕食をすませて横になるや、腕と首筋が痒い。蚤かと思って素早くつまむと、これが南京虫であった。その大群が柱を壁をぞろぞろと通っていくのが見える。顔に蠅がたかる。不意に牛が鳴く。鶏が騒ぐ。動物の体臭とニンニクの臭いがむっと迫ってくる。痒みは腹から下肢にまでひろがった。到底眠れぬと観念したが、意に反してストンと眠ってしまった。

朝、鶏と牛の一声に目覚めた。支那人たちはとっくに起きて高粱粥の朝食を摂っている。われわれも粥ぐらい作りたかったが、先を急ぐので乾パンに福神漬、梅干でごまかし、午前五時、早々に出発した。次第に新戦場が展開してきた。味方の分は片付けられていたが敵兵の死屍はまだ放置されたままで、そこの谷、そこの散兵壕とさまざまな形で横たわり、強烈な死臭を発していた。頭の潰れた者、片腕をもぎとられたもの、腸のはみでたもの、ともかく人間の肉体の脆弱さ、爆発の強大さを見せつけられる情景だ。敗走中後ろから撃たれた様子も看て取れ、中には一分隊がそのままの隊列で倒れていて、わが軍の思わざる一斉射撃を受けたものらしかった。馬の屍体もそこここにある。軍用犬のもある。そして夥しい砲、小銃、弾薬車、湯沸し車、剣、太鼓、喇叭、帽子など。使えそうな加農砲や弾薬を戦利品として蒐集している味方の一隊もいた。道は爆発で寸断されて牛車が立ち往生する。われわれは円匙や十字鍬を用いて穴をふさぎ、人力で脱出させる。日が沈む頃、ようやく金州城に着いた。

第二軍軍医部長が金州兵站司令官に、われわれの宿舎糧食の供給を要求してくれたので、ただちに裕福な支那人の商家を提供され、夕食が運ばれてきた。夕食後、われわれ五人の軍医は、金州城内の第二軍司令部へ出頭、軍医部長に到着の報告をした。第二軍軍医部長は森林太郎軍医監で、著名な文人でもあると同行の加納大軍医があとで教えてくれた。その方面に暗いおれは、ただ口吻の穏やかで、端正な軍人だと感心した。激戦の直後で、出会う将校がみな殺気立ち服装も乱れているのが通常であったから、森軍医監の、戦塵を涼しげに受け流している様子に感銘を受けたのだ。軍医監曰く。

「海軍側に御足労を掛けて相済まぬが、南山に傷者多く、第二軍参謀長の発案にて貴官らに援助をお願いすることになりました」

「傷者の数はどのくらいですか」と加納大軍医が尋ねた。

「概算三千を超過するでしょう」

「そんなに……」と大軍医は絶句した。

「南山の要塞の防備が堅固でありました」と森軍医監はそっと女みたいな溜息をついた。

「当面は第四師団第二野戦病院をお手伝い願いたいが、さらには設備のよい金州兵站病院設立のために御尽力を願いたい」

軍医部長室を退出すると、加納大軍医が、森林太郎軍医監とは小説家、翻訳家として有名な森鷗外のことで、『即興詩人』は素晴しい名訳だと囁いた。あまり彼がほめるので戦後、おれは『即興詩人』を買ってみたが、その気取った雅文体はわが趣味ではなかった。その時も宿舎に戻りながら、おれは加納大軍医とちょっとした言い争いをした。

「軍医監と言えば兵科では少将だ。それにしては物腰が低く、謙譲の徳がある」

「いや、軍人としては威厳に欠けますよ。敵の要塞が堅固すぎたと女みたいな溜息をついたじゃありませんか」

「いや、あれは軍医としての深い悲哀の念の表出だ。あの人は、帝大を出てからドイツに留学した大変な医学者なのだ。歩兵や騎兵の武張ったところがないのがいい」

「帝大が何ですか。ドイツ留学が何ですか」とおれは怒鳴ったが、上官に対して礼を失したと悟り、すぐ黙って頭を下げた。

翌朝、第二軍第四師団第二野戦病院を訪れたとき、おれは初めて悲惨な傷者の有様と治療の現実に触れて、息を呑んだ。白地に赤十字の旗を立て、同じ印の臂章を装した衛生部員が立ち働いているために、病院だと判別できるが、実態は民家や寺院の土間にアンペラ筵を敷き、赤毛布を置いた上に負傷者が臥しているだけだった。彼らは人間とは見えず、野菜でも並べてある感じである。風が埃を捲きあげ、彼らの繃帯の上に舞うさま、不潔甚しく正視できぬ。手術場が寺院の一隅に幕を張って作られていたが、中の悲鳴や物音や話し声が四周に筒抜けである。こんな所で治療など思いもよらぬと憤慨してみたが、すぐさま、改善などに手がつかぬほどの多事多端に衛生部員が捲き込まれている実情に気付いた。

まだ緊急手術を要する重傷者にも手が回らぬ様子で、「軍医殿、お願いします」「助けて下さい」と順番を待つ兵より声があがる。中には錯乱して泣き叫ぶ者、出血とまらず土気色となって死の手前にある者もいる。空しく息を引き取る者後をたたず、衛生兵と担架卒は、治療のためではなく死者の運び出しのために負傷者の群の間を探し回っている。すでに傷口が壊疽をおこしているのであろうか、血腥い臭いに腐臭が混り、悪臭は無数の蠅を誘い込み、負傷者は胡麻をまぶされたようである。屍体を安置した本堂の屋根では鴉の群が不吉に鳴き交わしている。

いったいこの夥しい負傷者はどうしたことか。ともかく、陸軍の野戦衛生部ではこのような多数の負傷者を予想していなかったため、衛生部員も医薬品も治療具も、何もかも不足していた。軍医たちは手を洗う暇もなく血糊で染まった手で、つぎつぎに手術治療にかかっていた。見たところ、煮沸水で創面を洗うのさえ間に合わず、やむなく塩分を含む井戸水を使っていたが、これでは創面の汚染腐敗をまねくこと必至であった。が、どうしようもない。軍医も衛生兵も、もう何日もロクスッポ寝ていない血走った目で夢中で働いていたのだ。

ともかく、われわれ海軍側も協力を始めた。イヤハヤ、あのようにすさまじい治療は初めてであった。手術場に重傷者がつぎつぎに運び込まれた。創面はすでに黒く壊疽をおこし蛆がわいている。それを洗うための塩水はたちまち不足した。それでもともかく壊疽部分を切断し、断端に止血と縫合をする。昇汞ガーゼをあてるのがせめてもの無腐処置で、それ以上は望めぬ。一人を終えると、つぎが待っている。手を洗う暇もなくメスを握る。大人数の血液の付着したるままの手で、麻酔薬の不足から、苦痛に咆哮し痙攣せる兵士を数人で押えつけて手技を実行せねばならぬ。

おれを驚かしたのは、機関銃創のすさまじさである。砲創と違って体のあちらこちらに貫通創があり、胸に四発、右腕に十発と穴だらけである。陸軍の軍医は、一人四十七発を受けた戦死者を見たという。このような銃創は成書に記載がなく、「全身蜂巣銃創」と新しく命名したという。何しろ敵の機関銃という新兵器は一分間六百発を発射できるので、これで掃射せられた将士はひとたまりもなく蜂の巣となるのだ。

下肢を砕かれ、肛門から太い物で刺し貫ぬかれた異様な創を見た。これは敵の狼穽に落ちた者である。円錐形の穴の底に鋭い杭が林立しており、落下兵は下から突き上げられたのだ。地雷で両脚を吹き飛ばされた者、榴霰弾の鉛玉で目も鼻も耳もメチャメチャに穴だらけの者、いや今まで考えもしなかった奇妙で残酷な症例に出会った。

幕の外では、助けを呼ぶ、呻き、叫び、悲鳴が引きも切らぬ。それが何百人なのだ。担架で運びこまれ、いざ手術をと立ち向ってみると、すでに事切れている者がいる。せっかく戦場で三角巾で仮繃帯をしながら、夜間のため創面以外を緊縛してしまい、かえって出血多量、もはやいかんせん助けられぬ者がいる。その半面、担架卒の思いつきで、小石を動脈上にあて、見事に止血されていたため、治療可能な体力を温存できた者がいる。カルテに診断治療を記載していく暇はない。官氏名と簡単な分類（診断とは言えぬ）を衛生兵に記録させるのが精々であった。蜂巣銃創、貫通銃創、盲管銃創、擦過銃創、骨折銃創という具合だ。砲創が少ないのは、そのほとんどが即死者であったためらしい。金州城攻撃での戦死者の数は七百名と言う。ちなみに負傷者は三千七百名である。（森軍医部長が傷者の数は三千名以上と言ったのは控え目な発言だったのだ。）第二軍総員三万六千四百名中死傷者の四千四百名は、ざっと十二パーセントの損害である。

血まみれの手で煙草を吸ったり食事をしながら終日働き、深夜になってようやくやめる。やめるというより、もうそれ以上体力が続かず幕舎内の地べたに倒れ臥すのであった。そして目覚めれば、負傷者の叫び、呻きに応じて、また勇気を奮い起し、朝食もそこそこに手術場に入った。メスは何度研いでも鈍ってしまうし、針は折れたり曲ったりで品不足となった。わが指は腱が伸びて硬直し、腕も足も棒のように感覚がなくなった。しかし、負傷者への憐みの念からおれは精魂込めて働いた。彼らはほとんど二十代の若者である。将来のある人たちである。それが深く傷付き、苦しみ、不具となり、一生を暮さねばならぬ。近代戦という科学の進歩による惨酷なイトナミを、おれは骨身に沁みて知った。

六月七日火曜

朝より激しき雨にて、廊下や土間に吹き込み、負傷者濡れそぼつため、病床の移動に忙殺されたるあひだ、突如馬のいななきと蹄鉄の音がして高官の一行が視察に現る。最近編成せられし第三軍司令官乃木希典大将と参謀長伊地知幸介少将以下の幕僚なり。一行、顔や肩を拭ひつつ歩み入りぬ。乃木司令官の銀髯美しく、人目を引きぬ。病院長の案内にて院内を一巡し、しばしば傷者に声を掛ける。余が海軍軍医の制帽をかぶりしを不審と見しか、大将わざわざ近寄り来たる。野戦病院長の説明にて事情納得せりと頷き、「海軍の御志をありがたく思ひます。お疲れぢやらうがのう……」と言ふ。余は看護手に命じて泥水にまみれしアンペラを取除く作業に従事せしをもつて、多少うるさげなる顔付きにて振り向けば大将の温顔が目前にあり。すると余は意外や、不意に直立不動となり、「はい、がんばつちよります」と山口言葉で答へぬ。大将は同郷と認めしか、微笑みて大きく頷きぬ。雨中に馬を連ねて去りし大将の後姿、いささか淋しげなるが印象に残れり。

乃木大将の一行を見た当初、おれが違和感を覚えたのは事実である。連日、若い兵士たちの惨状に囲まれていて、一将功成って万骨枯ると痛感していた矢先に、まだ戦塵にまみれぬ、真新しき軍服の幕僚たちが不意に出現したので、いささかの反撥があったのだ。しかし、雨中、マントもまとわず野戦病院に駆け付けた乃木大将の心がおれを打った。

そもそも旅順攻囲作戦のため第三軍が編成されたのは五月末で、司令官に命じられた乃木希典中将が幕僚を従えて宇品を発したのが六月一日、裏長山列島の聯合艦隊根拠地に到着し、東郷司令長官の来訪を受けたのが六月四日、塩大澳に上陸したのが六月六日朝である。この日乃木中将は大将に昇進した。一行は翌七日、金州城に到り、途中北大関前のわが野戦病院に立ち寄ったのだが、これにはいささか訳がある。将軍の長男乃木勝典少尉が第二軍に所属し、五月二十六日の南山攻撃で重傷を負い、野戦病院において死んだのだ。乃木大将はわが子の死所を尋ねたと言える。もっとも勝典少尉の担ぎ込まれたのは第一師団の野戦病院で南山近くの閻家楼にあったので、この北大関とは違ったのだが、大将の気持は充分に察しられるのだ。野戦病院から金州城内に入った大将は、休息後、午後遅く雨のあがった南山の戦場を巡視し、山上の戦死者の墓標に麦酒を献じて飲んだ。大将の長男の墓も、むろんこの山上にあったのだ。例の「山川草木転荒涼　十里風腥新戦場……」の詩を作ったはこの時である。斜陽の中でわが子を始め多くの戦死者を乃木大将が弔っていた頃、おれはようやく降りやんだ雨にほっとし、濡れた繃帯やシーツを乾させるのに大童であった。

風雨に曝され、塵埃の舞い込むような野戦病院では十全な手術看護ができぬから、もっとよき建物に森軍医部長から示された兵站病院を開設すべしとは、われら海軍軍医団の切望であった。緊急を要する最重傷者の処置が一段落した六月八日、おれは単独で城内探索に出向いた。すると、金州城内、元露国の民政庁に開設せる第四師団第一野戦病院にて軍医たちに出会った。耳寄りな話として、露国の花園公園内の学校が空虚で環境よく病院として使えると聞いたおれは、すぐさま金州城東関外の花園公園へ行ってみた。頑丈で密閉せる煉瓦造りの建物にて、教室は広く、厨房もあり、煮沸消毒や手術室にも恰好である。ただし、周章狼狽して逃亡した跡だから塵埃砂土がうずたかく、物品散乱して大掃除をせねばならぬし、小銃弾の射入した孔が窓や壁に無数にあいて相応の修理をせねばならぬ。おれは第二軍司令部へ行き、森軍医部長に会い、露国学校に海軍側が兵站病院を新設する諒承をえたのち、韋駄天走りで第二野戦病院に戻り海軍軍医団に通報した。ただちに海軍軍医団は学校に急行し、一致団結して清掃および修繕にあたることとなった。おおよそ丸一日働いたところ、病院らしき体裁が整った。さいわい硝子窓は冬期防寒用に二重になっており、割れた部分を別な窓の硝子に置換すれば、密閉空間を現出せしめえ、このような建具師の作業には、元大工の看護手がいて調法した。

　金州は、ダルニーと旅順要塞の入口を占めるため露国住民多く、異国の町のごとく見ゆる。おれは好奇心よりほっつき回るうち南門のそばに露人の開設せる外科病院を発見した。流行った医者らしく煉瓦造りの構えも立派で、鎧戸の隙間から薬瓶の光る薬局や銀色の器具の並ぶ手術室などがうかがえた。侵入を企てたが、鉄扉は頑丈、鎧戸は上質の硬木でなまなかな膂力では刃が立たぬ。雨樋をよじのぼり、二階の窓硝子を破って入った。室内の装飾家具は豪勢で、これに較ぶれば最初一泊した支那人の家などほんの貧屋ではあった。露人の植民地における贅沢を思い知る。花園公園の学校に戻り報告するに、全員の意見一致し、第一野戦病院より馬車を借り、露人外科病院より、薬品多数（木箱に梱包したままの新品もある）、外科用具、消毒器、注射器、針、ベッド、毛布、大型サモワール、石炭、牛缶詰などを分捕った。この外科病院のおかげで、わが兵站病院は、開設時陸軍衛生予備廠より大量の薬品器具の供給を受けずともすんだのだ。軽傷者は順次塩大澳より内地送還の処遇とし、搬送不能の重傷者に重点を置いてわれわれは診療任務に当った。兵站病院を第二軍付軍医団に引き渡して帰艦すべしの命を受けたのは六月十四日であった。二日間で引継ぎを完了し、第三師団の参謀の案内でわれわれは初めて南山の要塞を見た。

　近代的な設備の整った要塞を見るのは初めてであったので、おれは参謀の許可をえて、見取図とスケッチをした。おれは芸術的な絵は駄目だが、解剖学で好んでスケッチを取ったため、錯綜とした事物を論理に従って解き分ける細密画は得意であった。

　南山は、北に金州城、西に渤海、西南に旅順、南にダルニー港をひかえた要衝の地である。丁度亀の甲羅のような形の丘阜で、標高は百十五メートルに過ぎないが、露軍は科学の粋を凝らした要塞を築いていた。厚さ一メートル余はあるベトン壁の永久砲台は横長の銃眼を持ち、前方に死角がないように重砲や機関銃を回転しうる。これを補うために砂土を掘り下げ砂嚢を積み上げた仮設砲台は、重砲、速射砲、機関銃などの銃眼を備えている。砲台相互を結ぶために塹壕がうねうねと掘られていて、これが所々ベトンの掩蓋や銃眼を持ち、戦況に応じて兵が移動しながら応戦できる散兵壕にもなっている。要塞内には司令塔、兵営、倉庫、パン製造所、軽便鉄道もあり、長期の籠城に耐えられる準備が整っている。倉庫内には大量の缶詰、麦粉、大豆、冬季用衣服の備蓄がある。（おれが見たとき食糧だけはすでにわが軍によって運び出されてあった。）この要塞の周囲は緩斜面で見通しがよく、攻撃軍は、まったく掩護物のない裸の地を登ってこなければならない。しかも斜面には鉄条網が三重四重に張りめぐらされ、いたるところに地雷が埋められ、深い狼穽が掘られていた。鉄条網の一部は高圧の電流が通じ、空缶に石を入れた鈴がつけられてある。この電流や鈴は夜襲に対する用意であり、鉄条網に触れたり、鉄剪で切ろうとしたとき敏感に反応し、たちまち探照灯が向けられ、無数の光弾にあかあかと照らし出されてしまう。わが軍に死傷者が多数出た理由が、南山要塞の結構を見ておれには納得できた。

南山の頂上近く、海を望む斜面に真新しい木の墓標が沢山立っていた。長大な角柱に、「大日本第○師団戦死将校（あるいは兵士）之墓」と墨書してある。乃木大将がここに来て、墓標に麦酒をそそぎ、みずからも飲んで、じっと頭を垂れた話は、このとき参謀から聞いたのである。

六月十七日、われわれは兵站病院を去った。陸軍衛生部員たちが横一列に並んで送ってくれた。朝の七時であった。馬車四輛に荷物を載せ、その上に坐っての出発である。振り返ると金州城、南山、その西に連なる南閣嶺などの丘々がすでに小さく見えた。あの地に二週間余滞在して思わぬ経験をした、すくなくとも海軍の軍人としては特異な経験であったと思う。そしてこれから先の陸軍の大変な苦戦をも予想した。聞けば旅順要塞の堅塁なること南山の比ではないようだ。南山にして四千四百人の死傷者を出したとすれば、旅順は？　と考えると胸が痛んだ。肉弾という言葉は、戦後、桜井忠温の『肉弾』という旅順戦記で有名になった新語だが、人間の生身を火砲に曝し、肉の弾丸となって進み、生き残った者が敵陣を白兵戦で占領していくという陸軍式の攻撃法におれは大いに疑問を覚えた。厚い装甲板を備えた手押し車の後ろから歩兵が進めば犠牲者を減少させうるのにとも考えた。おれは多分戦車のような発明品を思い描いていたと思う。

幸に曇天だが、風の強い日であった。そして山稜に近付くにつれて烈風となった。あたりの砂原の表層が剝げて、黄色い砂の弾丸が目つぶしをくらわしてくる。人間は手拭で目鼻を覆ってふせげるが、馬は目を痛め、鼻を苦しげに鳴らしてよろめき、しばしば行き悩んだ。馬の目を洗ってやり、毛布で首や腹を守ってやり、ゆるりゆるりと登って峠に辿り着いたとき、雲が去って、どっと太陽が照りつけてきた。たちまち脳髄が溶けてしまいそうな炎熱となった。馬がよろめいている。一匹が汗をかかなくなった。まずい！　と思ううち倒れた。日射病である。轅をはずして横たえ、別な馬車で蔭を作り、馬用の水缶と水筒にあるだけの水を掛けて体を冷やしてやる。ようやく息を吹き返したが、さて、あるだけの水を使ってしまい、ほかの馬も、むろん人間もあぶない。おれは若い屈強な看護手三人をえらび、各自水缶と水筒をあるだけ持って、水汲みに出掛けた。高粱畑があったので付近を捜すと、泥水の細流があった。とても飲めたものではないが、これでも人間と馬の体を冷やす役には立つだろうと汲んで帰った。泥水を人間の頭に掛け、馬の体に掛け、みんな泥だらけの様相で、やっとつぎの村落に辿り着き、民家の井戸水を汲んでまず馬に飲ませた。人間のほうは、このあたりの村に疫痢が流行していた折なので、飯盒で煮沸させた湯を飲んだ。臭い塩辛い湯があんなに美味だったことはない。携帯してきた握り飯はすっかり饐えていたが、仕方がない、これは我慢して食べた。馬は干草を、これはうまそうに食んでいた。

また炎暑と強風を突いて出発した。しかし、日が傾いたのと下り坂とで、馬も元気を増し、行程にははかが行った。暗くなった。闇の中を提灯の明りで進み、十時過ぎ、塩大澳の陸軍兵站地に到着した。歩哨に鋭く誰何されたが、一同泥だらけで怪しまれたのだ。ここで有難かったのは陸軍側が用意してくれた甕の風呂である。汗を流し、衣服を着替えたらやっと人心地がついた。炊事より暖い飯と豚汁がとどけられ、ガツガツと夕食を食ったのが午前零時を回っていた。風はすこし治まり、砂塵のない空は満天の星であった。北斗七星が頭上に高く、北国にあるおのれの位置をしみじみと自覚した。幕舎に泊ったが、兵站地のため毛布は新品で寝心地は満点、おかげで翌朝は起床喇叭も覚えず、一同寝坊した。

きょうこそ各自の本艦に復帰するとあって、みんな髭を剃り、軍服を着替えている。おれは、八雲の治療所の連中に、乃木大将に会った自慢話をしてやろうと、口髭を八の字に刈り込み鬚髯を乃木大将風にめぐらせた。軍医は衛生上の見地から鬚髯を剃るのを不文律にしていたので、むろん艦上勤務が開始されれば剃り落すつもりであった。昼前、陸軍の伝馬船で沖に碇泊せる装甲海防艦鎮遠に渡った。そこから艦載の水雷艇で裏長山列島根拠地の各自の本艦に戻る予定であったのに、艇上、無線にて、突如、東郷司令長官の命令が伝えられた

――軍医五名は旗艦三笠に直航し来り、陸上勤務の内容を委細報告せよ、という。乃木大将風のひげを剃る暇もなく、聯合艦隊司令長官大将閣下の前に出る羽目となった。

おれは五人の軍医の最年少者であり、加納大軍医を先頭にした列の末尾につき、緊張して司令長官公室に入った。東郷司令長官は、第一艦隊参謀児島大佐と第一第二艦隊付鈴木軍医大監を左右にしたがえ、立ってわれわれを迎え入れた。長官がおれと同じ背恰好の小兵で、しかも浅黒い肌の人であるのが、強い印象をあたえた。敬礼ののち、長官は急ににこやかな笑顔となり、かたわらのテーブルを示し、「ま、そこに坐りなさい」とわれわれに言った。八人掛けのテーブルで、四人の軍医が長官と向き合い、おれは長官の左隣りの席に坐った。児島参謀が、これは非公式の会合で、金州攻略戦での陸軍の状況、負傷者の現状、南山要塞の防備の詳細について、見たままの報告と忌憚のない意見を述べよ、と命じた。

まずは一同を代表して加納大軍医が、死傷者の概況と野戦病院や兵站病院の働きぶり、南山要塞を中心とする露軍の防備の実情についてあらましを語った。鈴木軍医大監は機関銃による全身蜂巣銃創に、児島参謀は要塞の設備の詳細に、特別な関心を示し、立ち入った質問をした。砲座の構造、掩蓋の厚さ、永久砲台と仮設砲台の関係など、話が具体的になったときに、おれは例の見取図やスケッチを持ち出した。「おう、これはわかる」と東郷長官が嘆声をあげ、児島参謀が身を乗り出した。

「なるほど、永久砲台は、側壁のベトンの厚さが六尺だが掩蓋が一尺に充たんな」と参謀が言った。

「六尺では、わが三笠の十二インチ砲でも通りもさん」と東郷長官。

「むつかしいでしょう。しかし上より弾丸を落下せしめれば、一尺は打ち破れましょう」と参謀。「たとえば内地砲台の二十八センチ巨砲なら上より落下せしめえます」

「それは乃木さんも心得ておじゃいもそ」

「そうでしょうか……ともかく、南山にしてこの防備だとすると旅順は苦戦を強いられますな」

　長官と参謀の遣り取りを聴きながら、おれは上の明るい方を見た。天窓になっていて軍艦旗がはためいていた。長官公室は三笠の中甲板最後尾にあったのだ。シャンデリアがあり、飾り棚と本箱とマントルピースを備えた豪華な部屋である。ふと、自分が聯合艦隊司令長官と十センチの近くに坐っている事実が夢の出来事と思えた。この司令長官公室は、翌年の日本海海戦のとき、敵将ネボガトフ少将が、東郷長官と降伏条件について話し合った歴史的な場所にもなったのだ。

　水雷艇で八雲に帰ったのが夕方である。本艦は、最近中将に進級した出羽第三戦隊司令官の旗艦となっていた。そして、座乗せられていた山階宮殿下は大本営付兼軍令部参謀として御転任になっていた。矢野軍医少監がおれと看護手のため、治療所員全員で宴を張ってくれた。おれは「乃木ひげ」の由来を尾鰭を付けて語ったが、東郷長官に面会したことは秘した。さすが治療所の面々、陸軍負傷者の実態については、みな詳しい内容を知りたがった。

　郵便物の山であった。須佐の母が仮名ばかりの長い手紙を二通も書いていた。ところが妻のサイからは一通も来ていない。昨年暮、横須賀を出港してこれで半年余、ただの一通の来信もないとは、あきれはてた女である。医書数冊、シャーレ一包のほか、とっくに医学実験を放棄したタカジアスターゼの大包が届いていたには閉口した。母に五円送金。考えて、サイにも五円送金。

わが八雲は、旅順港近海を遊弋(ゆうよく)して、敵艦隊の脱出を牽制(けんせい)する任務についた。そのあいだ第三軍は、剣山の要塞を落し、付近丘陵の露軍を撃退しつつ、刻々と旅順に迫っていた。夜になると旅順方面の砲声が繁(しげ)く、曳光弾(えいこうだん)が花火のように交叉(こうさ)するのが見えた。こうして旅順に閉じ籠(こ)められていた敵艦隊がウラジオストクへ向けて大挙脱出し、それをわが方が迎え撃つ、黄海海戦の機が熟しつつあった。その矢先、おれは大軍医に昇進した。

**八月五日金曜**

艦長より左の辞令をさづけらる。

「任海軍大軍医　内閣総理大臣従二位勲一等功三級伯爵(はくしゃく)桂太郎宣(せん)八雲乗組被仰付(おほせつけらる)海軍大軍医時田利平　海軍省」

発令は七月十三日付であった。矢野軍医長をはじめ看護手、看護補助員、負傷者運搬夫など余を囲みて祝辞をこもごも述べ、夜、麦酒(ビール)、ブランデイーにて治療所内で祝宴を張る。

昇進をおれは素直に喜んだ。明治三十四年十月に中軍医となってから三年足らずで大軍医になったのは、年功だけでなく金州での働きが認められた気がした。酔ったおれは褌一つになり、荒波に櫓を漕ぐ漁師、急坂に重い車を曳く牛乳配達夫を演じてみせた。

八月十日水曜

本日天気晴朗にして微風あるのみ。朝靄晴るる午前七時過ぎ、わが哨艦は敵旅順艦隊が大挙出動せりと電報せり。わが八雲を旗艦とせる第三戦隊は、敵艦隊が南の膠州湾方面へ脱出する意図を封じるべく、敵艦隊の南方一万四千メートルに姿を見せて敵を牽制せり。しかるに敵は一路南東へ進路を取り、ウラジオストクを目差すがごとし。そこで旗艦三笠を先頭とせる第一主力戦隊は全速力で敵艦隊を追ひ、午後一時十五分に紫雷一閃三笠が砲門を開き、各艦がつぎつぎと準じ、敵も応戦し、彼我の砲弾が飛び交ふ。余は上甲板に出でて双眼鏡にて遠望す。明らかなるは、わが弾丸の的確に、敵艦、なかんづく旗艦ツエサレヴイチに着弾することにして、すでにして敵は黒煙を噴出し、隊列を乱したり。しかるに敵弾はわが艦隊の前後左右にそれ、いたづらに水煙をあぐるのみなり。

わが第三戦隊は戦場に急行し、戦線が五千五百メートルにいたりしとき、砲火を開き第一主力戦隊と協力して掩撃す。午後五時に敵と三千メートルの距離にあり、わが八雲は左舷の八インチ砲、六インチ砲、機関砲を間断なく発射し、奮戦する将士の勇姿頼もし。かかる接近戦においても敵弾はわが艦にいたらず、敵の笑止なる射撃の腕前よと思ひたるとき、一弾准士官室に命中し、余は前部治療所に急降下して待つ間もあらず、運搬夫、つぎつぎに負傷者を運び来る。そのうちに死亡者もあり、頭蓋挫滅、下腿切断など悽惨なり。ただちに重傷者の治療に熱中す。二月九日の旅順沖海戦と金州野戦兵站病院における経験を積みし故、今回は冷静に事を処すをえたり。ただ陸戦と違ひ、海戦の場合、創部の消毒無腐的手術の便ありて、確実に負傷者を救へりといふ安堵あり。本日の死亡者十二名、重傷者七名、軽傷者三名なり。
午後八時砲声やむ。爾後、駆逐艦および水雷艇の夜襲にゆづり、聯合艦隊は大青島沖に集結したり。

日記には書かなかったが、当日の気温は摂氏二十五度で、それが水面下の治療所では多数の負傷者と軍医、看護手、運搬夫が詰めて、三十五、六度の高温となり、この暑熱のなかを泳ぐようにして立ち働いたものだった。敵の射撃下手を嗤っているとき、突然被弾したものだから、驚愕のあまり一人の負傷者に三人から五人の者が付き添って治療所に来、それに戦友の安否を問う来訪者が多く、混乱に拍車を掛けた。死亡者は下甲板の浴室に安置し、二日後御用船上にて火葬にし、同じ日、負傷者は病院船西京丸に移して佐世保へ送った。

もっとも八雲の被害は少ないほうで、旗艦三笠では、死亡者三十一名、重傷者三十五名、軽傷者三十五名あったというからざっと八雲の五倍である。三笠は終始先頭に立ち、敵の目標ともなったため多くの死傷者を出した。とくに午後六時過ぎの敵巨弾は左舷前部に命中し、司令船橋真下の海図室内にて爆発し、伊地知艦長と参謀二人が負傷したのに、東郷司令長官と島村参謀長は傷のかけらも負わなかったという。同じ頃、敵旗艦ツェサレヴィチの司令塔にわが砲弾命中、司令長官ウィトゲフト提督は体を粉砕され、脚一本を残して最期をとげたそうで、運否というものは明白に存在する。

敵の惨敗であった。旗艦をはじめ各艦とも沈没はしなかったものの戦闘不能の損害を受け、旅順を出港した十八隻のうち再び旅順に逃げ帰ったのは九隻だけで、残りは南方中立国の諸港に行って武装解除されたり自爆したりした。そして当初の目的地ウラジオストクに到達したものは一つもなかったのである。

艦内は大捷利に沸いていた。しかし捷利の陰には戦傷者がいる。陸軍ほどの夥しい数ではないにしても八雲乗組員六百五十五名のうち二十二名の死傷者がいる。おれは、万歳万歳とうかれている艦内の空気に染みて、自身昂りを覚えながら、心のどこかで手放しには喜べず、十二体の、物言わぬ准士官水兵が死臭を発していくのを見守り、重傷者の呻きに胸を痛めていた。

八月十四日の上村第二艦隊の捷報を聞いたのは黄海海戦の一週間後、八月十七日になってからだった。八雲が第三戦隊として抜けたあとも、第二艦隊は、敵ウラジオストク艦隊をもとめて、しかも敵と遭遇せず、そのあいだ敵はわが商船をつぎつぎに撃沈していたので、国民の上村艦隊への非難悪罵嘲笑はひどく、上村長官を無能よばわりする論説記事が新聞に数多くあらわれていたし、東京の上村邸には石や脅迫文が投げ込まれる始末であったから、今回の捷報を聞いて、おれは長官のために、溜飲を下げた。

旅順艦隊のように所在が明確な場合と違い、ウラジオストク艦隊は日本海からオホーツク海の広大な域に出没し、しかもこの海域は霧が多くて隠密行動にもってこいだ。上村艦隊の心労が、当初索敵をともにした八雲の乗組員にはわがこととして感じられた。

早朝、上村艦隊は、蔚山沖でウラジオストク艦隊の三隻の装甲巡洋艦を発見して、五時間の猛烈な砲戦のすえ、リューリックを撃沈、他の二艦も大破炎上させた。なお、沈没したリューリックの乗組員が、波間に漂っているのを、救助し、その数六百人にものぼったというのは、上村長官の人柄を示す美談である。八雲乗組員はこの話で持ち切りで、上村長官の第二艦隊にいた昔を懐かしがった。そういう乗組員の気持が通じたのか、九月二十四日、八雲は第二艦隊に復帰する命令を受けた。第三戦隊の旗艦は常磐となり出羽長官はそちらに移乗した。

佐世保に帰還し、八雲は修理のため入渠したので、おれは久方振りに故国の町に上陸した。このとき、軍医長の矢野軍医少監が赤痢で海軍病院に入院した。彼を訪れるついでに、黄海海戦で負傷した八雲の乗組員を見舞った。さいわい、その後死亡者なく、また苦痛の時期を脱した人々で、ひとしきり海戦の思い出にふけった。八雲が上村艦隊に復帰したこと、蔚山沖海戦の模様などが話題になり、軽傷者のなかには今すぐにでも復艦し、艦内で治療を受けながら勤務したいという者もいた。

黄海海戦の大捷利は町民に知れわたっていて、例の斬髪店へ行くと親爺が海戦の実見談を聞きたがった。店を臨時休業にして、スルメを焼き冷や酒をすすめ、色紙を書かせ、土産に理髪用鋏一挺をくれて、斬髪代を取らなかった。

矢野軍医少監は地上勤務となり、おれは八雲の軍医長に昇格し、おれの下に鮫島中軍医が来た。海軍病院療品庫よりの補給は今度はおれの全責任でせねばならぬ。正規の医薬器具のほか、おれは新鮮な杉の四斗樽を十個搬入させた。海戦時、治療所だけでなく乗組員の飲料に供しようという目論見である。細菌試験用のシャーレを多数私費で購入した。長崎まで行き、外科手術書を数冊買った。須佐の両親あてにカステラを送った。いや、何やかやと多忙であった。

修理が終った八雲は出渠し、十月三日に出港した。ところで、軍医長としてのおれの初仕事は、猛烈な数の花柳病の治療であった。横痃、軟性下疳、淋病、いやはや鎮守府では、みんな（兵卒だけでなく士官も多かった）戦捷気分でよく遊んだものである。水兵たちはあっけらかんとして来診したが、士官たちは人目を忍んでやってくる。それまでおれはガンルーム士官で個室を持たなかった。しかし、今はウオードルーム士官で個室を持つ身だ。おれは軍医長室でこっそり彼らを診てやった。それ以来、多くの士官がおれに頭が上らなくなった。そこで思い当ったのは若い矢野軍医長が士官たちのあいだで、常に一目置かれていた事実である……。

わが八雲は、佐世保と福岡県相ノ島の間を往来しながら、上村第二艦隊に合流した。第二艦隊は、旗艦が出雲、以下、吾妻、浅間、八雲、常磐、磐手の六装甲巡洋艦で、通報艦千早を従えていた。陣容を整えて航行すると、その威容は、戦闘艦四隻と装甲巡洋艦二隻で編成された第一艦隊にも見劣りしない。おれは上甲板に出ては見蕩れた。

十月中旬、露国太平洋第二艦隊がバルチック海のリバウ軍港を出港したとの報知が逸早く伝えられた。戦闘艦、装甲巡洋艦、海防艦、駆逐艦、工作船、運送艦、病院船まで含む、四十余隻の大艦隊という。来年一月上旬には台湾沖に達するらしいというので、にわかに旅順要塞の攻略と港内の旅順艦隊の撃滅が急務となった。

旅順では乃木第三軍が奮戦中であったが、その意外な弱みを、おれは一軍医として知った。

## 十月二十三日日曜

御用船永輸丸にて実吉海軍軍医局長が対馬根拠地に来、出雲に各艦軍医長を召集して訓諭ありたり。旅順攻略は目下の急務にして、第三軍は勇戦奮闘しつつあれども、脚気続出にて戦闘に支障を生じたり。第三軍の脚気は六月一日より八月三十一日の間に九千名に発症し、今日までの総計一万四千名に達す。戦闘における死傷者を除く病者は三万名の多きに達し、そのほぼ三分の一、九千名が脚気にて、歩行困難、失調、衝心等のため、いちじるしく戦闘能力を減弱す。第三軍総兵員数は四万余名なれば、これは由々しき事態なり。ところで脚気は海軍にては、明治初期高木軍医大監の栄養実験にて糧食を改め、洋食に生野菜を加へてから激減し、今やまれなる疾患なれば、最近、海軍大臣が総理大臣に陸軍にも海軍と同様なる糧食を与へるべしと進言したり。ところが小池陸軍医務局長は頑固なる米飯論者にて、開戦前東京偕行社にて演説をなし、日本人は米を食すれば充分なる栄養摂取するなり、戦国武士は握り飯にて闘いたりと説き、米食論を展開すといふ。実吉局長の言葉鋭く、陸軍医務局を弾劾する態度は堂々たり。第三軍の被害甚大なるは、敵防備の堅固なるのみならず、脚気にて運動鈍き兵士らが敵の砲火に曝される点にありとせば、小池局長の頑迷固陋死に値する罪悪なりと言ふ。

説諭を終えた実吉局長は、この話は軍医長の胸に畳んでおき、とくに陸軍側に知られぬように注意せよと言った。ともかく、おれはその後第三軍の死傷者が出たと報じられるたびに脚気を連想したものである。

十一月初旬、対馬を出た八雲は、旅順沖をゆっくり航行しながら、敵の残存艦隊への牽制任務についた。第三軍の攻撃はますます激しく、砲声が日夜轟き、夜は曳光弾、光弾、探照灯が交錯した。海から見ると敵味方入り乱れて、艦砲射撃をしようにも目標がはっきりしなかった。ただ、陸上の戦況は刻々に伝えられて、治療所内でも、看護手たちが遼東半島の地図をひろげ、すさまじい戦闘の推移を話していた。十一月末になって、二〇三高地の攻防戦がさかんに話題になった。高地を占領した知らせに喜ぶと、翌日は敵に奪還されたと告げられて失望する、その繰り返しで敵も味方も死屍累々の惨状であった。味方の砲撃、突撃、退却、また突撃、占領、敵の逆襲、奪還、撃退と、二〇三高地をめぐり、味方も特別決死隊を繰り出して屍の山を築けば敵も苦戦悪闘で応じて、この激戦は二〇三高地を人間の虐殺の地とした。十一月三十日、乃木大将の次男保典少尉もここで戦死した。第三軍もよく闘ったが、露軍もすごかった。乃木将軍の名前とともに敵のステッセル将軍の名前が畏敬の念をもって、みんなに語られるようになった。

十二月になって寒さがつのり、海は荒れた。重い波が甲板に凍結し、吐く息が白い。この厳寒のさなか、二〇三高地をめぐる熱い血の闘いが続けられていた。厖大な弾薬が消費されたが、敵はまだ撃ってくる。おどろくべき用意を蓄えていた要塞である。海戦は数時間で勝負が決し、続いても二、三日で終るが、陸戦は粘り強く、いつまでも続く。そして弾薬、兵員の消耗も果しなく続く。

十二月五日、朝霧が晴れた瞬間、第三軍の二十八センチ砲と海軍陸戦隊の重砲は旅順港内の敵艦と二〇三高地西南の諸砲台を砲撃し始めた。砲声が轟き白煙は空に吹き上り、この砲撃下に第三軍は一気呵成の突撃をおこない、午後になって、ついに二〇三高地を占領した。港内の敵艦への砲撃はますます強まり、七日にはほとんどの艦が沈没し、傾き、火災をおこし、敵旅順艦隊はほとんど殲滅された。ただ一戦闘艦セバストポリと数隻の駆逐艦は港外に逃れたが、わが水雷艇の攻撃で結局は沈没した。

まだ陸軍の戦闘は続いていたがすでに山場を越し、海軍のほうは戦果一段落し、わが八雲は横須賀鎮守府へと帰還した。十二月二十二日のことであった。旅順は雪であったが、こちらは雨で、暖い南国に帰った思いがした。その夜は八雲艦長松本大佐の凱旋の宴が港内の料亭であり、翌朝、三田豊岡町の自宅に戻った。あらかじめ電報など打たず突然帰宅したのには、出征以来一通の手紙もよこさぬサイが、どんな暮しをしているのか偵察したかったからである。

午前十時を回っているのに雨戸が閉っている。留守でない証拠にイビキが聞えた。節穴から覗いてみたが様子がつかめぬ。いやな予感が胸に迫り、乱暴に玄関を叩いた。子供の声がして平吉が顔を出し、ひっこんだ。寝巻の前を合せつつサイが現れて玄関の捩じ鍵をあけた。「何じゃ、まだ寝とるのか」とどやしつけた。サイはぶすっとして答えない。お帰りなさいとも言わない。おれは爆発した。「何時と思うちょる。だらしがない」

ずんずんと奥に入る。トシが目を覚まして母を呼んでいる。雨戸をあけた。寝床には、予感した男の姿はなかった。それですこし機嫌を直し、トシを抱いた。生れたのは出征のひと月前、一年見ぬ間に大きくなった。父親を弁ぜず、泣き始めた。おとうさんだと言っても身をのけぞらせて泣いている。仕方なしにサイの懐に渡した。

「突然でしたわね」とサイが言った。おや、東京弁に変っている。

「旅順艦隊を撃滅して一段落、それで艦の修理に帰国した」

「ちょっと知らせて下さればいいのに」

「激戦につぐ激戦じゃ。そんな暇はない。フン、随分と寝坊しちょるのう」おれは蒲団を片付けている妻を見た。膨れ上ったように肥えてしまった。乱れ髪の下は醜い顔だ。これでは性欲を触発しない。がっかりである。こんなことなら昨日の宴会のあと芸者を抱けばよかった。室内の乱雑、子供の着物の汚さ、目にあまる。あまりひどいので文句も引っ込んだ。

軍服を、サイが出した皺だらけの黴臭い着物に着替え、ともかくも妻子との遅い朝食となった。トシは父を怖がって母の後ろにかくれ、平吉はにこりともせず黙っている。「戦争はどうでした」とサイが聞く。旅順戦の実相など到底一言では言えない。「すごいもんじゃ」と話し始めても、一言一言が嘘になる。で、おれも沈黙を決めこんだ。陰気な食事になった。食事を終えてから、土産に提げてきた長崎のカステラ包を思い出し、卓袱台に放り出した。

軍服を着て、ひとり外に出るとほっとした。一年ぶりの東京は目ざましい変化である。馬車鉄道が、すっかり電車に替ってしまった。前には品川から上野までしか通じていなかったのが、今では浅草や本郷まで開通していて便利である。宮城二重橋を拝して銀座へ来ると、軍医学校時代に散歩した日比谷の原が、公園となって樹木が植えられ、噴水、花壇、池、音楽堂などを備えている。実は去年完成したのだそうだが、知らなかった。上野の精養軒で食事をし、一食七十五銭もして高かったが、かつて牛乳配達夫として苦学した本郷台地やニコライ西教会を望み、懐旧の情切なるものがあった。「日露戦パノラマ」なるものが展示してある。高さ三メートル幅十メートルの大画面に、旅順口の敵艦沈没の様子を描いてあるが、想像でものしたものらしく、艦の構造形態がいい加減で見るに耐えぬ。しかし、おれが海軍士官と見て、一人の老人が、「おめでとう。海軍は大捷利ですな」と言うと、数人の男女が寄ってきて、「万歳です」「これで露助も思い知ったでしょう」「ほんとうに」と口々に祝辞を述べた。

どうも陸軍より、海軍のほうが人気があるようで、十二月三十日、聯合艦隊司令長官東郷大将、第二艦隊司令長官上村中将が汽車で新橋停車場に着いたときの、人々の熱狂振りは尋常ではなかった。おれは停車場前の大群衆に混って見ていたが、両長官の姿が現れるや、万歳の声が湧きおこり、馬車が動き始めるといくつもの楽隊が音楽を奏し、それに群衆の歓声が重なって、いやもう大変な騒ぎであった。もっとも、背の低いおれには、残念ながら両長官の晴れ姿はまるで見えなかったが。東郷大将と十センチの至近距離で坐り、上村中将を第二艦隊司令長官として何回も仰ぎ見たおれには、両長官の様子など見ずとも鮮明に想像できた。そして長官の部下であるおれ自身を誇らしく思った。

明治三十八年の元旦を、わが八雲で迎えた。大晦日の夜より嵐となり、大波を受けて艦内は停電、物品倒壊などで混乱したため、午前中はその後片付けに追われた。

正午、士官室にて天皇皇后両陛下、皇太子殿下のため万歳を三唱したのち食卓に付いた。話題は旅順の戦況に集中した。宴が果て、今度は治療所にて、軍医、看護手などと新年の宴を張った。午後九時過ぎ、旅順港露軍守将ステッセル中将が第三軍司令官乃木大将に降服を申し出たという電報が入り、一同総立ちで祝杯をあげた。

## 19

風がどっと窓を叩いた。雪が吹き込み、粉雪となって床に降り積っている。吹雪になったらしい。凍り付いた窓を抉じ開けてみると、はたして白煙の渦で何も見えぬ。軒の氷柱が吹きちぎられ、空には冷え冷えとした風声が充ちている。

ノックがあって、学生が入ってきた。

「時田先生、朝食を持ってきましたよ」と、アルミ盆を床頭台に置こうとした。利平は起きあがり、日記帳の山を片寄せた。

「きょうは寒いんで半分ぐらいしか食堂に来ない。あとで看護人が配ってくれるんでしょうが、冷たくなっちまいますからね」

「ありがとう。で、あんたの分は」

「食べました。こんな水物、二分間で飲んじゃいます」

「じゃ、これもあんたにやろう」

「先生、どこかお悪いんですか」

「いや、寒気に胃がかじかんでいるだけじゃ。年じゃ。そうそう、これも食いなさい」引出しの奥から乾燥バナナを二本出して、学生の手に握らせた。

「では」学生は黙礼して、味噌汁と粥を混ぜ、うまそうに啜った。二分間で全部終った。乾燥バナナを、これは滋養分を嚙み締めるように舌なめずりで食べた。最後の一かけらを、得難い珍味のように押しいただき、食べた。利平は、折に触れて、夏江の差し入れ品の一部を学生に分け与えてきた。この青年に何となく憐憫の情を催すからだった。

「先生は、そろそろ退院でしょう」

「きょうは何日だったかな」

「二月二日です」

「医者は二箇月ぐらいの入院を要すということじゃったから、そろそろか」

「先生は、栄養もついて、すっかりお元気になりましたね」

「密食のおかげじゃ。みんなには悪いが」

「お嬢さんの熱心のせいですね。ほとんど毎日来られる。でも、先生が退院なさると、さびしくなります」

「あんたに食糧を補給してやれんでのう」

「いや、そういう意味でなく、正常な人と話ができなくなるからです」

「おれは正常か」

「正常ですとも。この病棟じゃ、医者や看護人より、先生のほうが正常です。あいつら、患者を治療もせず、空襲と飢餓のこんな地獄に幽閉するだけ。あの神経は異常ですよ」

「あいつらも職務上、一所懸命やっちょるんじゃろうがのう。しかし、おれも時々妙な気になるが、狂っている患者のほうが正常で、あいつらのほうは異常じゃと……」

「それは神主の意見ですが、ぼくはそこまでは……あっ」学生は急に何かを思い出したらしく、椅子(いす)を蹴立(けた)てて出て行った。しばらくして、飛んで戻って来た。

「大変です。神主が死んでいます」

「なあ、にい」と利平はベッドから降り、ズボンをはきセーターを着た。「あんた外に出てろ。おれは用便をする」溜(たま)っていた小便を出す。それから力んで固い大便を出す。面倒なりと指で塊をほじくり出す。手を洗う。軽い体操をしながらゆっくりと廊下に出る。

「先生、急いでください」と学生が言った。

「急いだって、もう死んでおるんじゃろう」

「と思うんですが、自信はないんです」

「看護人に知らせたか」

「大声で呼んでみましたが返事がありません。出払ってるようです」

神主は仰向いて目を閉じていた。息はない。手首は冷たく、脈は無い。下肢(かし)は曲らず、すでに硬直がきている。

「死んでる」

「……さっき食事を持ってきてやったとき、眠ってるのかと思って、ほっといたんですが、あんまり静かすぎて様子がおかしい気もして、たしかめに飛んで来てみたら……」

「死人は顔を見りゃ、一目でわかるわ」

「ですが、ここじゃ、みんな死人みたいな顔をしてますからね」

「それもそうじゃ」

「どうしましょう」

「看護人が来るまでほっとけ。この寒さじゃ腐りゃせん」

「神主だけは死なないと思っていました」学生は、自室に戻る利平に言った。

「凍死じゃ。栄養失調に衰弱に脚気に心不全。沢山の不都合の合併じゃ。しかし本当の死因は自殺じゃ」

「自分の意志で死んだ？　まさか」

「単簡明瞭。いいかな、彼は真っ直に体を伸ばし、目を瞑っていた。浴衣の藁縄もきちんと中央で蝶結びしてあった。しかも毛布を臍から下にしか掛けておらん。覚悟の上の凍死じゃ」

「ははあ、逆に、最初見たとき、毛布を掛けてないから、目を覚ましてるんだと、ぼく、思ったんです」

「よく人間が死ぬ。おれが来てからざっと二箇月の間に、糸屑男、天才、虫取り名人、神主と四人も死んだ」

「もっと死んでます。十二月が五人、一月が三人、計八人」学生は指を折った。

「そうだったかな……三十人中八人か。入院患者の四分の一、異常じゃな。旅順攻略の第三軍のごときか」

「先生、随分古い日記をお持ちですね。明治三十七年……日露戦争の年ですね」

「おれは海軍軍医として闘った。ちかごろ、古い記憶を呼び起すために読み返している。あんたは戦争は人殺しだと言ったな。たしかにその通りじゃ。そうじゃとして、日露戦争をどう思うかな」

「あの戦争は無理からぬ理由がありますね。ロシアは満洲を清国から強奪して植民地化していた。そして虎視眈々と朝鮮をねらっていた。そのロシアを日本が追い出した、までは正当な――あえて正義とは言いませんよ――理由でした。しかし、図に乗った日本が韓国の主権を犯し、やがて併合への道を歩む切掛けになった点は汚点でしょう」

「汚点じゃと」利平はむっとした。「それはあの戦争に命を捧げた将士に対して無礼であろう。みんな御国のために身を捨てて闘った。おれだって何の疑いもなく、御国のために一心に働いた」

「御国のために尽す行為を汚点だなどと言ってません。ぼくが言うのは、戦争は綺麗事ではすまないということです。戦争は理由があって起こる出来事ですが、結果は理由を越えて拡大する、その部分に汚点が生じる。日露戦争中は、日本軍を解放軍のように思って歓迎した清国人が、戦後争って渡満した、欲得尽の日本人には、背を向けたという事実があるんです」

「そんなことは知らん。おれは命令によって御国のために全力を尽して闘った、その心は正しいと思うが」

「ですからその点は認めます。真っ正直に国のためを思い戦争に従事する人々の心と行為とは尊いと思うのです。ぼくみたいに、徴兵逃れで精神病院に逃げ込んでいる人間は卑怯者です。ただし、卑怯者が正しい場合もある……」

「ワカラン」と利平は怒声をあげ、学生は首をすくめた。利平は学生を睨みつけ、学生は目を伏せた。しかし、その瞬間、利平の脳裏にありありと映じてきたのは、金州野戦病院の若者たちの血まみれの肉体であり、黄海海戦における悲惨な死傷者であり、そして露軍の腐乱した死屍累々であった。戦争とわずか二文字で言表してしまう現象の裏に、かならず人間の暖い、生々しい、苦痛に充ちた、血まみれの夥しい肉体がある。戦争は正しく尊いことかも知れぬが、かならず若者たちの犠牲をともない、彼らの死傷は強烈に鮮烈に存在せざるをえない……ふと気がつくと学生は姿を消していた。また風が出て、雪が吹き込んできた。

**二月十一日土曜　紀元節**

午前九時四十五分、航海中釧路沖にて遥拝式を施行せらる。正午、士官室において立食祝盃をあぐ。

本日は朝より晴天なれども寒冷著しく、華氏零下一度すなはち摂氏零下十八度に達す。釧路沖より千島列島国後島白糠湾に至るまで、尺余の厚き氷塊長きは十数キロメートルに渡りて流出し、氷上に海獣群をなして棲息するを見る。艦の速力は減じられ、氷塊は艦底の塗装を剝離して血のごとく着色しては水上に四散す。午後二時半白糠湾に投錨、北辺の警戒任務につきをりし軍艦浅間と交代す。陸上には民屋二家ありて冬期は逓信省の通信事務をなす。陸上海上白皚々、酷烈なる寒気に閉ざさる。さいはひ湾内冬期の西風は陸上より来るをもつて浪静かにして投錨には適す。空中の水気氷結して宝石のごとく舞ふ。凍傷の来診多し。被服は防寒用として毛織手袋、毛織長靴下、厚底紺足袋、毛織襟巻、フランネル袴下、半長靴、外套を増給せしめたるも、この寒気にては及ばざる感あり。

**二月十二日日曜**

今朝浅間は函館に向ひ出港す。昨夜来寒冷著しく、舷側（げんそく）の海水凍結を見る。湾内一面の氷塊さらに白し。月次身体検査を行ふ。

本日午後、採水のために上陸す。湾の前面は南にして、東方は低山、西方は茶々岳（ちやちやだけ）（スリバチを伏せ、その上に小スリバチを伏せ乗せたる奇怪なる山にして高さ六千十二尺なり）、北方は平坦（へいたん）なる原野にして、東西両側の山に大なる樹木密生、猛獣の棲息せるといふ。民屋は昨日望見せし二家のみなり。

## 二月十七日金曜

本日択捉島（えとろふたう）と国後島間の水道において、流氷のため自由を得ず、大小の氷塊風浪の力にて艦の周囲を圧迫し来（きた）りて、その音ミリミリと無気味なり。つひに氷中に閉ぢこめらる。

昨日電信によれば露都にはふたたび三万人のストライキ起る。バルチック艦隊の司令長官ロジエストウエンスキー中将は、マダガスカルに碇泊（ていはく）中なれど、石炭を要求するに仏官憲より拒否されて出動不能なり。彼らはいつ出現するか、いつ我と相戦ふか。すでにわが聯合艦隊は諸艦の入渠（にふきよ）修理を終り、敵をむかふる準備万端整ひたれば、いつでも好敵ござんなれ。

午後漸次（ぜんじ）氷塊周囲より流入して、厚きは六尺以上、薄きは二尺、密に艦を包みて進行不能。総缶（そうかん）（十二缶）に点火して全力にて氷を砕破進行を試みしに、やうやく徐行するをえたるも、択捉島南側において流氷群に捕まり、吹雪激しく四周暗黒咫尺（しせき）を弁ぜず、艦の位置不明、船体前部に氷の傷痕（しやうこん）裂傷ありてパイプ孔より漏水、氷の圧力強まり外板陥凹（かんあふ）するを丸太の支柱にて支へたるも、氷圧のため反跳し思ふにまかせず、厚氷のためスクリュー破損し、かつ電信は荒海にて破壊されて通ぜず、激浪と氷塊の轟音に各自万一の不幸を慮り覚悟せり。

わが八雲の危機であった。戦中度重なる海戦においてもさほどの損害を受けざりし船が、北の洋上で遭難寸前の状態に追い詰められたのだ。敵よりも自然の方が数倍数十倍の脅威であった。

夜中、吹雪は続き、艦の動揺がものすごいうえに、補強作業強行にて水兵の負傷凍傷多く、治療所は徹夜の繁劇であった。翌日も雪と風は治まらず、依然位置不明のまま艦は漂流し、岩礁氷山への衝突を予期して各自沈痛の面持ちであった。そして午後、ようやく雪やみ、太陽が雲の中に発見された。厚岸湾が目の前で、スクリューをゆっくり回して艦は湾内に入った。

三月になって流氷群は少なくなり航行は自由となった。函館で応急修理した八雲は、快走しつつ道東の海を警戒して回った。と、三月十一日、襟裳岬沖を通過中、電信が奉天占領の捷報を伝えた。敵の死傷者十二万人、捕虜五万人と、あとで聞いたところでは誇大なニュースであったが、陸の大捷利は乗組員に歓声をあげさせた。士官室にて蓄音機を開き、軍歌を聴きつつ祝盃をあげるうち続報が入り、わが満洲軍は連日の戦闘で敵を撃破し、敵は大敗北で退却、わが軍は全線にわたって追撃中で、敵の死傷者多数、捕虜多数、戦利品無数なりと。

ふたたび祝盃をあげ、今度は岩崎氏寄贈の幻燈を士官室で映し、旅順戦の写真を見て激戦と戦果とを思い出した。

数日後、八雲は横須賀に帰った。朝九時過ぎ、東京の自宅に戻ると、サイはまたもや寝坊しており、反省の色が無い。しかも、俸給のみにしては物価高の東京で生活は苦しいと愚痴るので、おれはただちに爆発、驚いて泣く子供たちを後目に家を飛び出してしまった。家庭はもはや温き憩いの場ではない、と思う。ところで、横須賀の船渠は満杯のため、八雲は呉に回航となり、家族とはていよく別れることができた。

三月二十二日呉に入港したが、上陸前に、兵の陰部検査を行なうべしとの命令があり、おれは兵の陰茎と陰嚢をつぎつぎに視診、触診する羽目になった。数百人の陰部をあんなに集中して診たのは後にも先にもあの時だけであった。これは呉軍港において花柳病の蔓延もっとも大にて〝艶名〟高きをもって、各艦に兵の節制をすすめる命令があったためであった。また、上陸員には各自ルーデサック二枚を給してその使用を厳命したのである。

春となった。四月三日の神武天皇祭は、工廠に勤める二万五千の職工が呉の町内にどっと繰り出し、花見と飲食をするありさま、なかなかのもので、戦時とは思えぬ平和な情景であった。

四月中旬、朝鮮南端鎮海湾の根拠地に入る。聯合艦隊の艦船は続々と集結しつつあり、所々で艦砲射撃訓練や水雷発射訓練をおこない、射撃のときは東郷司令長官が手弁当で来艦してその成果を視察していた。わが八雲にも長官が来て、標的への命中率を評点していた。

時には全艦隊が外洋に出て、艦隊運動（一斉回頭や逐次回頭など）、敵艦との対抗運動（敵との同航戦または反航戦）の演習をなし、荒海にて駆逐艦の水雷投下訓練を艦上から見学した。ともかく敵バルチック艦隊との海戦のため全艦隊が一丸となって武備に励んでいた。

　ところで軍医は暇なものだから、おれは軍艦磐手の嘱託歯科医について診療技術を習得していた。艦隊中の患者が集まるため、けっこうの繁忙で、おれの手伝いを歯科医も喜んでくれたし、おれの手先の器用さを賞嘆してもくれた。四月中旬から五月中旬、ひと月ほどの勉強で、ひとわたり歯科技術を覚えてしまった。残念ながら八雲には歯科治療設備がないので、日本海海戦のあとも、おれは時々磐手へ行っては実地を学んだ。そうしてこの年の十二月、八雲を退艦して地上勤務に移ったときには、歯科医を開業できるほどの腕前にはなっていたのである。

**五月二十一日日曜**

午後三時、磐手、常磐、浅間、水雷母艦および水雷艇二隻出港す。けだし露のウラジオストクの水雷艇隠岐国近海に出現せりとの報ありたるためなり。

**五月二十二日月曜**

昨日、出撃せる磐手以下午後帰港す。ウラジオストクの敵出現は誤報なりといふ。

**五月二十三日火曜**

本日午前仮装巡洋艦佐渡丸よりバルチック第二艦隊済州島沖九十海里の地点に見ゆとの急

報電信号あり。よつて全艦隊出港するや、午前十一時頃にいたり、前電は誤りにて、佐渡丸の見しはわが第三戦隊千歳らなりしといふ。敵艦見ゆとの報に接し、全艦隊の士気すこぶる上り、総缶の噴気濛々として海を圧す。八雲の乗組員らの、まつさらの戦闘服に着替へるさま、笑顔高声機敏にて、神経のたかぶり快き限りなりしも、誤報とわかりて失笑、漸次鎮静す。全艦隊航行する機会をとらへて艦隊運動をなしたり。各艦隊整然として一斉回頭および逐次回頭見事なり。

鎮海湾入口の加徳水道に錨泊。午後五時より御用船彦山丸より石炭搭載。彦山丸事務長に託して、貯金全額をはたいて歯科治療器具一式（ただし椅子をのぞく）を東京に発注す。


敵バルチック艦隊がマダガスカル島を出航して東に向ったという報知が入ったのは五月初旬である。仏領印度支那のカムラン湾を出たと知ったのが中旬で、五月下旬には日本海か太平洋か、とにかく日本近海に現れるだろうと予想され、多数の哨船が任務についていた。わが八雲を含めて聯合艦隊が鎮海湾から加徳水道に隠れて待機していたからには、東郷司令長官は敵が日本海に来るものと予測していると、われら将士にも了解された。五月二十一日から二十三日の時点で、一同は一触即発の、極度の緊張状態にて敵を待っていた。

五月二十四日、晴、摂氏二十一度。何事もなし。加徳水道に錨泊。

五月二十五日、晴、摂氏二十度。午後、病院船西京丸より不足薬品を搬入。

五月二十六日、午前雨、午後晴、摂氏十九度。敵艦隊の情報なし。

五月二十七日土曜

午前五時、喇叭(らっぱ)の警音にて総員起しとなつた直後、敵艦見ゆとの警電伝へらる。敵太平洋第二第三艦隊は済州島の南九十海里より対馬東水道へ向ふと哨船信濃(しなの)丸より信号ありたり、ただちに各員用意の急令下れり。

午前七時、全艦加徳水道根拠地を出発す。わが八雲は第二戦隊の四番艦にして、上村第二艦隊司令長官座乗の旗艦出雲、吾妻、常磐に続き、後続の磐手には島村第二戦隊司令官の将旗を掲(かか)ぐ。第二戦隊の前には東郷聯合艦隊司令長官座乗の三笠、敷島、富士、朝日、春日、日進が先導す。朝靄(あさもや)のなか、波浪を蹴(け)立てて進む有様、夢の如(ごと)くに煙(けぶ)りたり。八月十日の黄海海戦は微風晴朗なりしに、今日は強風雲霧にて全き様変りなり。針路南東、風南西、温度摂氏二十度。横波を受け動揺激しく、中甲板の六インチ諸砲波に接せんばかりなり。

余は前後治療所の準備万端を整へたり。所内の壁、机、手術台を石炭酸にて消毒し、看護手に命じて煮沸水の製造に着手、例の十個の四斗樽(だる)につぎつぎに清浄水を溜(た)めしむ。これを治療所に二つ備へつくるとともに艦内要所に配し、負傷の場合の創面洗滌(せんでう)用、飲料に供する旨(むね)通知し、激戦倥偬(こうそう)の間(かん)にありても、これより丸三日はこの水にて安心なる旨(むね)徹底せり。ただし、四斗樽を戦闘の邪魔にならぬ位置に配置し、艦の動揺にて倒れざらんやう固定するに苦心ありき。艦内巡回せるに、砲台の弾薬、防火防水要具、釣床(ハンモック)の防弾壁など整ひ、各自消毒せる戦闘服を着て真剣に待機するさま、緊張のなかにも余裕あり。

午前十時半、早き昼食となる。戦闘は正午頃ならん。食後艦長松本大佐の訓諭あり、この一戦、皇国の運命を決するところなり、陸の奉天会戦に続き、海の日本海海戦の捷利にて、日露戦の決着をつけけんかなと。

正午沖ノ島の北方約十五海里の洋上にあれどなほ敵影を認めず、全艦隊は西方へ向ひ、逆浪舳を越えて上甲板に溢れ、繁吹きは十メートル高の艦橋にまで達せんとす。

午後一時四十分、敵艦見ゆとのざわめきあり。余急ぎ上甲板に出で見るに、南方に靄の幕を突き破つて大艦隊が出現す。近辺の若き士官ら、艦名を口ずさみをれど、余は一々を弁ぜず。戦艦、巡洋艦、駆逐艦等三十余隻を数へ、その威容、旅順艦隊の比にあらず、余の武者震ひは止らざりき。

鮫島中軍医に前部治療所をまかせ、余は後部治療所に待機す。ここは汽缶室に近く、その震動ぢかに伝はり、全速力の艦の熱量を感ず。艦は小さく右舷回頭後、大きく左舷回頭す。やがて砲撃開始す。午後二時半なり。彼我の砲声は相混じり、艦体震へ物凄き轟音に包まる。余は海戦を実見したくてうずうずしをれども任務遂行のため治療所に詰めをるうち、激震ありて敵弾の命中するもの、一つ、二つ、三つを数へたるとき、運搬夫負傷者を運び来る。T三等兵曹にて頭蓋潰滅し、すでに死しをれり。I一等機関兵は胸部貫通砲創にて出血甚しく、手術台に横たへ衣服を切り開く間に絶命す。被弾さらに増えて負傷者の搬入繁し。水兵、機関兵、木工、主厨ら九名に達し、余のメスと針との活動慌ただし。されど運搬夫の初動止血適切なると消毒戦闘服着用のため、無腐的治療には自信をもて、陸上野戦病院の悲惨と無力とを思へば、ほぼ満足せる手術を行なひ得たり。砲声一段落したると治療の終了せしはほぼ同時にて、午後三時過ぎなり。

上甲板に出でしに、敵艦の大火災を起したるを多く見る。赤き炎は黒煙を吹きあげ、海上に流れてゐる。炎上甚しきは断末魔の様相にて戦列を離れて倒れ伏さんとせり。と、一艦は艦尾を高くあげてするすると沈没せり。煙筒三つを確かめうれば戦艦オスラービアにてありけり。敵艦は算を乱して遁走しつつあり、わが第二戦隊は旗艦出雲のほか、先に特別任務につきし浅間を加へ、装甲巡洋艦六隻すべて健在にて正確な隊列を組めり。されど敵艦隊は煙霧を利していづこかへ消え去りたり。このとき初めて余は、K四等水兵が行方不明となりし顚末を聞きぬ。K四等水兵は、中甲板六インチ砲の砲門扉鏈の切断されたるを修理せんとて舷外宙釣りにてありしに、命綱切れて海中に流さるるといふ。

午後四時、遠方に砲声を聞く。第一戦隊が敵主力と再会したるなり。わが第二戦隊も急行し、ここに第二次の戦闘開始せられたり。敵はもはや応戦の気力を失ひ、戦列は乱れて、ひたすらに逃走せんとするに、わが砲門は容赦なく開かれて、いささかも衰へずあり、敵艦をつぎつぎに撃沈す。これに反して敵弾のわれに命中するものほとんどなく、負傷者も出でず、この第二次の戦闘は、瀕死の敵への止めの一撃と言ふべきか、戦闘といふより標的艦の実射演習の如きなりき。火災、黒煙、傾斜、沈没、型通りに進行するは、敵にとりて悲惨の極なれど、われにおきては、まるで非現実の美しきパノラマの如し。夕暮れとなりて、敵の紅焔(こうえん)ますます盛大にて、わが砲火赤き舌の如く敵を遠く舐(な)めるなり。夜となりて砲門閉ぢられ、駆逐艦水雷艇の夜間攻撃に移りたり。

聯合艦隊主力は、残敵のウラジオストク方面に潰走するを制せんと、鬱陵島(うつりょうとう)へ向けて北航す。負傷者の容体良好にて一安心なり。

**五月二十八日日曜　皇后陛下御誕辰(たんしん)記念日**

黎明(れいめい)、鬱陵島南方二十海里にあり。前夜の襲撃を果したる駆逐艦水雷艇、順次集結しつつあり。

本日天気晴朗にて昨日の雲霧はさつぱり拭(ぬぐ)はれ、眺望開豁(ちょうぼうかいかつ)、波穏かにして水線は切られたる如く一直線なり。ただし気温は摂氏十三度にて肌(はだ)涼し（正午においても十六度なり）。

午前五時、第五戦隊が敵艦を発見すと通報あり。よつてわが第二戦隊は、西方に急航し、五時半右舷前方に敵艦隊を見る。戦艦二（ニコライ一世、アリヨール）、巡洋艦一（イズムルード）、装甲海防艦二（アプラクシン、セニヤーウイン）なり。やがて第一戦隊来り、わが主力は北方より敵の頭を抑へ、第五、第六戦隊は南方より敵の退路を断ち、午前十時半一斉(いっせい)射撃を加へるに、敵はつひに応戦せず、万国船舶信号にて「われ降伏す」と示せり。砲撃を中止したところ、敵巡洋艦一隻東方に脱出す。敵にも勇者ありけり。

敵司令官ネボガトフ少将、三笠に来り、くだんの司令長官公室にてわが東郷大将と会見し、降伏条件を取り決む。

午後三時、敵装甲海防艦アドミラル・ウシヤーコフが水平線上に現れ、わが大艦隊を認めて周章逃走せんとす。磐手と八雲はこれを追尾す。双方全速力にて競走するに、差は徐々に縮まりて、午後五時、一万メートルに近付きぬ。上村司令長官は砲撃開始前、万国船舶信号にて「汝の指揮官は降伏す」と示すも、敵は応ぜず、進んで砲火を開く。砲戦三十分、われが一弾も受けぬに敵は火災を起し、砲火は衰へ、五時五十分、艦も停止す。七時、傾斜し、わづか一、二分で沈没す。艦橋には艦長と士官が立ち、自若として海中に没するさま逐一目撃しえたり。艦長がミクルフ大佐なりとは、後刻捕虜の言にて知れり。余はこの痛ましくも勇ましき光景を一生忘れざらん。

上村司令長官の命令にて、わが方は端艇数隻を降ろして敵兵の救助にあたりたり。一同敵兵の善戦と最期とに感激しあり、全力をつくして溺兵を救ひ艦上にあげたり。わが八雲は半数を引き受け数ふるに百四十名（うち士官八名）なり。なほ海中に敵兵の助けを呼ぶあれど闇夜となりて探索不能、空しく去る。

余は徹夜にて捕虜の治療に専念す。士官の一人英語を解するをもつて、通訳に当らしめ負傷者の姓名年齢を知る。一驚せるは彼らの砲創の激烈なることにて、大小の弾片が十数個陥入し、あたかも機関銃による蜂巣銃創の如し。これは下瀬火薬特有の強力な炸裂により砲弾幾百の小片となりて飛ぶためにて、敵弾によるわが兵の砲創には見られぬ現象なり。露兵の身体構造、日本人と全く同一にて、同じ人間なるを知る。彼らも余をドクトルと呼びて慕ひたり。一士官は余に礼なりとて金製の懐中時計を進呈す。海中にありしに動きをれり。戦利品として提出、後刻受領せんとす。

八雲は残敵を捜索しつつ佐世保に向った。しかし沖ノ島付近に差し掛ったときから濃霧に包まれ、航行がままならない。もし海戦時にこのような濃霧であったならば、あのような劇的な戦果はあげられなかったろう。天はわれに味方したのである。まる二日間、五里霧中の有様で徐行し、六月一日朝になって霧が晴れ、ようやく陸地を認めて、午前十一時に佐世保軍港に入港した。すぐさま捕獲艦三隻が目についた。戦艦ニコライ一世、装甲海防艦アプラクシンとセニャーウィンである。いずれもわが軍の受領委員が回航させてきたものだ。戦艦アリョールは破損がひどくて他の三艦と同航できず途中より舞鶴に向ったという。

乗せてきた捕虜は海兵団に引き渡し、傷病捕虜は佐世保海軍病院に送った。海軍病院は捕虜の病者負傷者で満員とのことで、八雲乗組員の負傷者は病院船神戸丸に移した。ともかくおれは引き継ぎの事務でテンテコマイであったが、仕事が片付くと、これで何もかも終ったと思った。開戦以来一年数箇月、敵艦隊撃滅のみを願っていた緊張がほぐれ、軍医長室のベッドに仰向けに倒れ、おもむろに公報に目を通した。

五月二十七日午後より翌二十八日にわたり、沖ノ島付近より鬱陵島付近までの海戦を「日本海の海戦」と呼称する。

敵戦艦の撃沈六、捕獲二、巡洋艦の撃沈五、……総撃沈十七、総捕獲五。俘虜(ふりょ)は中将ロジェストウェンスキー、少将ネボガトフ以下三千余名。

続報によれば、戦艦八、装甲巡洋艦三、装甲海防艦三はすべて撃沈または捕獲、二等巡洋艦以下も大部分撃滅で、敵艦隊は全滅とある。この時点では戦果に不確定要素があって、のちに出た「確定詳報」で、二等巡洋艦一駆逐艦二がウラジオストクに逃入したのみで、他は撃沈、捕獲、逃走後破壊または沈没、逃走後抑留または武装解除ということで、全滅と言って過言ではなかった。しかもわが方の喪失は小水雷艇三隻のみである。

「全滅か」とおれは溜息をついた。この海戦に参加した自分でも信じられない完全捷利である。もっと信じられないのは、自分がこの海戦に参加したという事実である。敵の損害は甚大である。戦死者は五千名。わが方の戦死者は百十七名、負傷者五百七十六名に過ぎない。そして八雲では戦死者三名、負傷者九名で、黄海海戦の戦死者十二名、負傷者十名よりもすくない。あれだけの大敵とあれだけの激戦をしたあとで、この事実は狐につままれたように思えた。

おれは勝因など面倒な問題を考えるのをやめて外出した。六月一日の衣替えで白上衣黒袴の夏装で颯爽と町に出た。「祝大勝利」「祝日本海戦之捷利」という垂れ幕が商店を飾り、日の丸提灯がさげられてお祭り気分だ。例によって斬髪店に行くと、親爺が飛びあがって喜び、おれの髪をすますや臨時休業にして、一升瓶を持ち出し、ぜひ「日本海大海戦」の話をしてくれとせがむ。親爺は五十年輩、一緒に鋏をにぎる女房は四十五、六か。近所の連中がどう聞き付けたのか集ってきた。具合よく魚屋がいて刺身大盛りを作ってきた。おれは口下手だが酔いも手伝って話に熱が入り、敵戦艦の撃沈など間近で逐一観察したような描写をし、ウシャーコフ沈没の際のミクルフ艦長の死の場面では艦長の落ち着きはらった表情まで真似をして見せた。これが、わが「日本海大海戦講談」の皮切りである。その後、同じ話を何度もし、二度目の妻菊江を見初めたのも、まさしくミクルフ艦長の場面を話しているときであった。艦に戻ると、例の金時計が個人戦利品として受領許可となっていた。おれは軍医長室の戸棚上にそれを飾った。そして、その思い出の品は、去年、幼年学校の合格祝として悠太に贈ったのである。

　七月上旬より陸軍第十三師団が樺太に上陸作戦を開始した。わが八雲は運送船の護衛に当り、ついで露軍を追って樺太沿岸を北上して行った。七月末に全樺太の占領を終えたあとも、コルサコフ港にあり、九月五日の日露講和条約の調印後、ようやく十月二十日に内地に帰還命令が下った。観音崎を通過する頃より大小の艦船が続々と集り来るのが見え、横浜六海里沖には、すでに既定の序列に従って聯合艦隊が整列を始めていた。八雲は第一列の七番艦であった。三笠の姿が見えなかった。九月十一日午前零時二十分、佐世保軍港に碇泊中火災を起し、ついで弾薬に引火し、爆発沈没せりという電信を伝えられたのはコルサコフ沖を警戒中のことであったが、誤報であろうと誰も信じなかった。しかしその後、悲報は事実であり、死亡者は三百余名、負傷者は士官以上五名、兵卒五百二十九名に達し、この数は日本海海戦における聯合艦隊全体の戦死者百十七名、負傷者士官以上三十三名、兵卒五百四十三名に匹敵すると知らされた。兵卒の数が多いのは水面下にいた者が被害をこうむった証拠で、爆発が瞬時におこったことを示している。原因は不明だという。何という大事故であろうか。完全捷利の象徴である三笠の沈没には薄気味悪い思いがした。殺された五千名の露兵の怨念が復讐したとも考えられた。鮫島大軍医（八月六日付で中軍医より進級）の説によれば、日本海海戦で最も大きな被害を受けたのは旗艦三笠で、艦のどこかの機能が狂ったための事故ならんという。

午前九時英国ノーエル大将の率いる軍艦六隻と米国の軍艦一隻が横浜に入港してきて、旗艦敷島の東郷大将にむけて祝砲を発し、敷島よりも答砲を返した。日英同盟の国と講和締結に尽力した国に対するわが将士の友好の念は厚く、八雲艦上からも英米艦に対して乗組員が手を振った。（今、その英米両国を鬼畜とみなして戦争をおこなっている、何という時代の風潮の差であろう。）

十月二十三日、月曜日、晴、気温摂氏十七度。いよいよ凱旋観艦式の日となった。

前日より、八雲は満艦飾をほどこし、五彩の旗幟が風に翩翻としていた。ほかの艦も英艦米艦も飾り立てている。八時より登舷礼式のための整列が始まった。おれは士官たちと上甲板に整列した。明治二十八年日清の役凱旋のとき済生学舎生徒として宮城前で大元帥陛下の龍顔を拝してより、今回が二度目の機会である。おれは緊張して汗ばみ、風に心地よく冷されていた。

九時三十五分、ファンファーレの奏楽が遠く聞こえ、いよいよ陛下が西波止場より御召艇初風に移られたと知る。皇礼砲が一斉に放たれた。二十一発である。各艦遅速あり数百発の轟音が重なって波間を勇ましく打つ。

午前十時過ぎ、陛下は軍艦浅間に御転乗になり、檣頭に天皇旗が掲げられた。参列艦艇全六列で、第一列には敷島、富士、朝日の各戦艦、出雲、常磐、磐手、八雲、春日、日進の各装甲巡洋艦、厳島(いつくしま)以下の各海防艦が並び、第二列は巡洋艦、第三列第四列は砲艦、駆逐艦、第五列第六列は水雷艇と並び、列外には御用船、病院船あり、その総数百七十隻である。さらに英国艦六隻、米国艦一隻が加わっている。大艦隊である。（おれはこの時の大艦隊を思うたびに、三笠を嚮導(きょうどう)艦とした日本海海戦を連想するのが常で、この観艦式にも三笠がいたように記憶していたが、間違いであった。）

　御召艦が八雲前を通ったのは十一時前後であった。先導艦に続いて浅間が粛々として現れる。上甲板玉座に海軍大元帥の御略装を召された陛下の姿が拝される。双眼鏡を取られ、東郷司令長官の奏上――艦の歴史、戦闘状況――に一々頷(うなず)かれる。奏上が行なわれるために浅間は最徐行である。したがって、おれは陛下の龍顔をはっきりと拝することができた。皇太子殿下も海軍軍服で東郷提督幕僚の御資格にて立っておられたはずだし、大勢の幕僚や外国公使館付武官もいたと思うのだが、おれは全く記憶していない。おれはひたすら陛下と東郷大将のみに注目していたのだ。

　正午、御親閲終り、御召艦が第一列西方に投錨(とうびょう)するや、全艦艇から万歳の三唱が湧(わ)き起った。歓声は波間に踊り、青空へと駆け昇った。

　午後一時より浅間艦上にて、東郷司令長官を始め、各司令官、幕僚、司令、艦長、艇長、海軍将官、同相当官を御前に召され勅語をたまわった。そのあと、皇太子殿下を始め、各皇族殿下を午餐(ごさん)に召された。午後三時二十分御降艦(ごこうかん)御上陸あらせらる。

ともかくこの大観艦式は百七十隻余の艦艇が海上数海里にわたって展開し、いずれも満艦飾のうえ軍艦旗をはためかし、檣頭無数に林立し、人事海浪を圧するの感があって、おれはその艦隊の乗組員の一人である事実に、ひたすら感激していた。胸の底から命の塊がつぎつぎに泡のように浮びあがり、咽喉から目や鼻へと溢れ出てくる、ああ明治の御代に生を享けてよかったと思った。

この日、神奈川町を中心に、沿岸はもとより、眺望のきく山や岡には大群衆が集っていた。夜に入り、全艦艇はイルミネーションを点じた。この光の祝宴が陸上の祝灯とともに映じ合って華やかさを極めた。午後十時、一斉に消灯。今度は探照灯を放ち、夜空に旋回交叉させ、十一時ぴたりに消して闇夜となった。

日露海戦の勇士として、おれは、同じく横浜沖の紀元二千六百年観艦式を戦艦陸奥の上から陪観した。日露の役からみれば艦船は巨大となり、数も増え、航空隊の参加もあって、規模ははるかに大きく、帝国大海軍の威容に感激したものだったが、今から思うと、何かが明治の御代より劣っていた。ま、言ってみれば、大捷利の栄光と悲哀とでも言うべきか。あの凱旋観艦式には、日露の役の数々の海戦、旅順沖海戦、黄海海戦、蔚山沖海戦、日本海海戦において捷利し、北は樺太から南は澎湖諸島まで、さらにはボルネオ島まで索敵、牽制、護衛にあたってともに苦労し（八雲は流氷群のなかで遭難せんとし南海の澎湖諸島の暑熱に苦しみ）、ついに敵を撃滅したという共通の思いが、艦隊全員に沁み渡っていた。誇らかに胸をふくらませ、戦死者を思って頭を垂れる、さらには戦死し負傷し俘虜となった敵露兵に対する痛切な同情の念が、われわれ（そう、われわれの海軍だった、聯合艦隊だった）にあった。

ところが、昭和十五年の時点では、まだ海軍は海戦での捷利も少なければ、全員が一丸となって戦ったという思い出もなかった。大東亜戦争が勃発して真珠湾、マレー沖では勝った。が、どうもそのあとが思わしくない。一昨年の四月には山本五十六大将、去年の三月には古賀峯一大将と、聯合艦隊司令長官が二人も戦死した。陣頭指揮をして捷利をおさめて戦死というならネルソン提督のように賞賛さるべきだし、海軍の栄光も後世に伝えられようが、どうもそうではなく、敵に待伏せされて死んだようだ。東郷司令長官の完全捷利のような艦隊では、今の帝国海軍はなさそうだ。レイテ島ではとうとう神風特別攻撃隊まで現れた。堂々と海戦で捷利を収めるのではなく、若者の犠牲に依拠する戦法で敵に立ち向うのでは哀れである。熟し切った大艦隊の威容はつぎに来る没落への予感を含んでいた。そういった暗い予感が紀元二千六百年紀念観艦式にはあったのだ。

八雲はその後年末まで横須賀に碇泊し続け、おれは上陸しては諸用を足し、帰艦する生活となった。何かと陸上の用があったので、たとえば十月二十九日に、東京青山斎場で海軍戦没者慰霊祭がおこなわれた際には、警護の陸戦隊付軍医となって、参列する来賓将士遺族のため救急活動に従事し、また、東郷大将以下各司令官は、東京市民の歓迎会や華族の招待会に出席したが、その間老齢の将官のため軍医として待機したりした。

とにかく聯合艦隊の凱旋に対する人々の熱狂ぶりは大変なもので、街には日の丸と造花で軒先を飾り、海軍軍人とみれば万歳と叫び、新橋停車場の前には数千円を投じた凱旋門が作られた。おれ自身も三田町内会を始め、軍医学校、済生学舎とつぎつぎに歓迎宴席に呼ばれた。

東京での祝賀会や追悼式の帰り、時々家に泊るのだが、サイの朝寝坊と無精は相変らずで、つい小言の一つ二つは出るのだった。ところがサイの性癖はすこしも直らない。たまりかねたおれは、早朝雨戸を開き、女房子供を叩き起すとともに家中の掃除をした。サイは渋々従うけれども、何かの言い訳をくだくだ言った。例によって軍医の俸給が少ないうえ東京の物価が高いから、着物の仕立直しや繕い物の手内職をせねばならず、それで寝不足なのだとか、宴会よりのあなたのお帰りを待っていると遅くなるので朝は目が覚めないとか言う。おれは、大軍医になって俸給もあがった、東京になど住まず横須賀に住めば諸掛かりも安くすむ、宴席などは毎日ではないのだから夜ふかしの理由にならぬ、と言い返す。こういう、うんざりするような口論に加えて、おれの不満は、戦場の夫の苦労や海戦での働きについて、妻が何の同情も賞賛もしないことであった。御苦労さまもおめでとうも、一言もないのだ。土台、出征中のおれに一通の葉書も書かなかった女だ。夜、女が寄ってきても、おれには性欲がまるでわかぬ。するとサイは、猫の鳴き声のような奇妙な鼻声で媚態を示す。たまったもんじゃない。

ある夜、おれが八雲の軍医たちと飲んで帰るとサイが茶の間にこわい顔で正座していた。「これは何ですか」と目の前にそろりと置いたのはルーデサックであった。上陸の際兵卒たちに渡す品の余りで、医療器具と一緒に何気なく鞄（かばん）に入れておいた物だった。

「見ればわかるじゃろ」

「なぜこんな物をお持ちなんです」

「水兵の上陸用じゃ。海軍じゃ必需品でのう」

「あなたが御自分でお使いになるためじゃないんですか」

「何だと」おれは一時に、爆発力の大きい下瀬火薬のごとく爆発した。「人を疑うにも大概にせい。何じゃ、夫の鞄を勝手にあけよって。軍人の持物は軍機に属する。妻とてあけることは許さん」

「これが軍機ですか」サイはルーデサックをつまんでひらひらさせた。

「この野郎」おれは平手で妻の頬（ほお）を思い切り引っぱたいた。むしゃぶりつく妻を突き倒し足（あし）蹴（げ）にした。トシが泣く。平吉が走り出る。「うるさい」と平吉を追い払う。今度はサイが猛烈な悲鳴をあげて泣き始める。おれは玄関を乱暴に引きあけ飛び出した。また帰ってきてルーデサックを鞄に戻し、当座入用な品を順不同に風呂敷（ふろしき）に包み、女房子供の泣き声を背に、靴（くつ）を踏み鳴らして外へ出た。人力車が来たので品川へ走らせた。しかし深夜だから汽車はすでに無い。停車場近くの安宿に泊った。怒りが炉中の火を鞴（ふいご）で吹き立てるように燃えた。おれはただの一度も娼婦（しょうふ）を買ったことがない。それは、衛生上の見地より不潔と見なしたからで、道徳上の禁欲ではなかったが、サイの邪推は自分の道徳性への侵害と感じられた。それで怒った。明け方まで眠れず考え続け、結論はただ一つ、「離婚」であった。すると安心して熟睡し、目覚めると午(ひる)近くだった。

家に帰り、サイに「夫婦別れをしよう。お前は子供たちを連れて須佐に帰れ。平吉とトシの養育費は送金する」と言った。サイは涙をすこし流したが別に反対はせず、頷いた。こんな夫婦の仲はもう嫌(いや)だ、子供二人と故郷須佐に戻りたいと小声で言い、また泣いた。醜い顔が、なお醜くゆがみ、おれは憐(あわれ)みを覚えながらも目をそらした。平吉とトシが出てきて、泣く母親を怪訝(けげん)そうに見上げた。子供たちに近所を散歩しようかと声を掛けると、二人とも奥へ逃げ込んだ。ほとんど家に不在だった父親だから無理もないが、全くおれになつかず、手を出せば後込(しりご)み、話し掛ければ俯(うつむ)くのみだ。せめて母親が不断より子供たちに父親の人品や武名などを話しておけばよいのにと、またサイへの不満がつのった。

八雲に戻り、サイの両親、おれの両親へ、妻離別の旨(むね)を報告した。性格が合わず、諍(いさか)いが絶えず、通常の夫婦生活はいとなめず、二人合意のうえの離婚だと書いた。十日ほどしてサイの父から返書が来た。サイ自身からも来信があり、事情を酌(く)むと仕方なし、不束(ふつつか)な娘で相(あい)済(すま)なかったというものだ。父からは返事が来ず、母が長い手紙を書いてきた。回りくどく、いろいろと述べてあったが、要するにお前が別れたいなら仕方がなかろうと言うものだった。海軍の大捷利に村中が沸き立っている、兄たちも鼻が高いともあった。この夏、父は中風で倒れ、寝たきりになったと、短く付け足してあった。十一月下旬、おれは須佐村役場に離婚届けを郵送した。

妻子の出発は十一月末であった。新橋停車場まで送って行った。四歳の平吉には離別の内容はわからず、汽車で遠くに旅立つのがただ嬉しく、おれに向って初めて笑顔を見せた。売店で弁当、蜜柑を買ってやると、もう大変な喜びようだ。

「おとうさん、あとから来るの?」〝おとうさん〟とおれを呼んだのが、別れの瞬間であった。

「平吉、大きくなったら何になる」

「海軍の軍人、おとうさんみたいな……」おれはサイに似て、角張った幼い子の顔を見た。肌の色は、おれに似て浅黒い。

トシは母の胸に顔をうずめて眠っていた。頑是ない二歳では、将来、父親を思い出すこともなかろう。

時刻となり呼笛が鳴った。おれは平吉とトシの手を握った。二人とも温い手をしていた。汽車が動き出したとき、窓から平吉が言った。「おとうさん、早く来てね」その澄んだ朗らかな声音を耳に残したまま、列車は小さく縮んで行った。

平吉と再会したのは昭和十四年の秋口で、実に三十四年ぶりのことであった。新式の折畳み式寝台を売り込みに来た医療器具屋が、突然「上野平吉です」と言ったのだ。でっぷり太った四十近い男の中にまず発見したのは、サイの面立ちであった。「平吉か、あの平吉か」とおれは唸った。「そうです。あの平吉です」と男は笑った。その時、新橋停車場での笑顔が男のなかから飛び出した。サイはその後独身を通し数年前に他界した、トシは萩の在の農家に嫁ぎ三人の子供がいる、平吉自身は妻との間に二人子がいて深川に住んでいる——大略そのような情報を、こちらが訊ねもしないのに、平吉はまるでラジオのニュースのようにペラペラと話した。

「ところで、おれと知って訪ねてきたのか」

「はい、商売柄、医師名簿はよく見ますので、お、とうさん（〝おとうさん〟の〝お〟のところで、ちょっとつっかかった）の御名前も住所も知ってました。母が生前、お前のおとうさんは立派な医者だ、日露戦争の勇士だ、あの日本海大海戦で大奮戦した方だと話していましたので、あこがれていまして、どうにかしてお会いしたいと思っていました」

「サイがそう言ってたか」

「母は、おとうさんの思い出に生きていました。何かにつけてお噂してました。息を引き取るときも、お名前を呼んでました」

「あのサイがのう……」

「時々、訪ねてきてよろしいでしょうか」

「商売をしに来るならよい。しかし父親として会いに来るのは断る。あんたとは縁が切れてる。〝おとうさん〟と呼ぶのもやめろ」

平吉は、はっと畏まって一礼した。しかし上げた顔は笑っていた。自嘲するような媚びるような、変な笑顔であった。平吉はその後医療器具屋として、時々やって来た。やって来るたびに何かの新製品を持ってき、きまって〝変な笑顔〟を見せて畏まっていた。おれを父親として慕い寄ってくるという風ではなく、あくまで商売人としての節度を守り、持ってくる機器も、三つに一つは役に立ちそうな代物ではあった。その年の暮になって、おれは平吉を病院の事務長として傭おうと決心した。

　妻子の抜け去った家に戻った。箪笥、長持、蒲団、子供の蚊帳、玩具など、すべてを運び出してしまい、空き家のようである。一人で住むには広すぎたが、どこかに転居するにしても賃貸契約によってあとひと月はここの家賃を払わねばならぬ。それに主人が軍艦勤務で留守がちとあれば不用心だと思ったとき独り笑いをした――盗まれる物は何もないではないか。まあ、東京への足掛りとしては便利だ、しばらく借りておくか、と思い返した。何だか怒りのような衝動に駆られて、大掃除を始めた。家中からサイの痕跡を消し去りたかった。でんでん太鼓や人形や独楽など子供の物が沢山出てきた。サイの古い着物が天袋に残っていた。縁の下に木箱やガラクタが忘れられてあった。全部をひとまとめにして庭で燃やした。近所の人が火事かと間違えて駆け付けたほど盛大な炎があがった。

　家族離散の問題にけりを付けた頃から、海軍部内の人事異動が繁くなった。十一月二十一日、戦時経営としての聯合艦隊が解散され、平時の体制に復することが決定された。東郷聯合艦隊司令長官は軍令部長に、上村第二艦隊司令長官は横須賀鎮守府司令長官に任ぜられた。わが八雲の松本艦長は待命となり、新たに第三艦隊参謀長の斎藤大佐が艦長に任ぜられた。そうして十二月十三日の官報で、おれの転任が発表された。新任地は横須賀水雷団であった。皮肉にもこの日、以前注文しておいた歯科治療具一式が届き、梱包を解かぬまま新任地へ転送となった。あわただしく身辺の整理をすまし、後任の軍医との事務引き継ぎを終り、十六日の正午には士官室で、斎藤新艦長や幕僚と別盃（べっぱい）をあげて、八雲を退艦した。

　思えば丸二年間、この装甲巡洋艦で勤務した。明治三十二年、ドイツで竣工（しゅんこう）した九八〇〇トン、三本煙筒、七インチの装甲板で囲まれ、八インチ砲四門を前後の砲塔に、六インチ砲十二門を中甲板側方に持つ、新鋭の駿足（しゅんそく）艦だ。振り返ると涙が出そうだった。涙を鮫島大軍医や看護手たちに見られたくなく、まっすぐ前へと歩いた。しかし、大正二年、三田綱町（みたつなまち）に医院を開いたときは、銀座の模型玩具店に特注して八雲の精巧な模型を作らせ、待合室に展示することにした。おれの外科医としての習練、どんな大怪我（おおけが）でも臆（おく）せず、沈着に腕を振える度胸と技倆（ぎりょう）は、八雲の上で学んだのだ。それを忘れまいとした。

　水雷団の軍医長は加賀美軍医中監で、以前横須賀海軍病院で、軍医学校出たての新品少軍医に外科手術の手ほどきをしてくれた人である。幕府直参（じきさん）の子で、浅草に育った生っ粋（きっすい）の江戸っ子、べらんめえ調だが、気さくで、ぽっと出の若輩の面倒をよく見てくれた。おれが上野の動物園を知らぬと言うと、軍医たるものは動物の種類を知っておく必要があると、日曜日にみずから動物園に連れて行ってくれ、ついでに博物館を見学、精養軒で食事をおごってくれたものだ。水雷団でも、軍医長は自分で新任軍医を案内し、詳しい解説を述べてくれた。団員の起居する建物は粗末だったが、治療所の設備はなかなか立派で、ドイツ製のレントゲン撮影機があった。海軍病院でこの最新の診断機械の操作を習っていたおれは、これを見て喜んだ。

「たいしたものですな」

「すげえだろう。じゃんじゃん使ってくれ」加賀美軍医長は、暗室の扉を開けて見せた。写真の引き伸し機や現像用の機材も揃っていた。彼は、軍医学校時代から写真撮影にも凝っていたのだ。当時写真撮影を手掛けるのは、贅沢な趣味であった。軍医長の撮った写真を見せられた。東京市内の風景が多い。東京と言っても、おれはほんの一部分しか知らず、軍医長がほとんど全市にわたって歩き回っている根気と熱意に感嘆した。

水雷団の建物は木造の隙間だらけで寒く、密閉した艦内勤務に馴れていたおれは、たちまち風邪を引いた。三十九度の発熱で寝込み、軍医長の診察を受けたのがおれの初仕事であった。やっと治って勤務についた頃は、もう暮も押し詰っていた。と、加賀美軍医長に呼ばれた。

「きみんちは三田だったな」

「はい、豊岡町です」

「なら、伊皿子坂はちけえやな」

「徒歩五分です」

「ちょっと頼みてえことがあるんだ」と軍医長は言った。彼の高等学校時代の友人で永山光蔵という人がいて伊皿子坂に住んでいる。急病だと知らせがあったので往診してくれ、自分は本日造兵部に診察の仕事があって行かれぬからという。もちろん、おれは二つ返事で引き受けた。

夕方、泉岳寺より伊皿子坂を登った右手、寺院の隣に、棟門を構えた豪壮な邸宅を見付けた。鉱山技師と言うから質素な小宅を予想していたのがはずれた。病室へ通されると思ったら、大きな応接間に招じ入れられ、主人の永山光蔵は元気な様子で現れ、「わざわざ、雨の中を御足労願って恐縮です。きのう、加賀美君が来たとき、ちょっと風邪で熱を出したと言ったところ、若い名医を派遣すると言うのです」と笑い、「実は、あなたが日本海大海戦に参加されたと聞き、ぜひ実戦談をうかがいたいと思って、病気にかこつけ電報を打ったんです。〝キフビヤウナリメイイオクレ〟というわけです」とまた笑った。病気は軽い風邪にすぎず、診察の要もなかった。主人が手を叩くと女中が、あらかじめ用意してあったらしい酒肴を運んできた。大きなマントルピースでは薪が燃えて暖い。夫人と二人の令嬢が現れた。姉が菊江で二十一歳、妹が藤江で十八歳だった。おれは、姉のほうに心魅かれた。ふっくらとした白い頬と上品な目鼻は、垢抜けていて、サイなどとは段違いの美形だ。父に年齢を言われて羞ずかしげに頬笑んだとき、左の片靨が可愛らしかった。ともかく、令嬢を喜ばせようと、おれは海戦の模様を、なるべくわかりやすく、半紙に図解までしてみせながら物語った。

日本海海戦の最大の山場である、第一回の砲撃戦をおれは治療所内部にいて実見してはいない。が、その後士卒よりさまざまな経験談を聞き、例の「天佑と神助に因り我聯合艦隊は五月二十七八日敵の第二、第三艦隊と日本海に戦ひて遂に殆ど之を撃滅するを得たり」の名文で始まる「確定詳報」を熟読玩味していたし、何よりも方々で海戦譚を披露しているうちに話術に磨きがかかり、「講談」は堂に入ったものとなっていた。令嬢は、おれが力を込めて話したところで頷いてくれた。その頷きがほしくて、おれは一所懸命になった。ウシャーコフ沈没の場面で、ミクルフ艦長が士官とともに艦橋に立って波間に消えたと言ったとたん、令嬢が泣き出した。するとおれも悲しくなり、涙が滲み出してきた。それまで何度も「講談」をしながら、こんな具合になったのは初めてで、おれは令嬢の頬の光を見ながら、心が晴れる思いがした。この人を妻にしたいと、その瞬間、心に決めた。

水雷団に戻ると加賀美軍医長に、「永山氏の病気は大したことはありませんでした」と報告した。

「大海戦をせがまれたろう」

「はい……」

「娘が二人出てきたか」

「はい……」

「そうか」

軍医長はそれ以上何も尋ねなかった。が、菊江との邂逅は、どうやら軍医長の仕組んだものらしいと気付いた。おれが最近妻を離別した件は、何かの機会に彼に話してあったのだ。

## 20

永山菊江と結婚する決心を固めた。当時の慣習であった、父親にまず申し込むなどという間接的手段は、おれの念頭に無かった。まずもって本人に会ってこちらの意志を伝える、それだけを思い詰めた。ところが、それが容易ではない。何しろ立派な門構えで、田舎者のおれは、それだけで心臆してしまう。ぴたりと閉った扉の鉄具をうらめしげに見、高い源氏塀を睨んではうろうろするのみだ。最初に訪ねたとき、ごく自然に通用門を押し開いた自分が別人のごとしである。正月の休暇に、朝から出向いて、それとなく観察してみると、昼間は人の出入りが結構ある。おれは菊江が出てくるのを待った。ひたすら待ち続けた。午後になって、ついに女が出てきた。冬の透明な日差しの中、まぶしいほどの白い顔が、なよびかに歩いて来る。口髭をひねり、軍服の皺を伸ばし、大きく深呼吸をすると、散歩と見せかけるため、わざとゆっくりと近付いて行った。

「これは、これは。このあいだは失礼つかまつりました。時田利平です」

「時田さま……」菊江は丁寧に頭を下げた。「このあいだのお話、ありがとうございます。面白うございました」

「どこかへお出掛けですか。ちょっとお茶でも飲みませんか」

菊江は困惑と羞恥の顔色で黙っていた。未婚の女に男が話し掛けるだけでも異様に見られた時代だ。まして泉岳寺の初詣で人出が多い。が、行動を開始した以上、おれは躊躇などしなかった。女を手招きし、先に立って山門をくぐる。女はついてきた。夫婦のように自然な感じで進む。あらかじめ見定めてあった茶屋の縁台に腰を掛け、女にも坐るように言った。団子と茶を置いて女中が去るや、おれは切り出した。

「我輩の妻になっていただけませんか」

女は見る見る赤くなり、胸元を弾ませて荒い息をし、腰を浮かして逃げて行きそうな素振りをした。

「まあお坐りなさい」とおれは女を引き止めて、身の上話を始めた。つい先頃、妻と離婚した事情を正直に告白し、ついで、貧しい漁師の八男が裸一貫で上京し牛乳配達をしながら医学を学び、軍医となって日本海大海戦の勇士となる話を、講談調でまくしたてた。おれが懸河(けんが)の弁を振えたのは女が熱心に聴いてくれたからである。目が輝いていた。頷いてくれた。「じゃから、我輩の妻になって……」ともう一度迫ったとき、女は今度はにっと頬笑み、「父が承知いたしますならば、結構でございます」と答えてくれた。「それでは、お父上に直接お願いしてみます」とおれは立ち上った。

永山光蔵は友人を集めて酒宴を開いていた。で、暮の大海戦談の主が新年の挨拶(あいさつ)に来たと思い、喜んで会ってくれた。が、別室でおれが畳に頭を擦(す)り付け、「お嬢さんの菊江さんを、是非にいただきたい」と願ったとき、酔っ払いの悪い冗談と思ったらしく、明らかに不快の面持ちを示した。「ともかく、即答はできぬ。加賀美君を通じて返答する」そう言い置いて、奥へ引っ込んでしまった。菊江は玄関までおれを送ってくれた。「お父上に、おれは全然酒なんか飲んでおらず、本心から真剣にお願いしたのだと話してください」軍帽をかぶり、海軍式の挙手の礼をすると、きちんと回れ右をして、外に出た。一週間後、加賀美軍医長から「先方は縁談を断ってきたよ」と告げられた。悄気(しょげ)返(かえ)ったが、一晩寝ると翌朝は元気になり、おのれの誠意が通じていなかった点のみを反省し、数日後、ふたたび永山光蔵を訪れ、懇請し、きっぱり断られた。それでもあきらめず、三度目の訪問のとき、おれの話の半ばで、先方は大きな吐息を洩らし、「あなたが本気で、誠意のある人物だとわかった。菊江の気持も聞いてみた。承諾しましょう」と言った。おれは平伏し、畳に額をつけたまま泣いた。「ま、顔をあげなさい。娘をよろしくお願いします。お近付きの印に一杯やりましょう」

しばらくして婚約、六月の末に結婚。加賀美軍医長夫妻の媒酌で芝の水交社で式をあげた。新居を、水雷団近くの、横須賀軍港を一望できる高台に構えた。

戦争という大時化の最中には、おれは緊張と昂揚の日々を送りえた。しかし平和という凪が来てみると、万事平穏すぎて気が緩み、惰性で進む船に乗るようで、毎日の仕事も変り映えしなくなった。現在、戦争をきのうの出来事のように想起しうるのに、平和になってからの生活は記憶にぼんやりとしか残っていない。日記のほうも、戦争中の稠密な記述とちがい、戦後は日に二、三行、ごくあっさりと書いてあるのみである。

水雷団に丸一年勤めたのち、ふたたび海上勤務となった。三千トン級の巡洋艦を三隻乗り換えたすえ、旅順海軍病院付きとなって陸上にもどれたのは明治四十二年の十月で、おれは三十四、菊江は二十五、長女の初江はまさに生まれようとしていた。軍医という仕事にも先が見えてきた。私立の済生学舎出身では進級にも限度がある。日々の勤務も同じことの反復で飽きがきた。自分の意志によってではなく命令によって不時に転勤させられる。転勤のたびに引越して（横須賀、呉、佐世保と軍港を転々とした）、定まった住居を持てない。日露戦争の同僚たちが、つぎつぎに退官し、一般の病院勤めや開業医に転向するのを見ているうち、おれも身の振り方を考えた。菊江に相談すると、東京三田の里の近くに開業したらどうかと提案してきた。おれもその気になって、東京へ行くたびに、永山光蔵と相談して土地を物色するうち、慶応義塾の裏、三田綱町の徳川邸の南東に二千坪ほどの空地があり、端に平屋の貸家がポツンと建っていた。貸家は八畳二間に四畳半に台所の小さなものだが、広々とした空地には将来医院を増築する余地がある。まず借家に入り、交渉次第で空地を借りるか買うかすればよいと目論見を立てた。

退官の件を上官に言い出そうとしている矢先、明治四十三年の暮に、おれは軍医少監に進級した。位が上がった分だけ責任が重くなり、海軍病院のほかに旅順海軍監獄の医務の仕事も抱え込んだ。ずるずると気ぜわしく働くうち、翌年秋、史郎が生れた。

しばらく退官の件をおあずけにした理由は、この頃胃洗滌の研究に着手したためである。切掛けとなったのは、海軍監獄での経験であった。老年の一看守が脳溢血をおこし、卒倒して人事不省におちいること旬日、そのさい薬餌および栄養物の注入の目的をもって、直腸用ネラトン氏カテーテル二個を短小な筆軸で連結して鼻腔より挿入して満足なる結果をえた。そこで、ゴム管を鼻腔から胃に挿入する手技に興味を持ち、人事不省患者、中毒症者の診断、治療、人工的滋養補給の目的で使用してみた。これが、後に我輩が開発した、胃洗滌による胃潰瘍の治療法の端緒である。胃潰瘍は胃酸過多症に原因するが故に、胃洗滌によって胃内の酸を洗い去り、さらに潰瘍面に付着せる粘液類を洗い去って清潔にし、潰瘍面に直接止血薬を作用せしめて急速に止血をうながす、これが時田式胃洗滌による胃潰瘍治療の極意である。もっとも、当時はまだそこまでは考え付かず、もっぱらゴム管挿入術の腕を磨き、その応用法の開拓に熱中していたのだ。

さて、明治四十五年七月二十日、不意打ちに、大元帥陛下御病気重態に渡らせらるの公報に接して、院内一同驚愕したのである。御病症は糖尿病後尿毒症であるという。そうと聞いただけで、長期の糖尿病による腎症の末期で、御命にかかわる大病だと判断しえた。旅順では内地の新聞が即日には見られない。入港する艦船が運んで来るか、旅行者が持って来たものを争って回し読みするので、陛下の御病症についても続報は遅れがちにしか見られず、電報を文章化した公報が唯一迅速な情報源であった。

**七月二十九日月曜**

夜来の豪雨滝のごとし。

公報によれば陛下の御病症すこぶる御不良、昨日午後一時までは多少良経過なりしも午後三時より昏睡状態におちいられ、時々痙攣等の発作あり、一般国民深憂し二重橋前にて御快復を祈るもの毎日数万人にして、昨日は一青年毒を仰ぎて死し陛下の身替りとならんとせりと。

**七月三十日火曜**

夕刻の電報にはほとんど御危篤状態にあらせられ、龍顔紫に変色せらるとあり。

晴天となれども数日来雨なりしため蒸し暑し。

風乏しく、診療中に流汗淋漓たり。

零時四十三分、陛下遂に崩御の報あり。

皇太子嘉仁親王殿下御即位あそばさる。

本日より当分の間自粛、弔意表出のため外出を禁止せらる。

**七月三十一日水曜**

晴天無風猛暑にて日中耐へ難し。宵先より豪雨。

昨日より年号を大正と改元せられたりと知る。

明治は終りけり。わが青春は去りにけり。

本日より向ふ五日間廃庁発令せらる。軍は八月四日まで外出禁止、弔意を表すべし。

**八月一日木曜**

晴天にして日中酷暑、天地凝結せる如く無風。

午前八時葬礼式施行。「国の鎮め」吹奏、総員正服にて参列、御写真を拝す。旅順港内の軍艦六十発の葬礼砲を一分間に一発発射す。艦上の乗組員も正装にて上甲板に整列しあり、暑熱のさなか不動。

先帝に明治天皇の謚号発令せらる。


明治大帝の崩御は、おれに伸ばし伸ばしにしていた退官の意志を固めさせた。おのれが医学を志した最初に陛下を宮城前で拝し、軍医となってからは、とくに日露の諸海戦においてはこう言うのも口幅ったいが、陛下の股肱として全力を尽して働いた。凱旋観艦式での龍顔を拝せしときが、わが人生の至福の時であった。爾後、わが人生は下降線を辿り、ついに現在終止符を打つ時が来たのだ。もはや陛下のいまさぬ海軍では働く気はしない。

　九月十三日は御大葬の日であった。晴天南風、日中は残暑なお焼くがごとくなりしも、夕刻より急冷し、秋の気配がみなぎった。東京の模様は刻々に電信で伝えられた。午後八時宮城御発輦、宮城前の瓦斯の青白き篝火の列に奉迎なされつつ御進行、十一時青山御大葬場に御着、今上陛下御誄詞を申さる。嗚呼悲しいかな。この御言葉が奉読されたあと、海軍病院でも遥拝式が行なわれ、正服喪章の総員、東京に向って頭を垂れた。翌日乃木大将夫妻の殉死が報じられ、おれは、おのれの心にも同じ思いがあったと気付いた。官を辞す、それは先帝と永遠にお別れ申し奉ることでもあった。九月十八日、乃木大将の葬式の日には、旅順港を見下ろす白玉山砲台跡において陸軍主催の追悼式がおこなわれ、われら海軍将士も参列した。式後、おれは単独で爾霊山（二〇三高地）や老虎溝山に登り、激戦地跡で乃木大将を偲んだ。たった一度、短い言葉を交したのみの将軍だが、妙に懐かしい。第三軍の攻撃の火の手は八雲艦上より、ずっと見守っていもした。

　病院長に退官の申し出をし、時期として来年三月を希望した。後任軍医が到着したのは、翌大正二年の二月下旬、引継ぎ事務に一週間を要し、旅順を出発したのは三月九日、忘れもしない、晴れた日曜日で、旅順停車場は明るく寒かった。軍医と看護手、その家族、知人、多数が見送りに来てくれた。おれは軍服を脱いで背広にトンビをまとい、菊江は着物の上にロシア風の長外套を重ねていた。初江は五歳、史郎は三歳――思い出したのは新橋停車場で別れた二人の子である――あの時、平吉は四歳、トシは二歳――今どうしているであろうか、と切なかった。

親子四人は、奉天の古戦場へ小旅行をしてから、朝鮮半島をゆっくり縦断して釜山から下関に渡った。門司から汽船で長門の北岸沿いに東航し、須佐に着いたのが三月下旬であった。明治三十四年の秋、海軍中軍医に進級した際に来てから、ざっと十二年ぶりの帰郷である。新築の家がちらほら見え、港の波止場も石造りとなり、多少の変化は認められたが、村は旧態依然としており、そのなかでも変らぬのはわが苫屋であった。軒は傾き、せせこましい所に大勢が住み、何よりも汗と埃と魚と漬物の混り合った異様な臭気が鼻を突く。菊江はちょっと鼻をうごめかしたが、すぐと何食わぬ表情となった。が、子供は正直で、初江が「くさーい」と鼻をつまんだので、母親は真っ赤になって叱りつける。すると、史郎が、わざと、「くさーい」と姉の真似をして母親を困らせた。長兄の嫁は、露骨にむっと脹れたが、母がすぐ笑い出し、「漁師の家じゃからねえ、魚臭いのは当然じゃ」とおどけて鼻をつまんでくれた。父は先年死んでいた。母を混えて、家には長兄次兄の家族十人が住んでいた。母は、腰が曲り、痩せた小さな老婆に変っていた。

菊江の血を受けて、初江も史郎も整った面立ちで、それに東京と旅順の趣味で洋服を着ており、見るからに兄の子たちとは違っていた。大勢から物珍らしげにじろじろ見られて、二人は居心地悪げに母の後ろに隠れた。サイの消息については、母も兄たちも知らなかった。日露戦争の間働き手の男たちを失なった網元の家は没落し、サイの両親が亡くなったあとは一家離散して、戦後子連れで村に現れたサイも、主の無い家のあたりをうろついたすえ、どこかへ姿を消したのだそうだ。おれは心当りの知人を二、三訪ね、サイが萩近在の漁村に住んでいるらしいとまでは探り出したものの、詳しい住所はわからず仕舞であった。二人の子の養育費を請求する手紙がそのうち到来するだろうと考えてあきらめたが、その後サイからは音沙汰がないままに月日が経って行ったのである。

故郷の毎日は、なかなかに多忙であった。墓参、訪問、磯釣、山登りと、何かにかこつけては妻子にわが故郷を見せてやり、家に戻ると診察を請う人々が待っていた。十日ほどいて、初江や史郎が、地元の子そっくりに黒々と日焼けし、兄の子たちとも馴染んだとき、一家は出立した。波止場で手を振る母の目に涙が光った。老婆の影が小さくなっても、目のあたりだけがキラキラと光っているように見えた。十年後母は死ぬ。それがおれの見た母の最後の姿であった。

四月初め、丁度桜の季節に東京に着き、伊皿子坂の永山光蔵邸に宿泊した。旅装を解いたおれが最初にしたのは徳川邸の貸家を見に行くことだった。さいわいまだ空家の貼紙がしてあったので、すぐさま徳川伯爵の家令事務室に行き借用を申し込み、医院用に内部を多少改造する許可も得た。すぐさま永山家の女中二名を借り、菊江と同道して、家内の大掃除を始めた。永山光蔵は、「なにも、そう慌てふためくこともなかろうに」と苦笑していたが、こうと決めたら一刻も早く物事を実行せねば気がすまぬ、せっかちがおれの性分である。

四畳半の玄関に長椅子(ながいす)を置き待合室とする。八畳間を仕切って薬局と診察室とする。奥の八畳に夫婦、四畳半に下女が住む、と決めた。

さて、それからは、花も新緑も見る暇なしに働き詰めであった。医療器械、薬品、家具の購入、芝区役所への寄留届と印鑑届提出、電話加入申し込み、開業宣伝のビラ製作、そして仰山な借金である。徳川邸御用の大工を二人雇い、間仕切りをあれこれ命じているうちに、増築したくなった。また借金が嵩(かさ)むが思い切って薬局と手術室と暗室を作らせることにした。半ば柱組みが出来たところで徳川家の家令が見回りに来て、約束が違うと抗議した。おれは、将来家を明け渡すとき、増築分はそちらの財産になるのだからと理屈をこね、諒承(りょうしょう)をえた。

永山邸に子供二人を預けっぱなしで、菊江は実によく手伝ってくれた。彼女には事務の才能があって、役所への届にはみずから出向き、かならず写しを取って保存し、日々の出費や借金の明細を出納簿に記録した。とくに面倒な事務は電話加入の件で、まだ市中で電話を持つ者は少なく、一定の収入身分のある者を優先するとあって、身分証明書、保証人の設定、十五円の郵券の用意など繁雑で、短気なおれはたちまち面倒となって放(ほう)り出そうとしたのを、菊江が粘り強く確実に手続きを進め、ついに加入許可を勝ち取ったのである。

増改築がほぼ終了したのが六月末であった。丁度梅雨のまっただなかで壁は乾かず、畳は黴(かび)で青くなり、柱からは白い茸(きのこ)が生え、帳簿は水を吸ってインクが滲(にじ)んだ。しかも、古い建物との接合部分からの雨漏りで、新品の薬品や医療機器が汚染し黴や錆(さび)を生じた。ふたたび大工を入れて、梅雨明け後の炎暑のさなか、さかんに槌音を響かせた。九月一日には、開業許可も降り、その時点に符合したかのように電話が設置された。

「三田の八百十一番」が、わが電話番号である。電話を所有することが資産家の証拠であった時代で、おれは得意になって、永山光蔵や浅草に開業している加賀美元軍医長に電話を掛けた。「何番？　何番？」と尋ねてくる若い女性交換手の声が聞きたくて、用もないのに受話器をはずしてみた。

いよいよ、「内科　外科　時田医院」の看板を掲げたのが十月一日の朝である。おれは診察室に、菊江は薬局内に、ともに白衣を着て待機したが、患者の訪れはなく、夕方になって玄関の格子戸に人影あり、菊江と目くばせして喜んだとたん、入ってきたのは永山光蔵であった。山登りの身支度で、これから東北地方の山奥に鉱物調査に行くので胃腸薬と風邪薬を調合してくれという。ともかく岳父は第一日目の、最初で最後の患者となった。

翌日は二人来た。が、翌々日はゼロであった。そんな具合にだらだらと日が経った。一日平均一人か二人の来患では暇を持て余す。おれは万朝報を隅から隅まで読み、「ゴールデン・バット」をやたらと吹かした。元々文学趣味のない男で、金州で出会った森林太郎軍医監の『即興詩人』を読んでみたが、あまりに持って回った文体で、大いに退屈した。それよりも戦記物が性に合った。まず取り付いたのが陸軍中尉桜井忠温の『肉弾』で、おれが野戦病院や兵站病院で治療に専念した金州近辺の戦闘が活写されてあり、興が尽きない。銃火を浴びて斃れていく、おびただしい将士の姿と野戦病院で診た悲惨な傷兵とが重なり、息を呑む場面の連続である。文章の迫力によって人を感動せしめるのが文学であるとすれば、これこそは文学ならんと感嘆した。過ぐる三月に出版され洛陽の紙価を高からしめた、同じ著者の『銃後』にも感心した。旅順近辺の戦跡を戦後丹念に訪れて歩いた記録である。三年数箇月も旅順に滞在しながら、おれはこの十分の一の戦跡探訪もしなかった。この本がもし去年出ていたならば、案内書として活用したものをと、残念に思った。

　十月三十一日になって奇妙な出来事から運が開けた。その日は今年から「天長節祝日」と言って、天長節の八月三十一日が暑い時期であるため単に公的儀式のみ取り行なうこととし、一般国民の祝賀行事は十月三十一日に行うべしと勅令が公布されたのだ。それに今年の天長節は雨で、先帝の諒闇が明けた七月三十一日より間が無かったせいもあり、人々の心はさっぱり浮き立たなかった。それが、さわやかな秋晴れの天長節祝日となって一時に大賑いとなった。おれは大礼服を着て人力車で宮中に参内し記帳の上帰宅すると、女中に留守を命じ、妻子を連れて市中見物に出掛けた。実のところ、東京に帰って、まだゆっくりと市中の物見遊山をしていない。よい機会であった。日比谷、銀座、上野、浅草と、各所に数万の群衆が出ている。諒闇のあいだ黒っぽい衣裳が一般だったのに、男女ともぐんと派手になり、盛りの紅葉街道を行くが如くである。街の様相もすっかり変った。銀座にはカフエなる珈琲店が出現し、呉服店白木屋など五層の塔をそなえ、奥には紫袴の電話交換嬢がちらほらしている。大川端では白亜の土蔵が消えて赤屋根赤煉瓦造りの洋館が並び、吾妻橋・厩橋などの橋梁は広く大きなものに懸け替えられた。大正時代奉祝の花電車が走っている。何回も電車に乗れるので子供たちははしゃいでいた。

さて、夕方帰宅し、酒肴の用意をさせて、永山家の人々を呼んで小酌でもと思っているところに三田警察署から電話があった。怪我人が出て、二、三病院を当ってみたが、どこも旗日とて医師が出払っていて困惑している。札ノ辻で酔漢が電車に撥ねられたのだという。御安い御用だと引き受けた。軍艦勤務の習慣で、不時の手術に応じられるよう、器材の消毒も手術室の準備も常時整えてあった。おれは手を洗ってコッヘル止血鉗子を抜き身の刀のように提げ、菊江には雑用鋏で衣服を切り開くように言って、待機した。

ほどなく、御輿を担ぐような威勢のよい掛け声とともに大勢の足音がした。女中に玄関を開かせると、戸板に乗せられた男が運びこまれてきた。泥だらけの、人夫の風体で、右脚のパッチが鮮血にまみれている。手術台の上で菊江にパッチを切り裂かせ、潰れた患部を剝き出しにすると、生理的食塩水で血を洗い流しながら、出血源の動脈を探り当て、鉗子で止血した。エイヤッと、居合抜きのような早業である。失神している男の顔は死人のように蒼い。すでに相当量の失血であるが、二十歳ぐらいの頑丈な体格の青年で心拍と血圧は何とか保たれている。「ま、命は助けられるでしょう」とおれは巡査に告げた。「ただし、片脚を切断せにゃならんが、家族の諒承をえたい。どなたかこの人を知っていますか」人々は頭を振った。通り掛りの人々と見えて、学生、職人、小僧と服装はまちまちだ。「みなさん、御苦労さまでした」と巡査以外の人は帰ってもらい、おれは手術の手順を考えた。

助手はいない。菊江や巡査に鉤持ちをさせるのは無理だ。おれは単独にて手術を遂行せんと決心した。男を素裸にしてざっと拭う。筋肉の発達は佳良で、重労働に従事した人であるのは明らかである。肩の瘤と僧帽筋の発達が目立つのは、積み下ろしに従事した沖仲仕の証拠である。この男、片脚を失なったら、二度とこの重労働はできまいと考えると、片脚切断の開始を、一瞬、ためらった。しかし、電車に轢断された膝は潰れ、大腿動脈も大腿静脈も、それに太い坐骨神経まで切れていては、膝より先の肢は再生不能である。このままでは壊死をおこすは必定で、そうなればこの男の命はない。決心が固まった。おれは、将来義肢を用いうるよう、断端面が美しく、神経痛の残らぬ手術のみを心掛け、三、四時間、精魂込めて働いた。途中で血圧が急落したため、葡萄糖液や強心剤を注射したり、室温が下ったため煉炭焜炉を入れさせたり、何かと気苦労の多い時間であった。

男は意識を多少取り戻し、呻き始めた。モルヒネで鎮静させてやると、今度は安らかな寝息を立てて寝入った。巡査に、芝浦の沖仲仕周旋所で聞き込みをすれば男の身元が割れようと助言し、マグネシウムをたいて男の写真を撮り、ただちに現像焼付けをして手渡した。巡査は、「どうもてぇしたもんですな。こんなに簡単に、写真が撮れるっつうのは。署でも一枚の写真を作るのに二、三日かかりますからな」としきりと感心していた。

手術室を仮病室とした。男の意識は朦朧としていて食事を受け付けない。おれは旅順で創始した、ゴム管による鼻腔注入法で胃の中に流動食を入れてやった。男の血圧が不安定に上下するものだから、その夜、三十分ごとに血圧測定をし、男のそばでうたた寝をした。

翌朝、男の叫び声で目を覚ました。痛覚が働くのは意識が回復した証左である。鎮痛剤を打ってやり、名前を尋ねた。最初安西某と聞えたが、よく確かめると安在彦という朝鮮人であった。発音に訛りがあるが、日本語をよく解し、かなり込み入った会話が可能であった。三年前、つまり韓国併合の直後に、南朝鮮から日本に渡って来て、現在、芝浦で沖仲仕をしている。きのうは、祝日なので芝公園を見物した帰り、群衆に押されて浜松町で電車に轢かれたという。すぐ三田警察署に電話して名前が判明したと伝えた。電話口に出た、きのうの巡査は、「なんだ半島人でしたか」と鼻先で笑い、自分が救命のために働いたのを悔むふうであった。事実その後、警察は安在彦の傷害事故から手を引き、沖仲仕周旋所への照会にも、市電に対する補償の交渉にも、一切関知せずという態度を取ったのである。

右脚を膝下から切断した理由を、安在彦に説明してやった。負傷の有様をスケッチで再現し、大きな血管と神経が破壊されたため、救命のため止むを得ない処置であると、言い訳した。細いけれども、鋭い目付きをした朝鮮人は、こわそうな髪を掻き上げ、薄い唇を嚙んで聴いていたが、最後ににっこりして、「ありがと、先生」と頭を下げた。それから心配そうに言った。

「だけど、わたし、いま、金ないよ。その手術、金かかったでしょ」

「金はかかった。しかし、手術代など、あとで金ができたとき払ってくれればいい」

「それでいいか」

「それでいい」

「お金返す。働いて返す。ありがと」安在彦は、今度は涙ぐんで、何回も頭を下げた。

わが医院には病室の設備がない。安在彦を女中部屋に移し、女中はわれわれ夫婦の部屋で寝起きさせた。将来、救急患者用の病室を作る必要に気付いた。

ところで、安の傷が癒えてくるにつれて、急に患者が増えたのである。瀕死の重傷者を治したという噂が近所に弘まったせいらしい。日に二十人、三十人の来院となった。それに電車や汽車に撥ねられた交通事故者の搬入も急増した。品川の操車場が近い、この三田綱町は、そういう負傷者を集めるのに地の利をえていると知った。おれは安在彦に向って、「お前が福を呼び込んでくれたぞ」と上機嫌で言った。彼のために、横須賀海軍病院に義足を注文してやった。木製だが脚の形をして、長さを調整でき、靴が履けるもので、練習させると多少跛行はするが杖なしで歩けるようになった。安在彦を、院内住み込みの雑用掛りとして雇うことにした。そのため二畳一間を増築した。安在彦では呼びにくいので、安西という通称をつけてやった。

安西は義足を巧みに使って、ひょいひょいと移動しながら、掃除、風呂焚き、薪割り、使い走りと何でもこなし、大の便利屋のうえ、剽軽な性格が菊江や看護婦や下女に受けて、大の人気者となった。ただし酒好きで、夜となると酔って朝鮮の民謡を大声で唱うのには閉口ではあった。が、おれも晩酌は欠かさぬ男だから、あるとき安西を相伴させたところ、故郷の思い出を問わず語りにしてくれた。慶尚南道、鎮海の在の漁師の五男だという。つまり、かつてわが聯合艦隊が露国バルチック艦隊を待つ間碇泊した鎮海湾に面した漁村育ちで、少年時代の彼は、異国の大艦隊を日夜まのあたりに見ていたという。貧しい漁師の子、しかも五男だというのもおれと境遇が似ている。おたがいの息が合い、酔ったおれは、彼から教わった「アリラン」を調子はずれに唱った。その後、ときどき、晩酌に彼を呼んでは酒を飲ませるようになった。

医院の宣伝のため、札ノ辻から三田郵便局あたりの商店街まで、電信柱に腹巻広告を出した。「子育て地蔵尊」の四の日の縁日には町内会に寄付をした。どんな深夜でもどんな遠くでも往診依頼には親切に応じた。さいわい、近回り(ちかまわ)に人力屋があり、これを頻繁(ひんぱん)に使用したので、とうとうお抱え(かか)の車夫のようになり、深夜でも叩き(たた)おこすことができた。昼間の往診には、糊(のり)でピカピカ光る白衣を着、横浜に特別注文した大型の黒鞄(くろかばん)を蹴込(けこ)みに置き、ひどく目立つ出(い)で立ちで車に乗り込んだ。そして極め付きの宣伝は、軍艦八雲の模型を銀座の模型玩具(がんぐ)店に設計図を元に製作させ、待合室に置いたことだ。もっとも、この模型は大き過ぎて、二畳の待合室を急遽(きゅうきょ)六畳に改築せねばならなかったが。年の暮には、あまり忙しいので万朝報に看護婦募集の広告を出し、十一人のうちから二人を雇った。彼女たちの寝泊りの部屋をまた増築したため、診察中も槌音が絶えない騒々しい医院ではあった。が、妙なもので大工の槌音も宣伝の太鼓となったらしく、患者は増える一方であった。最初、増築を契約違反だと言ってきた徳川家も、頻繁な増改築にあきれはてたのか何も言ってこなくなった。

その後医業は順調に発展して行った。大正三年には歯科医業証明が下付され、四年からは自転車による往診を始めた。五年にはX線装置を米国より購入、診療科目にレントゲン科を加えた。建物は立て続けの普請(ふしん)で、ついに敷地からはち切れそうになったので、徳川家より後ろの空地を含めて二千坪を思い切って買取った。永山光蔵や加賀美元軍医長から多額の借金をしたが、わが事業の進展で、ほんの二、三年で返済できた。

この二千坪は、医院の増築のためのみではなく、この大正五年に西瓜から利尿剤を製造するため、大量の西瓜を栽培する必要があったのだ。多摩川縁、矢口ノ渡近辺の百姓家にたのんで、春先の種蒔きから収穫までの世話をしてもらった。畑の端に西瓜液製造のための実験場を建てて、西瓜液の消毒、濃縮をおこなった。濃縮液を腎臓病患者に試験するため二十床の特別病棟も建てた。翌年も同じ試験をおこない、西瓜液の利尿作用と有効成分を突き止め、翌々年には腎臓病特効薬〝健腎液〟の製造を、実験場を拡大した工場でおこないだした。この〝健腎液〟は、大いに売れ、ために病床を五十に増やして診療所から病院へと脱皮する資金を提供してくれた。また、栽培の世話を頼んだ人の紹介で矢口ノ渡近辺に空いていた百姓家を一つ買って別荘とし、後に、目黒蒲田電鉄が開通してからは、これを〝武蔵新田の別荘〟として頻繁に利用することになった。

〝健腎液〟は大成功の例だが、おれの考えでは、医療収入というのは一対一で患者を診たうえで入ってくるものだから儲けの効率が低いので、何か新製品を発明して工場で量産する拡大再生産方式が割りがいいのだ。

そこで、土瓶の口先につける小型の茶漉しを発明した。戦後紅茶が飲まれるようになり、網型の茶漉しが市販されたが、紅茶を飲むたびに一々それを持ち出すのは面倒でならぬ。いっそ小さな茶漉しを土瓶の口につけてしまえという発想だった。さいわい、茶漉器を製造している町工場が芝浦にあったので、注文しては試作品を作らせ、ついに、どんな型の土瓶や薬缶の口にもピタリとはまる小型製品を作りだし、ただちに特許出願、その特許証書が来たのが、大正七年の十一月であった。以来、その町工場に特許料を払わせて大量製造させたところ、これが〝簡便茶漉器〟という当り商品となった。土地購入のため仰山に背負った借金を返すのに、簡便茶漉器は大活躍をしたのである。

大正九年には電熱で缶を熱し、蒸気をホヤから噴出させる〝電気吸入器〟を発明した。従来のアルコール・ランプを用いる物より簡便だというので、これも特許を出願して、製造を始めたが、湿気を含んだ電線に幼児が感電する事故がおき、一年ほどで製造中止となった。

天井と壁をベトンで固めた地下室を作り、そこを〝発明研究室〟にしたのはその頃である。加熱実験をするので火災予防のため、機械や工具で鉄細工をするので騒音防止のため、旅順要塞の構造を真似た地下室を設計したのである。これは年々掘り下げ、壁を移動し、工作機械、竈、炉、高圧電気コンセントなどを備え、あらゆる実験や製作ができるよう空間と設備を拡充していった。この発明研究室に籠って、まず開発を目指したのが、国産のX線器である。その頃X線器といえばドイツ製か米国製でおそろしく高価な代物であった。自分が使用している米国製のX線装置を分解してみて、必要な部品を国産化するのは、そう難事ではないと見当をつけた。出力をさげて小型化して、車で移動できるようにすれば、病院外の検診に役立つであろうとも考えた。おれは電気学や機械学についてはど素人だ。しかし専門家を使えば自分の思い付きを具体化できるだろうと考えた。芝浦製作所の坪田技師を雇い、彼と二人で発明研究室に潜り込み、毎夜遅くまで計算、設計、試作をおこなった。毎夜の報酬が二円で、これは坪田技師にとっては有難い副収入らしく、熱心に研究に従事してくれた。そのうち門前の小僧で、おれも電気物理学や機械原理について詳しくなってきた。

〝時田式レントゲン器〟の試作第一号ができたのが大正九年の十月である。電源を入れて高電圧を出すとき、ボンと爆発音がし、閃光が走るのが難であったが、この閃光があとで人気の的となるのだから妙なものだ。性能は良好で、人体撮影は鮮明であった。試しに、X線学の大家帝大皮膚科の土肥博士に来てもらい、実際の患者の写真を撮ってもらうと、「これならドイツ製以上の性能です。部品が全部国産というのは素晴らしい」と御墨付きをもらった。この成功で有頂天になり、おれは家族、医師、看護婦を引き連れて、建立されたばかりの明治神宮参拝に出掛けたのを覚えている。十一月一日の鎮座祭である。

ともかく物凄い人出であった。神宮橋を渡ると大鳥居のむこうは人波に埋っていた。老若男女、おれのように明治大帝の遺徳を偲んで日露戦争当時の軍服を着ているような陸海の在郷軍人が目立つが、子連れの若い夫婦も、丁稚や小僧もいる。田舎言葉まるだしのお上りさんもいる。東京の新名所を一目見ようという人々が群がっている。両側の森は暗く、すでに古びた感じで新しき植込みとは思えぬ。神宮は白木造りで、すべて木曾の檜という。全職員を整列させ、おれの号令で一斉に拍手を打たせた。

明治神宮だけではない。東京には新名所が多かった。大正三年の暮に落成した東京駅は、ルネッサンス式、赤煉瓦三階建てで東洋第一の大停車場であった。階上には役所もホテルもあり、駅前には自動車、馬車、人力車の洪水であった。銀座通り京橋通りの大商店はこぞって増改築し、白木観音と名水白木の井戸を持つ白木屋呉服店を中央に、三越呉服店、高島屋呉服店、松屋呉服店が、大きさを誇示し合っていた。おれの夢は、東京駅内の最新のステーション・ホテルにおいて、時田レントゲン製作所の株主初総会を開催することであった。ともかく、それが当面の大目的であった。

健腎液、簡便茶漉器、電気吸入器、電動蓄音機とつぎつぎにおれの発明品は増えていき、電気吸入器を除くと、すべてが売行き好調であった。それらの収益で建物を修築、改築、増築し、医師、看護婦、女中、雑役夫を雇い、大正十年には、入院患者百名の病院に成長していた。診療科目も内科、外科、小児科、耳鼻咽喉科、レントゲン科、歯科となり、とくに、多数の臨床経験によって開発した〝時田式胃洗滌〟による胃炎や胃潰瘍の治療が評判を呼び、胃病の来診患者が多かった。レントゲンの導入によって肺結核の診断も確実となり、結核患者の来院も増えた。ただし、結核は伝染するが故に、隔離病棟を新設し、大学出の若い医学士に治療をまかせた。

胃洗滌のほうは、すでに旅順海軍監獄時代からの研究継続が療法の完成のために大きな支えとなったが、結核治療法の開発については、風間振一郎の協力が大きかった。古河合名社員であった彼は、菊江の妹、永山藤江と大正元年に結婚し、商品販路調査のため英国へ出張していたが、ロンドンのハムステッドの下宿で喀血し、医師の指示に従って安静と栄養療法をおこなって快方に向い、大正三年の三月神戸に帰ってきた。その後小田原のサナトリウムで治療して大正八年にはほぼ快癒した。三年後、不治の病と恐れられていた結核を征服した体験を手記にまとめ、『結核征服』と題して出版したところ、これが大当りで、一躍有名になった。彼の義兄の病院だというので、時田病院は結核専門のように巷間に伝えられ、同病の来院者が急増した。機を見るに敏なおれは風間振一郎から英国式療養法を大急ぎで教わり、隔離病棟の屋上に硝子張りの日光浴場を急設し、それに海軍の兵食にヒントをえた〝時田式栄養食〟をでっちあげて、結核専門医に成り済ました。むろん、待合室では『結核征服』を販売し、院長が著名な風間振一郎の義兄であることをポスターで誇示したのである。

大正十一年の初めに、健腎液工場の隣にレントゲン製造工場を建てた。工場と言っても、外注した部品を集めて組み立て、試験し、製品を梱包して発送する場所である。X線管、X線発生装置は芝浦に、水冷式管球容器は大阪に、高電圧発生装置は蒲田に、蛍光板は名古屋に、という具合に注文製作させた沢山の部品を組み立て、装置を作動させるためには高度の技術と熟練がいる。芝浦製作所より招聘した坪田技師を工場長にし、さらに同製作所より電工三名を引き抜いて働かせた。

おれの発明は、電子線で高熱化したタングステンを水流によって急速冷却する装置の開発にあった。スクリューによって鳴門の渦巻のような水流を作り、それでX線発生装置をくるみ、渦巻の中心からX線が放射されるように設計したところに苦心があった。

製品の第一号器が完成した。試験してみると、蛍光板による透視も写真撮影も上々の結果である。たまたま試験を見に来ていた魚籃坂の外科医唐山竜斎博士がそれを買ってくれた。

電源を入れたとき、轟音とともに閃光を発するのが、患者を有難がらせるのによいというのが購入の弁であった。製品が十台できたところで、万朝報と報知新聞に月賦販売の広告を出した。ドイツ製や米国製より格安なのと、小型で車付きで移動できるのと、月賦利用ができるのが受けて、たちまち六台が売れた。

製品の梱包や発送には安西を当らせた。芝浦からかつての仲間の沖仲仕を二、三人連れてきては協力させ、重いレントゲン器を大八車で運び出した。

秋になって、新橋停車場の前に「トキタレントゲン」のエレキ文字広告を出すことにした。一日一時間の照明で月十円の費用であった。東京近辺を始め、九州や朝鮮からも注文が来た。遠方の場合、運送も大事だが、設置や故障の場合に技術者を派遣せねばならぬ。さいわい、わが時田式は故障の少ない優秀器ではあったが、たまには随分遠くまで係員を出向かせねばならぬ。そのために外回りの電工を二人ほど雇った。ま、とにかく、このレントゲン製造の滑り出しは好調であった。

いよいよ大正十二年になった。いよいよと言うのはこの年に大震災があっただけでなく、おれ個人にとっても人生の転機になる出来事がいくつか起こったからである。

正月二日、全職員を集めて、病棟内の広間で新年宴会をおこなった。のちに〝花壇〟と呼ばれるようになる八角形の部屋は、つい先年落成したばかりであった。入院患者の付添いの煮炊きに便利なように、調理台や流しを備え、天窓は煙抜けとなっていて、何よりも八角の斬新な設計が面白く、職員たちも四周を眺め、天窓を見上げて、珍しがっていた。

正面に時田一家が並ぶ。院長四十八歳、丸々と肥えて恰幅がよく、口髭は黒々と威光を放つ。院長夫人三十九歳、美しい女盛りだ。長女十五歳、長男十三歳……次女の夏江を忘れておった。大正五年生れの八歳で、子たちのうち唯一の三田綱町生れだった。

職員のなかには、その後もずっと長く勤めた人々がすでに控えていた。鶴丸婦長、久米薬剤師、賄方元締めのおとめ、大工の岡田、雑用係の安西、間島看護婦、下足番の浜田……。そうして伊皿子坂の永山光蔵、魚籃坂の外科医院院長唐山竜斎、さらにはその年の五月に発足するはずの〝株式会社時田レントゲン製作所〟の株主数人、その筆頭は風間振一郎である。風間は、古河合名に勤めながら、政友会の政治家たちに接近し、先年近衛文麿公が山口義一らと開いた憲法研究会の一員でもあった。彼の紹介で、政界、実業界の何人かが株主に名を連ねてくれたのだ。

おれは今年の抱負と題して演説をぶった。

一、本年は時田病院開院十周年にあたり、十月一日の開院記念日には盛大な祝賀会を開催する予定につき、各位奮って御参加願いたい。（拍手）

一、すでに丸一年間稼動せるレントゲン工場の製品は売行きが好調なので、昨年暮、株式会社に改組すべく同志を語らいたるところ、本日御同席の株主の方々が参って下され、創立株主初総会を来る五月八日に、東京ステーション・ホテルにて開く運びとなった。ついては是非同日の予定をあけておいていただきたい。（拍手）

この大正十二年の正月は、おれは得意の頂点、いや、その後医学博士号を取得したほうがもっと上だったが、とにかくおのれの絶好調に会心の笑みを漏らしていた。診療の余暇には裏の畑で耕作し、品川の海に和船を漕ぎ出して釣りをし、というわけで体を鍛え、したがって性欲も旺盛で、女にも執心していた。もっとも娼婦は衛生上の見地よりして抱く気にはならず、身近かな女子職員に手を出してきたのだ。

　鶴丸看護婦は、かさかさに痩せており、乳房も尻も小さくて、少女さながらの体軀だったが、実はおれより五歳も年上だった。男女のいとなみを義務と心得ているかのようで、素直に懸命に応じてきたけれども、その固い肌には喜悦の反応をついに見出せず、味気なくて、おれはじきに飽いた。久米薬剤師は、豊満な体で、乳房は熟し、腰の線は魅惑に充ちていた。左頰の痣のため結婚をあきらめていた三十近くの女は、一度で子宮の奥底まで燃え盛ってしまった。薬局内ではもちろん、廊下でも人目がないと見るとおれに抱きつき、行為を迫った。おれは女好きのくせに、あまりに情の濃い女性は、まして肥って男を無限に吸い込むようなのは苦手なのだ。（サイもそういう女であった。）ある日、妻が三越呉服店へ出掛けた留守に、居間でお久米を抱いていると、忘れ物をした妻が不意に戻ってきた。夏江を身籠っていた菊江は、感情の昂りが激しく、狂乱状態に陥った。もう死んでしまう、子を堕すため階段より転げ落ちると泣きわめき、えらい騒ぎになった。しかし、夜夜中狂態を曝け出していた菊江は、朝食時に食堂へ降りて行ったときは、もうけろりとして、淑やかな院長夫人を演じ、昨夜あれほど罵ったお久米に対してはむしろにこやかに話し掛け、お久米の方がかえって気味悪がる様子であった。それが、夜、おれと二人きりになると、またぞろ感情の激発が再開された。そんな循環が数日続いたすえにおれは兜を脱いだ。お久米に慇懃を通じたのは、ほんの数回のみで、もう二度とせぬと誓約し、お久米にも手切金を渡して納得させた。菊江はお久米を首にしたがったが、お久米の方は頑として病院を去ろうとせず、わたしは一生ここで働きますと宣言して居坐った。

つぎが間島キヨだった。この丸顔の若い看護婦は、陽気で歌が好きで、午後になって患者が跡絶えた外来診察室で、その頃はやっていた「サンタルチア」なんかを大声で唱う。それが久米薬剤師の癇にさわり、文句を言われたところを言い返して、硝子を引っ掻くような金切り声の大喧嘩となった。その向う意気の強いところに魅力を覚え、誘ってみると、最初は肘鉄、こっちも押しの一手、ついに陥落させた。お久米の一件で懲りて、品川停車場付近の宿で密会したが、キヨはえらく几帳面で、時刻きっかりに現れ、抱擁も節度を保ち、終れば何食わぬ顔でさっさと帰ってしまう。懐妊したときも、まるで看護日誌でも読むように、「月経がありません。妊娠したようです」と告げた。膨れた腹に目敏く気付いたのは、お久米で、誰彼構わず、言い触らすものだから、ついに菊江の耳に入ってしまった。しかし、意外にも菊江は今回は冷静で、生れたばかりの乳飲み子を抱きながら、これから生れてくる赤ん坊の心配をした。この前の興奮と狂躁は妊娠中の一時的異常であったのかと、おれは別人を見る思いであった。

利平の子としての認知は絶対に嫌だと菊江は言い、山陰の農家に頼んでお産と子供の養育をすることをキヨに承知させた。菊江はさらに、子供の面倒は一生見る、その代りに利平からの贈物とわかる物——イニシアルつきの指輪、利平好みの着物——などを返せとキヨに交渉し、手切金をあたえて今後利平との男女の交りは一切しないという誓約書を取った。面倒な交渉や説得を粘り強く、しかも丹念に進めていく妻の姿に、そういう事務的才能とは別の、女の執念をおれは見た。赤ん坊を他人に預けて帰ってきたキヨは、にわかに素っ気無くなり、おれを避けた。機会をつかんでは何度も誘いを掛けてみたが、女は応じない。まるで菊江の発する冷風に吹き払われたように、二人の間柄は冷えてしまった。爾来数年、おれは菊江以外の女と交渉を持たないでいた。もっとも、この数年間は、発明の製品化と販売、病院の拡張などで全力疾走、女遊びの暇もなかったためでもある。

　四月二日、白金三光町の聖心女子学院の煉瓦造りの校門を、一年生となる夏江の手をひく菊江とともにくぐった。正面に赤煉瓦三層の洋式校舎が迫り上がっている。その赤が花の白と空の青に映じて美しい。父親は末娘と年が四十も離れ、まるで孫の入学式にでも臨むような気持で教会堂に入った。黒衣の修道女たちがにこやかに時田先生に挨拶してくる。おれは、数年前、ある修道女の往診を頼まれたのが縁でこの学院の校医となり、生徒たちの体格検査や急病人の治療にあたってきたし、近所の御田小学校に通っていた初江を、五年生のときこの学院に転校させたため、聖心では結構の顔なのである。

　おれは持ち前の好奇心から聖書にはすこし目を通していた。若くして死んだ耶蘇が勝れた人物で、洞察に富む素晴しい説教をしたこと、劇的な死に方をした点には感銘を受けた。すべてを柔かく抱擁して涅槃に到るような釈迦とちがって、鋭く深く、しかも熱く強く生きた姿勢がさわやかであった。しかし、復活の話がおれの科学精神と相入れず、そこで信仰の世界に一歩踏み出す気はしなかった。にもかかわらず耶蘇の学校に娘を二人も入れたのは、一つにマザーたちのにこやかな——明るく温かく、しかも厳しい——人当りに感じ入ったからである。それに、何といっても赤煉瓦の校舎や教会堂が魅力であった。かつて、貧相な木造の済生学舎に学び、目の前の女子師範の赤煉瓦をうらやましがった昔を、おれは思い出していた。

ちなみに、史郎は慶応の幼稚舎に入っていた。この四月、六年に進級した。来年は普通部に入る。その先は、大正六年に新設された医学科予科へ進ませ、将来、病院を継いでくれるのがおれの夢だったが、なにしろ勉強はさっぱりせず、遊び回っているし、血を嫌い、交通事故者が運び込まれると真っ蒼になって逃げ出すのは困りものだった。運動神経は抜群で、すぐそばの慶応のグラウンドで、予科本科の先輩たちの手ほどきを受けて鉄棒の名手になり、そのほか水泳陸上、何でもこなす。裏の西瓜畑の一部に鉄棒や吊輪を設置してやったら、友人数人とそこで器械体操に興じていたが……。

春から夏へかけて、おれは株主の募集に飛び回った。永山光蔵の口ききで元水雷団軍医長、今は浅草仲町で開業している加賀美医師が四十株、魚籃坂の唐山医師も二十株という具合に話が進んだ。病院を担保にした銀行からの借金で自己の持株を千にした。人の出入りが多いため、風呂場前に一室を急造し、会社事務室として事務の女の子二人も雇った。そうして晴れて五月八日、市内最新のホテル、東京ステーション・ホテルで創立株主初総会を開催しえた。出席者三十六名で社長時田利平、監査役風間振一郎……と選出し、おれは得意満面であった。いよいよ社長である。院長と言うより何やら響きがよろしい。夕方解散、駅前に呼んでおいた自動車十台を連ねて有楽町の料亭へ移り、深夜まで宴会となった。おれはへべれけになり、唐山竜斎と永山光蔵に介抱され、人力車にて病院に帰り着いた。むろん翌日は猛烈な二日酔いで寝込んだ。

母が死んだのは七月二十五日だった。朝食中に電報をもらった。長兄からだった。ただちに返電、「アスタツサウギニ七ヒユフヌノゾム」とした。十日ほどは留守にするつもりで、代診の有田医師に診療を頼み、風間振一郎に会社関係の事務処理を依頼する電話をした。葉山で漁師の家を借り、海水浴をしている妻子には事情を伝えるべく安西を使者として送り出した。

翌朝、二階の居間に間島キヨが来て、「須佐にいらっしゃるなら、ついでに五郎にお会いになって、様子を見てきて下さいませんか」と言った。おれは承知した。するとキヨはおれの胸に飛び込んできた。つい抱き締めてしまったのは、男としてのおれの弱さのせいである。女をベッドに運び、あわただしく体を合せた。実に六年ぶりの情事であった。

あの朝、なぜ縒(よ)りを戻してしまったのかわからない。妻子は葉山に長期滞在していたし、数日前に梅雨が明け、暑い日であった。朝院長が旅行に出掛けるため、いつも院長回診の催促に来る鶴丸婦長がいなかった。男女が二人きりだった。母の急死による興奮が性欲を掻き立てたのかも知れない。二人は汗まみれになった。ワイシャツを取り替えて、おれは病院を出た。

午前九時二十三分東京発の汽車に乗った。ローカル線で石見横田に着いたのが翌日の午前九時、さらに馬車で須佐に着いたのが午後二時であった。神戸から船路で行かねばならなかった昔を思えば、汽車と陸路で行かれるだけ便利になった。

十年ぶりの故郷の村は何一つ変っていなかった。めまぐるしく変化してきた帝都から来ると、缶詰から取り出されたような家であり道であった。母の死顔も十年前と変っていなかった。十年前に、すでに年老い衰弱していたと知った。暑熱で屍臭はなはだしく、村では氷の購買もままならぬのであった。葬儀中悪臭が鼻を突いた。魚臭に馴れているせいか人々は気にもかけぬ様子であったが。

兄たちが一様に皺だらけの老人に成り果てていたのには驚いた。むろん齢を重ねたせいだが、潮風と紫外線が皮膚の老化を促進させたせいとも思えた。逆に兄たちはおれが若いのに驚いていた。十年前と同じようだと口々に言った。海辺で荼毘に付した。煙は夕凪の海上をするすると流れて行った。崖下の墓地の、父の隣に墓石を立てた。線香に火をつけ手を合したとき、初めて悲しみが湧きおこってきた。母には時々送金するのみで大したこともできなかった。東京へ呼ぼうと何度も誘ったが、村を出て長旅をするのを億劫がり、ついに上京してこなかった。この村で生れ、この村で結婚し、この村で年老いて、死んだ。実生の樹木のような一生であった。

須佐には一週間滞在した。母の埋葬が終った頃から、村人が続々と診察を請いに来た。結核、トラホーム、根太などの感染症が多い。日照時間の乏しいこの地方の風土病である佝僂病も、何人か目についた。医者がいないうえ、村人の衛生知識も乏しいのだ。母の死因も、リュウマチを、永年治療もせず放置しておいたため、心臓と腎臓に致命的な機能障害を起したせいであった。猛暑の毎日で、海水浴や磯釣りで涼を取りたかったのだが、到底そんな暇はなかった。

東京へ帰るため、石見横田まで自動車を雇う算段をしていて、ふと、間島キヨの頼みを思い出した。自動車は断り、萩から鳥取行きの船に乗った。

名高い砂丘を初めて見た。遼東半島を連想させる海際の起伏した砂地だ。試みに足を踏み入れてみたが、砂塵の目潰しと熱砂の焦熱とで一歩も歩けぬ。金州から塩大澳まで、炎暑と砂嵐に悩まされての馬車旅が一時に甦った。もう十九年も過去の話であった。砂丘の果てに小さな村があった。前は海に限られ、後ろに山が迫る狭隘な地形で、夏の真昼にもかかわらず、村の半ばが陰に没しており、冬は間違いなく終日日陰の村になると見た。

先方の夫婦は、突然の来客に大恐慌の体で、挨拶もそこそこでどこかへ消え、一向に出て来ない。遠くに遊びに行っている五郎を探しているのだろうと我慢して待つ。風の通らぬ上り框は蒸し釜のような暑さだ。やっと連れてこられた子供は、夏江と一つ違いなのに、三、四歳の幼児さながらに小さく痩せて、しかも佝僂であった。充分な養育費を送っているからと、安閑としてわが子を放置していた、おのれの怠慢を悔やんだ。

五郎を引き寄せた。ギョロ目の、見知らぬ大人に、いきなり押え込まれ、着物を剥がれた子供は泣き叫んだ。脊椎の彎曲がひどく、治療の限界を越えている。年がら年中、日光不足の部屋に置かれたため骨の形成異常をおこしたのだ。垢だらけの体と今着せたばかりらしい真新しい着物との対比が、夫婦の偽善を示している。「東京へ連れて帰る」とだけ、おれは言った。養育費のほしい夫婦はくどくどと言い訳していたが、おれは聞く耳を持たなかった。

　帰京するとすぐ、二階の居間に間島キヨを呼んで五郎に会わせた。わが子の異形を一目見るなり、母親はたちまちヒステリアをおこして泣き叫び、抱きしめて頰擦りするかと思えば、突き飛ばして顔を背け、収拾がつかぬ有様となったので、安西に五郎の遊び相手を命じ、その間に女を抱いて慰めてやり、どうにか騒ぎを鎮めた。正気に返るとキヨは、この不憫な子を自分の手で育てると言い張った。しかし、近くにこの子を置けば菊江の気が立って、悶着の種となることは目に見えていた。おれは散々説得に努めたあげく、かねがね懇意にしていた伊東の旅館主に預けるが、母親は随時訪れてよい、そのための休暇は望みのままに与えるという条件でキヨを納得させた。

　八月のある日、母子を連れて伊東に行った。五郎を預けたのと別な旅館に女と泊まり、舟を借りて釣りを楽しみ、荒波を思う存分に泳ぎ回った。キヨを先に返して、何食わぬ顔で葉山に寄り、菊江と子供たちに会った。須佐の海で泳いでのう、日焼けしたのじゃと言うと、菊江は信じてくれた。五郎の始末を手短かに話すと、不具の子を憐れみはしたが、キヨという女の悪い遺伝のせいだとおよそ非科学的な邪推をした。後ろめたさもあって、おれは菊江に優しくしてやった……。

## 21

九月一日土曜

前古未曾有の大地震発生す。

この日記を今病室内の仮手術室にて、洋灯の光にて書くなり。日記帳辛うじて冠水を免れたり。正午事務室にて休息中、突然大震動来襲し、本館より出火、職員の果敢なる消火活動にて鎮火せるも、薬局手術室事務室など病院中枢部破壊せられ、居住区水浸し、工場倒壊、被害甚大なり。但し職員患者に傷害なかりしは不幸中の幸ひなり。

電気、水道、瓦斯、電話なべて杜絶す。市中地震禍及び大火災にて、阿鼻叫喚の巷と化す。

夜、市街燃え、天為に赤し。

深夜まで復旧に努め、診療の義務も果たせり。書き記したきは山ほどあれど、今は疲弊甚だしければ止む。

その日は、朝から雨まじりの強風が吹いていたが、次第に気が狂ったようなどしゃ降りとなった。病室と炊事場に雨が漏ったと報告があった。こんな天気にもかかわらず、結構来診者が多い。土曜日なので早く仕事仕舞いにしたくて、おれは懸命に働いた。午後からはキヨと、また伊東に出掛ける予定である。聖心も慶応も中旬までは休みなので、家族たちはまだ葉山に滞在していて、都合がよろしい。鬼のいない間に、温泉に漬かって骨休みをするつもりである。ふと外を見ると、いつの間にか雨があがり、ギンギラギンの太陽はまばゆく、蟬が鳴きしきり、ひどく蒸し暑くなった。

いやはや、今年の酷暑には降参した。梅雨明け以来、連日、太陽の炉は燃え盛り、大地は炒り上って、瓦は焼け爛れ、夜になっても暑熱が籠っていた。そうそう、十日ほど前に、一度だけ猛烈な降雨があった。ひと夏分の雨を一度にぶちまけたような、やけっぱちな大雨であった。乾き切って家中の箍がゆるんでいたのだろう、たちまち院内各所で雨漏りの騒動が持ち上がり、リネン室の繃帯もシーツも台無しになるし、薬局の濃硫酸に水が混入して危うく火事になるところであった。工場では、組み上がったばかりのレントゲン器が、すんでの所で水浸しになるところを、職員総出でゴム布を掛けた。あんな雨漏りは開院以来の珍事で、滑稽でもあったし、不吉でもあった。

診察を終え、事務室の窓辺で扇風機を回して涼んでいた。海が恋しい。伊東の海で泳ぎたい、そのあと酒を飲んでキヨを抱く。暑熱に負けて、筋肉も骨格もふやけているが、性欲だけは旺盛なものであった。溜った物は放出し、詰った物は洗滌する。それが、口から肛門まで、精嚢から陰茎まで管である肉体の健康を保つ道である。おのれが健康で働いていれば家族は、むろん菊江も幸福なはずである。これが時田利平流の理窟であった。

が、突如、そんな好い気な思考を叩き出すような衝撃が襲い掛かった。どんと突き上げられ、つぎの瞬間、巨人に摑まれたように、物凄い力で横殴りに振り回され、回転椅子から放り出されていた。すわ大地震だと思ったが、揺れがひどく立ち上れない。数十秒のうち、震動は極点に達し、棚が倒れ壁が崩れ天井が垂れ下がった。舞い降りてきた砂塵にまみれて横たわりながら、向かいのビスケット工場の屋根瓦が滝となって流れ落ちているのを、悪夢のように見ていた。薬局や手術室で轟音と悲鳴がする。おれは身を起すと、病棟に向って走った。右往左往している医師や看護婦に「患者を避難させろ」と叫んだ。

　昨夜手術した腹膜炎の老人がベッドから転げ落ちていたのを助け起した。傷口に異状はない。うろたえている看護婦をどやし、まずは重症患者を担架で運び出させた。「裏の畑じゃ」と指示したものの、畑は豪雨で泥濘と化していて使用不可能だった。やむなし、徳川邸の森に避難させた。患者たちを誘導させているさなか、ふたたび揺れがきて悲鳴があがったが、どこかで物の落ちる音がしたのみであった。

「火事だ」と声が上がった。外来診察室から白煙が吹き出し、窓の中に赤い炎の舌がちろちろと見えた。「みんな落ち着け」と叫びながら、先頭を切って夢中で走ったのはおれだった。

　待合室には煙が充満していて踏み込めない。しかし、薬局が真っ赤に燃え盛っているのを確認できた。と、事務室、手術室の辺りの煙が、鈍い爆発音とともに炎に変った。熱気は奔流のように迫り、おれを呑み込もうとした。「あぶない、おお先生」と、おれの腕を抑えた者がいる。安西であった。彼に外に連れ出された。

　安西は男たちをてきぱきと指揮して消火に当った。彼の掛け声に応じて、大工、工員、電工がポンプ車を曳き出し、消防用の溜池にホースを突っ込んで、放水を始めた。警察の消防車を呼ぼうとしたが、電話が不通である。看護婦たちが水道の栓をひねりバケツに水を汲もうとしたが、一滴も出ない。電気も水道も杜絶している。そのうち火は拡大して、二階へ、すなわち、時田家の居住部分、居間や寝室の方へと昇り始めた。医学研究資料、数々の思い出の品、菊江の衣装持ち物一切が灰になってしまうと観念した。この具合では病院全部が焼失するだろう。せめてもの慰めは入院患者を外部に避難させたことであった。

その時、安西が毛布を引っ被ると、ざんぶとばかり、溜池に身を沈めた。ずぶ濡れ姿で立ち上るや、窓から火の海に飛び込む。無謀な行為を止めようとしておれが叫ぶ間もない一瞬の出来事であった。二階の濡れ縁に現れた彼は、ホースを引き揚げ、階段口から下へと放水した。狙いが正確なためこれが効果あり、火勢頓に弱まって、ようやく鎮火した。後で聞けば、階段の昇り口で火炎に脚を包まれたが、義肢のほうであったため事無きを得たという。

安西は顔と胸と両腕に、第二度の、即ち水泡多発の熱傷を負っていた。治療してやると上半身が繃帯だらけになった。おれが、その勇敢な活躍に感謝の意を表すると、繃帯の穴から細い目が笑った。「おお先生の義足は火に強いね。両足義足だったら、もっと働けたかも知れないです」

火元は、しかとは判定できないが、薬局らしかった。十日前の豪雨の経験から、アルコール、エーテルなどの可燃物と塩酸、硫酸などの劇薬を、別々の櫃に保管しておいたのだが、落下した梁の直撃が可燃物の櫃を爆発させたらしい。人間の浅知恵を天が出し抜いたようなものだ。もっとも久米薬剤師は、このおれの推論に真っ向から反対で、火元は手術室の煮沸滅菌器の瓦斯が消毒用のアルコールに引火したせいだと言い張った。今度は滅菌器係だった間島キヨがお久米に噛みついた。そこへ岡田大工が割って入った。一番燃え方の酷いのは診察室で、人気のなかった場所だから放火に違いないと言った。この一言でお久米もキヨも黙り込み、薄気味悪げに顔を見合わせた。もうよいとおれは不機嫌に怒鳴った。「ともかく全焼はまぬがれたんじゃ。安西に感謝せい」

　病院の中枢部が焼け爛れてしまった。薬局、手術室、レントゲン室、事務室、外来診察室など、壊滅状態である。二階は無事だったものの、書物も衣類も蒲団も人形も、何もかもが水浸しで、当分ここでの生活は不可能である。ただし、居間の机の引出しにあった、医学研究資料、日記、重要書類は冠水していなかった。柱に掲げた退官時、海軍軍医少監の軍服姿で撮った写真、軍艦八雲の写真、錨形の置時計、戦利品の金時計、すなわち、おれが大事にしていた品々も事なきを得た。

　女中どもに、濡れた蒲団衣類を乾させていると、院内各方面から、矢継ぎ早やに被害の報告が入ってきた。気を取り直して、有田代診、鶴丸婦長、坪田技師、岡田大工などを引き連れ、院内を視察して回った。

　改めて本館の被害が大なるを確認した。火事に加えて、地震で柱が倒れ梁が折れ、屋根と天井とがすっぽ抜けている箇所が方々にある。ことにも無残なのは、レントゲン製作所の事務室で、株券、借金証書など重要書類を保存してある大型金庫が床にめり込み、落下せる梁の強打でいびつになった扉が開かず、中の物を出すのに苦労した。

レントゲン工場は倒壊していた。組立台はひしゃげ、発送を待つばかりだった完成品があらかた潰れている。〝健腎液〟工場は全体が傾いで、タンクが破れ、貯蔵してあった西瓜液が床に流失していた。病院の大きな収入源の二つが痛撃を受けたわけである。

普通病棟でも隔離病棟でも、屋根瓦が斑に滑り落ち、方々の窓硝子が弾けていた。が、棚の物品が落ち床頭台が倒れたりした程度で、建物自体の被害は少ない。病棟がおおむね無事であったのは、昨年、中央に造った八角形の広間、のちの〝花壇〟が堅牢で、がっしりと隣接する病室部分を支えたためである。この八角堂は、あれだけの激震にびくともせず、天窓の硝子一枚破れていない。岡田の棟梁としての力量と技術が立証されたわけである。折から大勢が昼飯の煮炊きをしていたにもかかわらず、出火に至らなかったのは、地震のただなか、毅然として建っている建物への信頼の念に支えられて、人々が恐慌を来さなかったためであった。

ところで、待合室の八雲の模型は奇蹟的に無疵であった。硝子ケースも割れていない。病院の看板が無事であったのは験がいい気がした。

そして、不幸中の幸いは、地震が起ったのが外来患者の帰った後であったこと、病棟の被害が少ないため入院患者が総員無事だったことである。この事実がおれを鼓舞してくれた。病院は満身創痍で、創立十年の努力が水泡に帰した感も覚えたが、元々裸一貫から出発したのだ、また遣り直せばよい、今は医師の義務を全力を振るって遂行すべきだと、かえって敢闘精神を奮い立たせた。

倉庫の薬品を総動員し、診療に必要な最小限の薬品だけは確保せよと久米薬剤師に命じた。病室をいくつか空けさせ、臨時の外来診察室、手術室、医師の寝室などを作った。八角堂の一部を白布で限って、事務室、薬局を作った。患者と職員が同居して雑然とした有様となったが、非常時の緊張がみんなに行き渡り、戦場のような活気が出た。

瓦斯が来ないので、昔ながらの竈に薪の炊飯になった。遅い昼飯を食ったら、白米と麦が切れてしまい、野菜も魚も残りは僅かとなった。おとめの報告では、近所の米屋、八百屋、魚屋など、すでに全品売り切れだという。海軍の知恵で、非常用に備蓄しておいた玄米と大豆を倉庫から運び出させた。そもそも、鈴木梅太郎博士のオリザニン、すなわちヴィタミンBは、十年ほど前に米糠から発見されたのであるから玄米は優秀な食品なのだ。大豆はそのままでも栄養価が高いが、萌やしにすれば、ヴィタミンCを発生し、野菜の代用になる。

三田四国町の日本電気会社工場から負傷者が五、六人運ばれて来た。一人は両足が膝下で潰れている重傷である。付添いの三田署員によると、アメリカ式の鉄筋コンクリート三階建ての最新大工場が全壊し、死傷者算無しという惨状で、ようやく数十名が救出されたものの、なお何百名もの職工が埋もれているそうだ。続いて、煙草専売局赤羽分工場の女工四人が運ばれて来た。ここも第一震で崩壊し多数の死傷者が出たという。

しきりと半鐘の遠音がする。東北の一帯から煙が上がっている。芝浦、芝公園、いや、もっと遠く銀座、京橋の辺りらしい。職員の誰彼がどこかで聞いた風説を伝えてくる。「東京湾に大津波が来襲した」「富士山、大噴火中」「摂政の宮殿下は飛行機にて御避難あそばされた」「明日、もっと大きな地震がある」「社会主義者と露国過激派とが朝鮮人を煽動している」突然の震火に動転した世間の噂話がつぎつぎに伝わって来て、職員や患者の不安を増幅していた。

葉山の妻子が気掛りである。キヨも伊東の五郎を心配している。が、院内の後始末に追われているうち、いたずらに時間が経って行った。午後遅く、永山光蔵が訪ねて来た。伊皿子坂の家は瓦が少しずり落ちただけで無事であったという。葉山にいる娘と孫たちの身を案じている。菊江たちが借りている家のそばに、風間家の別荘があり、藤江が娘四人とともに逗留していた。即ち彼にとっては、娘と孫の全員が葉山に滞在していたことになる。品川停車場に行ってみたが、さっぱり情報がつかめない、東海道線も横須賀線も全く動いていない、電話は不通、電報は打てない、地震の規模も範囲も皆目わからない、とにかくこんな大地震は七十年の生涯で初めてのことだと、平素悠揚としている人が、不安も露わに話している。おれは、東京に残っている風間振一郎なら、葉山の情報をつかむ手立てを見つけるかも知れぬ、と言ったが、当の振一郎との連絡の取りようがなかった。

夜になって、天が赤く照らし出され、下町方面の大火事が、まざまざと見て取れた。若い者数人と偵察に出掛けた岡田が、夜半、煤だらけになって帰って来た。芝公園の向う、愛宕町の慈恵医院と汐留、新橋辺りの市街が猛火に包まれていてそれ以上先に踏み込めない、大群衆が逃げ惑っている、方々に黒焦げの死骸が転がっていて物凄い有様だ、人々から聞いたところを纏めると、新橋、銀座、京橋、日本橋の全部が燃えているらしい、という。「東京の目抜きが全部じゃと？」と、おれは岡田の大袈裟を笑ったのだが、後でそれが事実であったばかりか、もっと広範囲の徹底的な大火であったと知るのである。

疲弊しきっているのに、頭が冴えて寝付けない。病室でとろとろと眠り、この世の終りを彷徨う悪夢にうなされていた。

明け方、鶴丸婦長に起された。加賀美元軍医長が訪ねて来たのだった。浅草仲町の医院が丸焼けになり、着の身着のままで脱出してきたという。当初地震の被害が僅少だったので安心していたところ、南北より火災が迫り、医院の裏手から燃え始め、たちまち四周を火に囲まれてしまい、家族と看護婦に声を掛けつつ一団となって逃げたのだが、方向を定めぬ旋風に翻弄され、焦熱と混乱のさなかにはぐれてしまい、夫人も令嬢も行方不明だという。「軍艦が沈没するときゃ、艦長が一緒に沈むもんだ。それが、院長独りが逃げだすなんて、ざまあねえや」と、言葉はおどけているが、顔は泣いて、すっかり肩を落している。髪も眉も焼けて無く、頭皮は焼け焦げて骨が露出している。傷の手当てをしている間に、昏倒した。熱症によるショック状態である。強心剤投与と輸液ですこし回復し、譫言で妻子の名を呼んでいた。

夜が明けたが、依然として北東方向の市街が燃えている。気になるのは、火災が次第に近付いて来ることであった。京橋、銀座辺りから芝浦へ、日本橋から佃島、月島へと、広大な範囲に天に冲する黒煙が挙がり、その底で赤い炎が悪鬼の千軍万馬となって荒れ狂っている。煤と灰が、汚れた牡丹雪のように降ってきた。やがては三田地区の類焼も免れ得ないという情勢である。溜池に井戸水を足し、バケツ、桶、盥、あらゆる容器に水を蓄えて防火の準備をした。こういう内々の才覚は、すべて安西によってめぐらされた。

何や彼やと外の情勢を探って来るのは岡田棟梁であった。壊れた建物の修復が第一の任務なのだが、材木が不足で果たせず、持ち前の好奇心から出歩いているのだ。時事新報、万朝報、朝日新聞など永年購読している新聞の配達が今朝は無く、市中の様子はさっぱり摑めないので、岡田のもたらす情報に稀少価値があった。

ほとんどの新聞社は震火災で打撃を受け、新聞の発行は不可能になっている。死者十万、焼失家屋三十万に達する。この数は現在進行中の火災によって更に増大するであろう。ガリ版刷りの号外によると、日本橋、京橋、本所、深川、浅草、神田のほぼ全域が焼失してしまい、芝、麴町、下谷が現在燃え続けている、横浜は全滅、横須賀は被害甚大、鎌倉には完全な家無く大半焼失。

「物凄い大災害だな」とおれは唸った。

「地獄でさ」と岡田は頷いた。「地震で崩れた家が薪みてえに燃えてるんでさ。中の屍体ももろともに荼毘に付しちまう。綺麗さっぱりなんにも残らねえって訳でさ」

「葉山の様子はわからんかな」

「わからねえ。だけど鎌倉がこのざまじゃ、似たりよったりで。湘南一帯に、かなりでけえ津波が来たこたあ事実だから」

前の道路は罹災民でごった返していた。家財を満載した荷車やリヤカーを曳き、子供を背負い、重病人に肩を貸し、家族ぐるみ、単独、迷子、はぐれた子の名前を連呼する親と、炎天下に、気息奄々（えんえん）の痛ましい行列だ。

おれは、閂（かんぬき）を掛けておいた門を開き、玄関付近の空き地に天幕を張って薬缶（やかん）に井戸水を充（み）たして給することにした。たちまち人々が殺到し、長い列を作った。

病院と見て、診察を請（こ）う者がいた。天幕内に机と椅子を用意して診てやることにした。すぐに数人が並んだ。

最初の人は火傷（やけど）である。それも黒い焼痂（しょうか）となった三度の重症だ。放置しておけば炭化した部分が壊死（えし）を起こして生命の危険がある。入院の要ありだが当院も満床のうえ、外来薬局を病室内に移したため、余裕がまったく無い。その旨（むね）を告げると泣きつかれた。この傷ではもう歩けない、軒下でも納屋（なや）でもいいから置いてもらえないだろうか、という。おれは、本館の使用可能な空間を臨時の病室とすることにしようと、答えた。

次の人を診ようとして顔をあげたら、列は百人ほどに延びていた。懸命に働く。三十人ぐらい診て二人入院、すると列は百五十人ほどに延びていた。切りがない。病棟からは院長回診の催促（さいそく）に来た。久米薬剤師が、治療薬が底を突いてきたと注進のため顔を出した。

「薬屋から購入できんのか」

「近所を軒並み当たってみましたが、どこも売り切れです。売り惜しみもあるらしいのですが」

「と言ってこの人たちを見捨てるわけにもいかん」

「入院患者の治療を優先して下さらねば困ります」

「それはわかっちょる」

　列に並ぶ人々に事情を話した。かなりの人数が諦めて去って行ったが、十数人が待っていた。もうそれ以上歩けそうもない重症者ばかりであった。彼ら全員を仮病室に入院させた。

　回診、手術、院内の復旧整備に手一杯である。薬剤を節約しつつ、心当たりの製薬会社や医療機器店に使いを出し、在庫品の購入に努めた。十に七、八までは倒壊または焼失の憂き目に遇っていたけれども、難を免れた所から大量の買い入れに成功した。この成功は、数多の医療機関が被災したため、需要が減っていたためでもあった。とまれ、器材が潤沢となって急に診療がやりやすくなった。罹災した臨時患者も出来るだけ受入れ、三十人の余を仮病室に収容した。

　午前十時頃、芝浦方面の火事の様子を見に行っていた坪田技師が帰って来、一応鎮火したものの、芝浦製作所も類焼し、時田式レントゲン器のX線管とX線発生装置を製造していた工場は壊滅的打撃を受けたと、伝えた。ほかの所には注文できぬ精密部品が駄目になったとすると、事態は深刻で、レントゲン製作所の復興などおぼつかない。

　朝鮮人に関する風説が急速に広まってきたのは、午後になって市内各所の火災が収束に向かってからだった。「たった一回の地震であんな大火が起こったのは大勢の人間が放火を働いたからだ」という憶測から、それを〝不逞鮮人〟のせいにする噂が生れ、つぎつぎに尾鰭が付いて行ったと、今、おれは考えている。「不逞鮮人三千人が横浜で放火略奪を行ったあと、蒲田大森で大暴れし、今や帝都に侵入しつつあり」「品川警察署は、殺傷、略奪、放火を働いた不逞鮮人多数を検挙した」「高輪御殿付近で不逞鮮人が井戸に毒薬を投げ入れ、屋上に石油を注いで放火している」等々が患者や職員のあいだで囁かれた。坪田が芝公園で拾ったガリ版刷りのビラには、まことしやかな文面が見られた。

**警告！**

鮮人の不逞徒輩三々五々隊をなし二日朝来各所に出没し避難民を擁して強窃盗を行ふは勿論放火爆弾投擲等に依つて猛火に気勢を添へて居る。警官隊と軍隊とは相呼応して劫火の中に大活動を開始し各方面において二十数名の不逞鮮人を逮捕した。

**続報！**

巣鴨監獄横水窪に多数の鮮人現れ麦酒瓶に石油を詰め家屋に撒布して放火しつつあり。又缶詰に類した爆弾を所持して小石川伝通院より西巣鴨に出没して、陸続たる避難民を脅かしてゐる。

〝不逞鮮人〟といういぞ聞き馴れぬ言葉が、突如として最大の流行語として人々の口に上ってきた。未曾有の大震火災にうろたえて為すところを知らなかった人々は、俄に敵を、災害の元凶を見出したのだ。言葉は一人歩きを始め、肥大し、ついに不逞鮮人撲滅のために自警団を組織させるほどの力を持ってくる……。

　午後三時頃であったと思う。朝からの多忙な仕事に一区切りがついて、臨時手術室で、ぼんやりとゴールデン・バットをくゆらせていると、厳しい面持ちの岡田が入って来た。

「あの火事は安西の付け火でさ、まちげえねえ証拠がある」

「莫迦を言え。あの男は、消火の最大の功労者じゃ。それは絶対にない」

「しかし、奴は朝鮮人です。平素猫っかぶりしやがっても、日本がこうなりゃ、何をすっかわからねえ」

「何を言うちょる。安西は、お前と同じように職員の最古参じゃ。気心のよう知れた同僚ではないか。それに、考えてみい、自分で火付けをした男が、あんなに命がけの消火をするか」

「それが、かえって怪しいでさ。犯行隠しにわざと働いてみせたってえ線もある。わしゃ焼け跡を詳しく調べてみた。一番の黒焦げは薬局にはねえで、診察室だあ。もう外来が終わって誰もいなかった部屋でさ。ところでよ、みんなが徳川様の庭に避難したとき、安西の姿が見えなかったたっちゅうこたあ、みんなが気がついていたでさ」

「みんなって誰じゃ」

「みんなでさ」岡田は真一文字に口を結び、扉の外に顎をしゃくった。

「ともかく調査してみる」

「調査って奴に聞くんですかい。それじゃ駄目だ。奴はしぶとくて泥を吐かねえ」

棟梁が出て行ってから、おれは遅い昼飯を摂った。玄米の握り飯に冷えた味噌汁である。昨日から決まり切った献立だが、患者も職員もこんなものを食べるより仕方がないのだ。看護婦に安西を呼びにやらせたところ、なかなかやって来ない。つぎの手術を始めるかと、腰をあげたところに、安西が入って来た。薪割りを区切りのいい所までして来たという。繃帯姿の朝鮮人は、おれが話を切り出す前に、「知ってます、おれが放火をしたってんでしょう」と言い、「莫迦莫迦しい、濡れ衣もいいとこです」と叫んだ。

昼過ぎ、倉庫から炊事場へと叺入りの大豆を運んでいたら、岡田に呼び止められ、きのう患者たちが徳川邸に避難した時のアリバイを根掘り葉掘り聞かれた。レントゲン工場にいて、倒れてきたレントゲン器の間に挟まれ、必死で這い出していたと言っても、大工は歯牙にもかけてくれぬという。

「おれはお前を信じている。お前は絶対そんなことはしてない。しかし、昨日からの異常事態で、一部の人間は頭が変になっている。朝鮮人はみんな不逞鮮人だという了見だ。岡田もその風潮に感染しちょる。ま、ほんの一時のことじゃ。気にせんでもええ」

「おお先生がおれを信じてくれるなら、安心しています」

「もちろん、お前を信じている」と、おれは繰り返した。

その時、鶴丸婦長が駆け込んで来た。

「じけいだんが押し掛けて来ました」

「じけいだん？」

「無頼漢みたいな連中です。大勢が刀とか棒を持って、片足の不逞鮮人を出せって、すごんでいます。待ってと言ってもどんどん入って来ちゃうんです」

おれは鶴丸と協力して、安西をベッドに俯せに寝かせ、下半身を毛布で覆って義肢を隠した。治療中と見えるように、婦長に頭に新しい繃帯を巻きつける動作をさせた。騒然としてきた。院長に会わせろと胴間声が熱り立っている。ドアを蹴破るようにして、十人ほどの男どもが闖入してきた。

今でもその時の情景をまざまざと覚えているが、白虎隊風に鉢巻きを締め、袴に撃剣の胴をつけた二十代から三十代と見られる男たちが、てんでに木刀、竹槍、鳶口などを握って、居並んでいた。日本刀の抜き身をさげた、滑稽なほど太い鼻緒の朴歯に襠高袴、それに赤い胴をつけ陣羽織の、おそらくは三十代半ばの壮漢が隊長で、おれを院長と見ると、刀の切っ先を突き付け、片足の朝鮮人が当院で働いているのは周知の事実だ、奴を出せ、と迫った。

「今、治療中じゃ。重病患者に障るから、ここでは話ができん。外へ出ろ」と、おれは医者の威厳を見せて連中を廊下に押し出した。

「片足の朝鮮人がいるでしょう」と、気勢を削がれた壮漢は、やや丁寧な口調になった。

「ほう、よく御存知じゃな」おれは消防組の一人に、向かいの染物屋の息子を認めた。男たちの大部分には見覚えが無いが、こちらの内情に通じている近所の者が混入している。「たしかにそういう男が働いちょるが、今はここにおらん。遠くに使いに出しておる」

「ならば、帰る迄ここで待つ」壮漢は白刃を収め腕を組んだ。

「遠くと言っても大阪だ。いつ戻るかわからん」

これで相手は幾分拍子抜けした。おれは努めて勿体振って訊ねた。

「何事じゃ、物々しい。あの男が何をしたんじゃ」

「知らねえんですか。市内各所で不逞鮮人が悪事を働いてるんです。強盗、殺人、放火、爆弾、毒薬……この国家の危急に際して、奴らは人非人です。日本の転覆を図っていやがる。断じて許せねえ。見つけ次第、撲滅してやる」

「うちのはそんな人間ではない」

「朝鮮人はみんな不逞鮮人なんだよ」「水道が出ないから、みんな井戸水を使っている。毒を投げ込まれたらどうするんだ」「魚籃坂の井戸は毒で飲めなくなった」「高輪御殿の火事は不逞鮮人の放火だ」「きのうのこっちの火事だってあいつの仕業だよう」

紙に火をつけたように、ぱっと燃え広がる。一人が叫ぶと、全員が口々に叫び、猛り狂い、土足を踏み鳴らし、武器を振り回す。看護婦や患者が遠巻きにしているため、大向うを唸らせようとやたらと武張っている向きもある。やがて彼らの仲間が二人走って来て、古川橋に不逞鮮人数名が蠢動していると報告すると、一斉に「おう」と雄叫びを挙げて引き揚げた。壮漢は「また来るぞ。朝鮮野郎が帰ってくるまで、この病院は監視しているからな」と捨て台詞を残した。

手術室に戻ると、安西はむっくり起き上がり、「ありがと、おお先生」と何度も頭を下げた。腰を抜かした体で、椅子からなかなか立てない鶴丸を、室外に去らせ、おれは安西に勧めた。
「お前、ほとぼりが冷めるまで、地下の発明研究室に隠れていろ。あそこはな、地震にもびくともしなかったほど頑丈だし、部外者には存在を知られていないし、入口の鍵を持つ者はおれだけだし、火を使えるから炊事もできるし、便所もあるし、長期の隠れ家にはもってこいじゃ。ただ電気が杜絶しちょるので蠟燭の明かりしかないし、扇風機が役立たんから、暑いがのう。それでも地上よりは増しじゃろう。日に一回はおれが、食糧持参で火傷の治療に行ってやる」

しばらく機を窺った後、おれは安西を従えてそっと廊下を通り、病棟の裏手から炊事場に回り、安西の大の仲良しであるおとめに秘密を明かして、有り合わせの料理、玄米、水、酒を用意させ、人目を避けて密かに鉄扉を開き、地下室に案内し、内部の使用法を説明してやり、鍵を渡して、何食わぬ顔で戻って来た。

そんな画策の最中、岡田は外出していたらしい。手術室へ向うおれに追い縋り、戒厳令が施行された、軍隊が続々東京に集結し、治安の維持に当っていると報告した。

「戒厳令とは不穏な情勢じゃ」

「不逞鮮人の悪辣行為があんましひでえからでさ。あちこちで爆弾騒ぎや毒薬投下をやらかしてやがる。今日の午後、鮮人二百名が品川署内仙台坂に来襲して、白刃をかざして略奪、自警団と戦って、大勢の死人が出たってえいいます。こんな場合警察だけじゃ、とっても抑えきれるもんじゃあねえ。そうそう、ついさっきだけどもね、三之橋の貧民窟でも井戸に毒を投げ込もうとしていた男が発見され、自警団に殴り殺されやがった。見せしめのため、死骸は橋に吊るしてある」

「お前、それを見たのか」

「見たもんから直接聞いたから、確かでさ」

「殴り殺す……民間人が人を殺すのはいかん。秩序の破壊じゃ」

「ですがね、おお先生」岡田は、ぴりぴりと顔面筋を痙攣させた。「今の秩序は民間の加勢が無けりゃ保てませんや。民間が警察に加勢しても、まだ保てねえもんだから軍隊が出動した、そういう順序でさ。ところで安西を捜してるんですが、どこに行ったか、知りませんかねえ」

「知らん。しかし、捜し出してどうするんじゃ」

「警察に突き出してやるんでさ。奴は放火の容疑者だし、ほっておきゃ何すっかわからねえ。また放火されたんじゃかなわんし、病院の井戸に毒を落とされたら、大所帯だからおっそろしい被害になる。どっかに隠れやがったな。てこたあ、奴が犯人だってえ証拠でさ」岡田は、物に憑かれた人の、血走った目付きで、筋張った腕をしきりにさすった。

そこへ看護婦が飛んで来た。加賀美元軍医長が、出掛けると言って聞かぬという。加賀美は、焼け焦げたズボンとシャツに繃帯だらけの体をねじ込んだという恰好で、墓場から這いだした死人さながら、ふらふらと歩いていた。

「無理ですよ、とても出掛けられる体じゃない。それにもう夕方だ。すぐ暗くなる」

「妻と娘を捜さねえと……手遅れになる……この混乱じゃ、行方不明になっちゃう」

「いざという時、ここに来るという打合せはしてたんですか」

「もちろん、住所も地図も渡してある」

「それなら、御自分でこちらに見えるでしょう」

「それが来ない……だから死んだ公算が高い……公算じゃねえ……確実な事実だ。今屍体をどしどし焼いてるそうだ。屍体まで行方不明になっちゃ、かなわねえ」

「とにかく今晩——ほら、もう日が暮れてきた——今晩は到底無理です。明日、おれが捜しに行きます。体に障る。休んで下さい」と何とか説いてベッドに寝かせた。体力の消耗が激しく、来院時とそっくりの昏睡に陥った。

岡田がまた来て、綱町、豊岡町、寺町の町会で自警団を組織することになったから、当病院からも然るべき人数を出すべきだと進言したのは、夜になってからだった。おれは最初気が進まなかったが、午後闖入してきた無頼漢のようなグループは、さすがに町会でも困ると考えるようになり、町会先導の青年団、消防組等の有志が集まった組織にする、この件については三田署の承認も受けていると、岡田が昼間と違った穏やかな口調で言うので、近所付合いのよしみもあると考え直し、棟梁に大工二人を付けて出した。ところが、〃出陣〃の挨拶に来た彼らを見て、仰天した。鉢巻き、時田病院染め抜きの祭用の半纏、乗馬ズボンに、各自鉞、鉄棒、スパナなどを持ち、人殺しにでも出掛けるような出で立ちであった。

蒸し暑い、不安な夜になった。するめを肴に冷や酒を引っかけ、酔い醒ましに物干台に登った。暗い。前夜は火炎が天を照らして、電灯無しでも結構明るかったのが、ふっつりとした真っ暗闇である。反面、満天に星の輝きは増した。海軍に勤務していた時より、星を見るのが我が趣味であった。南の寺の森の上に、まがまがしい夏の毒虫、蠍座が、八本脚でべたりと天球に貼り付き、赤い巨大心臓を鼓動させている。このお馴染みの星座を、明治三十七年、旅順沖の八雲艦上で乃木将軍の第三軍の砲撃を背中に聞きながら見たことを、大正二年、この三田で開院の準備に忙殺されながら見上げたことを、思い出した。明治三十七年――一九〇四年、大正二年――一九一三年、大正十二年――一九二三年、ほぼ十年おきの記憶である。蠍座からぐんぐん天頂へと伸びている天の川は、爽やかな、涼しげな帯だ。頭上には白鳥が羽ばたき、北にはカシオペイアのWが泳いでいる。星は変らない。戦争も震災も超越して、まがまがしく、美しく、壮大に、涼しげに、人の心でさまざまに形容されながらも、恬として存在している。大体、地球のような、巨大な物体が精密に規則的に、おなじ様相、同じ運動を繰り返しうる事実が驚異である。地上の物はすべて、不正確で不規則で、絶えず変化しているではないか。おれの作った物は、簡便茶漉器も電動蓄音機もレントゲン器も、病院も、すべてが変化して行き、同じ運動を繰り返すことも無い。大東京などと言われている、この都市もそうだ。御維新以来、東洋の大都を目指して、ひたむきに普請を重ねてきた市街の半ばが燃え尽きてしまった。その脆い市街の片端にある、この三田界隈は、まだ辛うじて形を保っているものの、いついかなる作用で消滅するか知れたものではない。本館の仮病室の患者たちの蠟燭が淋しげに揺らいでいる。蚊帳が足りぬため、蚊を追い払っている団扇の動きがせわしない。津の国屋酒店前の三叉路で沢山の提灯が蠢いている。その辺りが自警団の屯所になっているのだ。道の向う側にも数張りの提灯があって、そこから時々「誰か」という鋭い誰何と、「ぼく」「びくびく」と定められた合言葉の応酬がある。自警団員が交代で路上の検問に当たっている。彼らは、〝不逞鮮人〟の極悪非道に曝されている〝日本の町〟を自力で防衛しているという正義感に燃えている。また誰何があり、通行人が検問に引っ掛かった。一人が大勢に責められている。疑いが晴れなかったのだろう、悲鳴をあげて抗う男が屯所にしょっぴかれて行った。

　人通りがぴたりと絶え、不気味な静寂が続く。と、足音がひたひたと迫ってきた。星明りに人影が動いた。病院の塀を乗り越える十数人の怪しい影がある。影は、つぎつぎと、忍者の軍団のように、本館内に忍び込んだ。不吉な予感がしたおれは、あわてて下に降りようとした。けれども、闇の中の急階段で手間取った。遅かった。地下室入口の鉄扉が破られて、男たちが奥に侵入していた。後ろ手に縛られた安西が連れ出された。殴られたか刺されたか、頭と腕の繃帯が真っ赤である。「やめろ」と叫ぶおれは、誰かに羽交締めにされた。匕首が胸に擬せられていて動けない。義足を取られた安西は、片足跳びで突き飛ばされて行き、倒れるとそのまま荷物のように、地べたを引き摺られて行った。男たちは三叉路のほうに流れて行く。追おうとしたおれを岡田が引き止めた。「おやめなせえ。殺されまさ」「しかし安西が……」「奴は不逞鮮人だ。当然の報いでさ」

　そこで岡田の制止を振り切って自警団の屯所に乗り込み、安西を救い出すという結末ならば、物語になったろうが、おれのしたのは腰砕けの卑怯な行為であった。武器を翳す、殺気立った集団への恐怖のほうがおれの勇気よりも大きかった。院長として家長としての責任を果たすためには、身の安全が第一だと自分に言い聞かせながら、後ろめたさに苛まれていた。

翌三日の早朝、風間振一郎が訪ねてきた。運転手付きの自動車に乗っている。かんかん帽をかぶり白麻の背広を着て、髭を生やしている。驚いているおれに、髭は付け髭だ、戒厳令下の検問を突破するための扮装だと笑った。今から葉山の家族を訪ねるが、菊江さんに伝言があったら伝えようという。

「それはありがたい。本館に大分被害があったが、病棟は無事であった、患者職員ともに無事であったと伝えてほしい」

「おお、相当やられましたな」振一郎は潰れたレントゲン工場と焼け焦げの本館を博覧会でも見て回るように後ろ手を組んで、何だか楽しげに見て回り、感に堪えないというようにしきりと首を振った。

「葉山の状況は何か摑めましたか」とおれが尋ねると「警察に調べさせました。なあに、菊江さん始めみなさん無事ですよ。お宅は丘の中腹で助かった。ぼくの別荘は海岸沿いだもんで、津波をかぶり、危うく流されるとこだった。でもまあ、人畜に被害はなかった」と涼しい顔だ。

「人畜?」

「犬一頭、猫一匹」

「ははあ」

「続々と軍隊が入ってますよ」

「葉山にか」

「いや、東京にですよ。中央本線、総武本線以北は近衛師団、以南は第一師団。この三田は第一師団の支配下にあるってえ訳です。いやあ、ここまで来るのに大変でした。道は瓦礫の山、橋は落ち、避難民は右往左往、私設の警備隊やら、兵隊やら、お巡りやらが、やたらと検問所を設けてやがる。物資輸送のため、その自動車を徴発するなんて抜かす。ぼくはちゃんと、戒厳司令官、福田大将の御墨付きを持ってるんです。湘南地方視察のために特に派遣す、という証明書です」

「ところでこの自動車は……」

「古河社長のです。ぼく今『古河市兵衛伝』の編纂のため、新大久保の古河邸に住んでるんです」

「ああ？　そうじゃったな」

「あの辺はなんともない。今度の地震で、市の西側は安泰でしたな。牛込、四谷、赤坂、小石川、麻布は、むろん倒壊家屋はあるが、火は免れた。東海道線、横須賀線は不通。東海道は通れない。結局、自動車で八王子まで出て、裏道を藤沢へ抜けるしかない。新大久保から直接行けば早かったんだが、一応兄上に敬意を表しに来たので、えらい時間を食った」

「そりゃ、どうも」

　菊江宛の手紙、玄米、大豆、医薬品などを振一郎に託した。自動車が動き始めたとき、突如すっかり旅支度をした間島キヨが走り寄り、藤沢まで乗せて下さいと哀願した。不審顔の振一郎に、おれは、当院の古い看護婦で伊東にいる一人息子を心配しているのだと説明した。彼は磊落に笑ってキヨを乗せてくれた。

発明研究室に降りてみた。蠟燭の光に、狼藉の跡が生々しい。安西は読書中だったらしく、芥川龍之介の『傀儡師』が机上に開かれたまま置かれていた。しかし、椅子は壊され、義肢が床に転がり、血が壁にまで飛んでいた。研究用の工作機械や炉も破壊され、試薬類の瓶はすべて叩き割られてしまった。

昼頃になると、前の道路を兵隊の行軍が通るようになった。罹災者の列を押し退けるようにして、夥しい兵隊が進む。鉄鋲が路面を打ち、黒光りした銃が分厚い柵を成す。職員が拾ってきたビラには、関東戒厳司令官命令だとか、摂政宮御沙汰とか、警視庁の注意とか、いろいろな文章が印刷されてあった。

**注意！**

昨日来一部不逞鮮人の妄動ありたるも今や厳密なる警戒に依り其の跡を絶ち、鮮人の大部分は順良にして何等凶行を演ずる者に無之に付濫りに之を迫害し暴行を加ふる等無之様注意せられ度、又不穏の点ありと認むる場合は速に軍隊警察に通告せられ度し。

警視庁

おそらく戒厳部隊の取締りのせいであろう、三叉路を屯所としていた自警団はいつの間にか解散していた。岡田に訊ねても安西の行方は知らぬという。三叉路にも奥の慶応のグラウンドにも見当たらず、心当りをすべて人に捜索させ、ついに三田署に問い合わせたが埒が明かない。殺されたのか、姿を暗ましたのか、杳として消息がつかめなかった。

午後、雨が降りだし、例によって雨漏りが始まった。仮病室の患者を八角堂に移したりして一騒ぎであった。地震でがたが来た本館がことにひどい。が、雨のおかげで人通りは少なく、久しぶりの涼風で、きのうの午後何回か感じられた余震も無く、落ち着いた気分になれた。

新聞の号外（多くガリ版刷りであった）が逐次災害の詳報をもたらしてくれた。本所の被服廠跡では熱風の竜巻が起こり、四万二千人もの死者が出た、浅草の田中小学校では千人、吉原公園では五百人が死んだとある。

加賀美が、また起き上がって妻子の捜索に行こうとした。ともかくおれがまず捜しに行きますと彼を宥め、加賀美夫人と令嬢の顔を知っている坪田技師を供に、おれは浅草を目指した。

電車が動かないので徒歩で行くより仕方がない。芝公園、新橋、日比谷、銀座、日本橋、上野と雨の中を歩いたが、警視庁も、帝劇も、松坂屋呉服店も、三越呉服店も、すなわち、市内有数の大きな建物が破壊炎上してしまい見る影もない。一望千里の焼野原で、道路にはぱっくりと亀裂が走り、倒壊炎上した家々の堆積でがらくたを踏み分けて行かねばならぬ。

焼けた電車や自動車には誰かが住みついていて、窓に洗濯物なんかが掛けてある。公園、学校、富豪の邸宅に何万という罹災民が雲集し、焚き出しや配給を待つ長い列が雨に打たれている。兵隊警官憲兵の姿がやたらに目につく。絶えず異臭が漂う——排泄物、腐爛した屍体、焦げた材木の臭いが混ざり合っているらしい。

浅草仲町は雷門の真向かいである。このあたりは一面の焦土なのに、雷門から浅草寺の境内には火が回っておらず、相当の震災を受けた仲見世街の向うに観音堂が高々と望めた。しかし、奥のほうでは、かつて登ったことのある十二階の凌雲閣が傾き、半ばから折れていた。

モダンな煉瓦造りだった加賀美医院は、薄汚れた砕石の山と化していた。家族の残した書き置きでもあろうかと丹念に敷地内を捜したが何も見つからぬ。玄関跡に、あらかじめ元軍医長の所在を書き込んでおいた、立て札を立てた。

廃墟には違いないが、住居を失った夥しい人々がうようよいる。この中から元軍医長の妻子を捜し出すのは至難の技である。巡査に教えられて、この近辺の臨時火葬場を巡ってみた。罹災者で一杯の観音堂脇から、聖天町の待乳山公園へ行った。中央に積み重ねた屍体の山に油を掛けて焼いている。肉の焼ける濃密な臭いで、金州の激戦場を知っているおれも、たじたじとなった。坪田など入口で後込みである。地上にずらりと並べられた屍体は、腕に発見場所を記した布が巻いてあるが、ほとんどが全身黒焦げで顔など見分けられぬ。水死体のほうは水膨れと腐爛で、これも顔を弁じえない。まず仲町で発見されたのを選んで見ていったが、途中から虚しい試みに思えてきた。それでも、われわれは黄昏時まで、今戸公園焼け跡、吉原病院焼け跡、田中小学校焼け跡と臨時火葬場を巡り歩いた。そして、暗くなってから、いくつかの検問所で引っ掛かりながら帰ってきた。加賀美はわれわれの報告を予想していたらしく、別に驚きもせず、軽く頷き、淋しげに頬笑んだ。

加賀美元軍医長が死んだのは、それから二日後、九月五日の午後であった。元々狭心症の気があったところに重い火傷に心労が重なり、心筋梗塞の発作を起こしてしまった。医師として、彼を救えなかった自分を責めながら、おれは泣いた。優しい先輩で、菊江との結婚の恩人で、親しい友人を失ったのだ。

最初の出会いは、おれが軍医学校を卒業してすぐ、横須賀海軍病院に勤務した時だから、明治三十三年、もう二十三年前のことだ。日露戦争が終り、軍艦八雲を降りて、横須賀水雷団付きとなって再会し、菊江と出会う切掛けを作ってくれた。結婚式の媒酌人もしてくれた。二人とも退官して開業してからも近しい仲が続き、時田レントゲン製作所の株主にも喜んでなってくれた。

加賀美が亡くなった日に出された総理大臣山本権兵衛の内閣告諭をおれは日記に写している。

**内閣告諭第二号**

今次ノ震災ニ乗シ一部不逞鮮人ノ妄動アリトシテ鮮人ニ対シ頗フル不快ノ感ヲ抱ク者アリト聞ク鮮人ノ所為若シ不穏ニ亘ルニ於イテハ速ヤカニ取締ノ軍隊又ハ警察官ニ通告シテ其

ノ処置ニ俟ツヘキモノナルニ民衆自ラ濫ニ鮮人ニ迫害ヲ加フルカ如キコトハ固ヨリ日鮮同化ノ根本主義ニ背戻スルノミナラス又諸外国ニ報セラレテ決シテ好マシキコトニ非ス

加賀美の死を悼みながら、おれは行方不明になった安在彦をも、その死をほとんど確実と信じつつ、悼んでいた。

電車が停ったままなので、市内の交通はバスで代替された。フォードを改造した粗末な緑色の車で、馬車鉄道の〝円太郎馬車〟のような騒音を発するものだから、〝円太郎自動車〟と綽名された。汽車の復旧も遅々として捗らず、妻子の帰京もままならぬ。と、九月八日、風間振一郎が、自動車に菊江と藤江を乗せて、出発の時と同じく、飄然と帰ってきた。子供たちは汽車が開通するまで、葉山で待たせることにしたという。

「家の立て込んでいる鎌倉は大分やられたが、逗子、葉山は大したことはない。みんな無事です。地震も子供たちにとっちゃ、面白い遊びになる。汽車が無い間だけ夏休が延びたと、喜んでます」

続いて、菊江と藤江がこもごも、その時の経験を語った。

午前中、時田風間両家全員で海水浴をし、海辺の風間邸に引き揚げて昼食中、大揺れがあった。大地が割かれたような地鳴りがして、内臓が引っ繰り返ったかと思った刹那、菊江が縁側から庭に転げ落ち、西瓜が沓脱ぎ石に撥ねて割れ、赤い汁が飛び散った。六人の娘がけたたましい悲鳴をあげ、卓上の茶碗や土瓶が散乱し、簞笥が倒れ瓦が降った。書生が菊江を助けあげ、みんなして蒲団を被って震えているうち、揺れが収まった。すると、海の方向で、ごおっという滝壺の底さながらの響きがして、松林の底に波が泡立ち押し寄せ、生籬を越えて庭に侵入して来て、縁の下に流れ込むと、畳の間から水が吹き上げ、畳が一枚一枚剝がれて回りでぷかぷか浮いている。津波だ、また来るぞと誰かが怒鳴ったので、一同胸まで水に漬かりながら逃げた。そうしたら水が引き始め、夏江と桜子がすんでの所で流されかけ、また書生に救われた。

風間邸は水浸しなので、その夜は、時田の借家に、みんなが集まった。また凄い余震が来ると誰彼が囁くので、家を出て、裏の竹藪に蚊帳を吊って寝た。朝になったら変に息苦しい。蚊帳が露で濡れて、鼻の孔にぴったりくっついていた。海を見ると、ずっと沖にあったエビ島という岩がぐっと近くに移動していたので驚いた。

振一郎が藤江とともに車で去ると、菊江はたちまち事務長の、しかつめらしい態度になり、鶴丸、久米、岡田を従えて、院内の被害状況を点検して回った。二時間ほど経つと、びっしりと視察記録を書き込んだノートを持ち帰った。

菊江の活動が開始された。八角堂の仮事務室に焼け残った書類を運び込む（幸い重要書類は二階の簞笥の奥に仕舞われていたので、無事であった）。病院や工場の建築経費から、被害箇所の復旧経費の概算を弾き出す。こういう細かい作業は彼女の独擅場で、おれは、ただただ感心して見守っていた。九月七日に政府の〝支払猶予令〟が出され、九月末までの債務支払いが三十日間延期されたことを知ってはいたが、実際にどのくらいの恩恵を受けうるか、計算が面倒で放っておいた。それを全部菊江は表にして示した。要するに、支払い延期がひと月程度では、株式会社時田レントゲン製作所の債務は払い切れない、新たな借金と有価証券の売却で、しばらくは凌げるものの、結局は……そこで菊江は口を噤んだ。

「倒産か」

「おそらくは……工場の復旧がどうなるか、にもよりますけど。芝浦も蒲田も潰れてしまったそうですから、今後部品入手の当てはなく、工場の再開は無理でしょう」

「それでは倒産じゃ」

「わかりませんけど、そうなる恐れは……」

「莫迦を申せ」と、おれは力んだ。「あの開発には時間も金も仰山掛けておる。今倒産したら、すべてが無駄になるわ」

しかし、いくら力んでも工場の再建は思うにまかせなかった。芝浦製作所に発注していたX線管もX線発生装置も精密な部品で、日本の他の工場では製造が不可能と判明した。それに倒壊した工場は全部を新規に建て直さねばならなかった。健腎液製造工場も西瓜液が流失した以上稼動しない。簡便茶漉器や電動蓄音機を注文生産させていた市内の町工場も焼失していた。八方塞がりである。借金の利子の重圧が、次第に、胸を万力で締めつける如き不快として感じられてきた。

九月半ばから雨の日が多かった。ただ降るだけでなく、大驟雨という具合に一時に大量に降るため、毎回雨漏り騒ぎを繰り返さねばならぬ。岡田の発案で、職員総出で、屋上に雨避けのゴム布を張った。

十月一日の開院十周年記念日も祝うどころではなかった。それどころか、工員と電工の給料を払う当てがなく、苦慮していた。例の〝支払猶予令〟には、「銀行預金の支払にして一口百円以下のもの」については適用されないという規定があり、給料の資金調達が出来ず、やっと倉庫の玄米を現物支給することで、彼らを納得させた。

十月三十一日の天長節祝日は、すべての公式儀式は中止され、淋しく寒い、氷雨の降る一日であった。夕刻、向いの大松寺において、加賀美元軍医長の葬儀を行った。夫人令嬢はついに現れず、遺族生死不明のままの法会であった。

そして、いかに手を尽くしてもレントゲン製作所の復旧再開は不可能と判明したのが十二月上旬で、株主総会を院内八角堂にて開き、解散を決議したのが中旬であった。

当会社ハ大正十二年十二月十四日ノ臨時株主総会ニ於テ解散ヲ決議ス就テハ当会社ニ対シ債権ヲ有スル方ハ当清算人ニ対シ大正十三年三月末日迄ニ御申出相成度若シ右期日迄ニ御申出ナキ時ハ清算ヨリ除却可致候　此段広告候也
東京市芝区三田綱町一番地株式会社時田レントゲン製作所大正十二年十二月十八日清算人
永山光蔵風間振一郎唐山竜斎

〝時田式レントゲン器〟製作の大事業は莫大な借金を残してついえた。この時のレントゲン器に大幅な改良を加え、〝時田式レントゲン撮影機〟として製造を再開したのは、ずっとあと、昭和十五年のこととなる。

大正十三年正月二日、新年宴会が八角堂で行なわれた。一年前の意気盛んな有様など想像もできぬ、まるで潮垂れた集まりとなった。院長四十九歳、震災以来の心労に窶れ、痩せて皺の増えた顔に、口髭には白いものが混じり、レントゲン工場の閉鎖と株式会社の解散を、悲痛な声で職員一同に告げねばならなかった。本館の改修ができるまで、当分の間入院患者は半数の五十名に減らし、職員も相当数解雇せねばならぬ。震災前の隆盛に復するには、おそらく数年から十年の月日を要するであろう。

安西の生死は不明である。民法上には、「不在者ノ生死カ七年間分明ナラサルトキハ裁判所ハ利害関係人ノ請求ニ因リ失跡ノ宣告ヲ為スコトヲ得」とある。したがって、とおれは言った。今後七年間、安西は生きている者と見なし当院職員の身分を保証する。

その晩、岡田棟梁と一緒に自警団に参加した大工の一人が、こっそりおれを訪ねて来た。

「実は棟梁に口止めされてるんで、言いたかねえんですけど、安西が殺されるとこを見たんです。慶応のグラウンドで、杭に縛り付け、大勢が棍棒だの木刀だので滅多打ちにし、とうとう脳味噌が飛び出しちまった。死骸はカマスに入れて、芝浦の臨時火葬場へ運んで、焼いちまった」

「殺人事件ではないか。警察に届けねばならん」

「無駄でしょう。安西が殺されるところを何人かの巡査も見ていたんですから。芝浦に臨時火葬場があるって、教えたのも巡査なんです」

おれは絶句した。警察には安在彦という人物の行方不明を届けてあるし、何度捜査結果の問い合わせをしても、何の回答もなかったのだ。

菊江に話を伝えると、いたく泣いた。そして涙顔のまま、話の真偽を確かめるため岡田を問い詰めた。岡田はあっさりと事実を認めた。しかし、地下の隠れ家を密告した点は頑として否定した。

一年経って、菊江は安在彦の持ち物を整理し、日記、書類、書物などを一括して朝鮮慶尚南道鎮海の父親宛に送った。但し死因については、震災によると曖昧に知らせただけであった。先方からの返事は何もなかった。


とうとうたらりたらりら、たらりあがりららりとう。水、雪の如く白し。蒼白き顔の男、波の上をふはふはと渡り来たりぬ。ふしぎやな、白みあひたる池の面に、かすかに浮び寄る者を、見ればありつる翁なるが……埋れ木の人知れぬ身と沈めども、心の池の言ひがたき、修羅の苦患の数々を、浮べてたばせたまへとよ……翁は神主なりき、夜更けて下弦の月の掛りたる、池のさざ波、踏み分けて、ふはふはと、死びとの起き出で歩みたり。をちこちより起き出でし死びとの数知れず、安在彦の影も見ゆる。怨念深く、月光の雪を浴び……ああ降つたる雪かな。それ雪は鵞毛に似て飛んで散乱し、人は鶴氅を着て立つて徘徊すと云へり。されば今降る雪も、もと見し雪に変らねども、われは鶴氅を着て立つて徘徊すべき。袂も朽ちて袖せばき、細布衣みちのくの、けふの寒さをいかにせん。あらおもしろからずの雪の日やなとて、歩みて候。あまりに雪深くありて候はば……。

　雪原はたちまち黒し、写真のネガの如くに白は黒へと反転す。焦土である。焼け焦げた死びとの山である。寒々とした死の世界がどこまでも続く。闇の中にまたふはふはと、死びとの群れ漂ひゆく。夥しき死者の群なり。人類がこの世に発生せしより、死せる者の夥しき影なり。「先生、死んぢや駄目だよ」と、誰かが言ふ……。

　学生が利平の頰を叩いていた。黒々とした天井が宙に舞う雪の向うにある。松沢病院の病室である。何と薄汚く、狭く、寒い現実であろう。

「よかった、先生、死んじゃったかと思いましたよ」

「少し眠ったらしいな」利平は欠伸をし、起き上がった。床頭台に拡げた日記帳に雪が二センチほど積っている。相変らず外は吹雪いていて、震える硝子窓から、雪が煙のように吹き込んで来る。

「北岡先生が呼んでいますよ」

「神主はどうした」

「看護人がとっくに片付けました」

　利平は、冷え切った体をほぐすべく、凍てつく廊下を飛び跳ねながら診察室へ行った。

　主治医は彼をにこやかに迎えた。頰髯を剃り落とし、髪を刈り、つるっ禿げの医者は、頭蓋骨の形も明らかな坊主になっていた。おっと、目を剝く利平に医者は言った。

「ぼくに赤紙が来ましてね。あさってまでに入営しなくちゃならないんです。それと問題は別ですが、時田先生も退院してよろしい」

「それは、どうも」

「お約束によれば、入院期間三箇月、すなわち二月末まででしたが、禁断症状(アプスティネンツ)はすっかり取れたし、体力も回復したし、もう大丈夫でしょう」

「ありがとうございます」

「モルヒネはもう二度と打たないように」

「肝(きも)に銘(めい)じて」

「お嬢さんには、けさ、電話連絡しておきましたから、おっつけ、お見えになるでしょう」

北岡医師は、「では、お達者で」と言うと、鉄扉(てっぴ)を長い鍵(かぎ)で開き、出て行った。利平が出征する人への餞(はなむけ)の言葉を考えているうちに、あっさりと姿を消していた。部屋に戻り、まず、セーターを脱いで背広に着替えた。鏡を見ると白髪が刷毛(はけ)のように立ち、髭は伸びすぎて「乃木ひげ」となっている。何とかしたいが、諦(あきら)めた。トランクに持ち物を詰め込んでいると、学生が来た。

「退院ですか」

「そうじゃ」

「お名残り惜しいですね。先生にはいろいろ教えていただいて、感謝しています」

「何も教えた覚えはないが」

「人生の生き方を教えていただきました。信ずる方向へ一直線に進む。迷わない」

「それじゃ」と、利平は苦笑いした。「おれはその点を、今回の入院を機に、よう考え直してみた。貧乏漁師の八男に生れ、苦学して軍医になり、退官後は開業医として一応の成功を収めた。そんなおのれの人生行路を、古い日記を読みながら反芻してみてのう、何やら虚しい気がしちょるところじゃ。院長、医学博士、発明家、医学研究家、みんな虚しい。あれは何で読んだのかな――日の下に人の労して為すところの、もろもろの働きは、その身に何の益あらん、じゃ。迷わず一直線に猪突猛進した先が、崖から海に転落ということが人生にはある」

「でも、そういう破滅のほうが、迷ってばかりいて、何もしないより、いいんじゃないですか」

「良い悪いというより、人生とは無数の破滅なのじゃ。成功しているなどと無邪気に信じている人間ほど破滅の度は高く、崖からの転落が酷いということじゃ。反対に、何もしない無為の人間、隠遁者が真の成功者であることもある」

「よくわかりません」

「あんたの妄想性痴呆――共産主義革命――だっていずれは破滅するわ」

「それは違います。マルクス主義は絶対の真理です」

「まあええ」利平は外套を着ると革のトランクをさげた。「あんた、死ぬなよ。戦争が終るまで、何としても生き延びるんじゃ」

「先生もお元気で。菊池透さんによろしく」

「よし」と答えて、看護人が開いてくれた扉(とびら)の外に出たとき、利平は学生の名前をどうしても思い出せぬことに気付いた。

　肩の盛り上った看護人が先に立つ。十センチほどの新雪が足を吸い込む。主任は馴(な)れた足取りだが、利平はよろめいた。正面からの風が強く、蝙蝠傘(こうもりがさ)を奪おうとする。雪が小降りなので利平は傘を閉じ、これが見納めと、天下の松沢病院を見回した。同じ形の、同じように雪を被った病棟が三列に並んでいる。左が西病棟、右が中病棟、右奥が東病棟だ。まだある。遥(はる)か後方に作業療法患者用の南病棟がある。屍体(したい)を埋めた築山(つきやま)の蔭(かげ)の草地も遠く白一色に飾られている。日本庭園、運動場、畑、牧場、竹林、雑木林、テニスコートなどを備えた広大な敷地に拡がる大癲狂院(てんきょういん)である。雪のせいで汚点が隠され、全体に美しい統一がある。利平には、この天下の松沢病院の患者であったことが、何やら誇らしげな経歴に思えてきた。

　本館に着いたが、まだ夏江は来ていなかった。雪のため電車が遅れているらしい。大杉主任がこの暇に散髪したらと勧め、職員の理髪室に案内してくれた。整髪して口髭を整えると、院長風の威厳を湛(たた)えた顔になった。こんな自分の顔は久方ぶりである。頬がこけ、皮膚の乾いた麻薬中毒者を、ここ何年か見てきた。白髪は増えたが、頬がふっくらとして急に若返った。入れ歯がぴたりと歯齦(しぎん)に嵌(は)まり、発音も滑らかになった。

　外来診察室の前に出ると、折よく夏江が来た。後ろから初江も来た。

「夏っちゃんから電話があったんで、嬉(うれ)しくて付いてきました。まあ、おとうさま、すっかりお元気になられて」初江は涙ぐんだ。

「お前も来てくれたのか。孫たちは達者にしちょるか」

「はい。悠太は幼年学校で張り切っています。駿次は中学で防空員をしています。研三は草津に疎開して日記がわりの葉書を毎日書いてきます。央子は軽井沢でヴァイオリンが上達したそうです」

「それは重畳……ところで初江は幾つになったかのう」

「いやですわ、おとうさま、いきなり、こんな所で。七です」

「すると夏江は」

「丁度です」

「おれは七十……お互いに年を食ったもんじゃ」

「何ですか、気味悪い、人の顔をじろじろ御覧になって」

「大震災を覚えちょるか」

「覚えていますとも、葉山に津波が来たり、聖心の煉瓦の校舎が崩れたり」

「わたくしはぼんやりしか覚えてませんわ」と夏江が言った。「小学校の一年生でしたもの」

利平は娘二人を繁々と眺めた。もう若くはない。昔風に言って大年増、中年増の年齢だ。二人とも黒っぽいモンペに長靴、それに座布団を二つ折りにした奇妙な頭巾を被っている。つい先程まで浸っていた震災の追憶があまりに鮮やかで、目前の大年増、中年増が自分の娘であるのが不思議である。

「おとうさま、帰りましょう」と夏江が促した。「その恰好じゃいけません。靴は編み上げに履き替え、脚にゲートルを巻いて、戦闘帽を被り、鉄兜を背負ってください」

「そんな大仰な……」利平は、夏江が信玄袋から取り出した靴や鉄兜を見て頭を振った。

「大仰ではありませんことよ。いつ空襲があるかわかりませんもの。身支度だけは、ちゃんとしてください」

　娘二人の介添えで身なりを整えた。折角院長らしく装ったのが、老いた消防団員に変身してしまった。それでよかったのだ。電車に乗ってみると、ソフト帽に背広姿など時代錯誤で、物々しい防空装束に身を固めた人々ばかりであった。

　新宿で初江と別れた。省線の山手線で田町に出た。途中代々木、原宿の辺りで焼け跡を見た。凹凸の具合は震災の時と同じで、街は奇態に小さくなり、焼け跡の向うの街が近くに見える。もっとも、雪は瓦礫の惨状を巧みに隠していた。夏江は、昨年十一月末から、三日に一度は空襲があり、特に一月二十七日のは物凄く、銀座、上野、浅草と広範囲に渡って被害が出たと話した。

　田町駅から三田綱町に下って行く町並みは昔ながらで、利平の心は、ほっと和んだ。雪景色が二・二六事件の日を思い出させた。雪は小降りになってきて、風も治まってきた。慶応義塾の塀の下に来たとき、時田病院の全容が望め、利平は立ち止まった。

　わずか二箇月留守にしただけだが、何年も不在であった場所に帰った気がする。まあ何と複雑怪奇に膨れ上がった建物であろう。さっきまで日記を読みながら脳裏に映じていた、震災時の病院の痕跡は僅かに見出せるだけだ。病棟の一部、〝花壇〟の天窓、炊事場や倉庫の屋根、そのくらいだ。残余はすべて、その後の増改築である。震災の経験から耐震構造には意を用いた。防火壁を巡らし火事の対策も立てた。しかし空襲の想定はしていなかった。爆弾も焼夷弾も防ぎようがない、木造の建造物なのだ。人間の浅知恵が作り出したものなぞ、一夜にして崩壊してしまう。

心の中で動き始めた言葉がある。とうとうたらりたらりら、たらりあがりららりとう。

「おとうさま、何を考え込んでいらっしゃるの」

「ちりやたらりたらりら……」

「何ですって」

「これがおれの病院か。醜いのう」

「そうでしょうか」

「不必要に大きくし過ぎた。人間の心と同じじゃ。あまりに野放図な野心は、何やら滑稽じゃ」

「でも、おとうさまが、精魂込めてお造りになった病院です。傑作ですわ」

「傑作には滑稽という意味もあるわ」利平は吐き捨てるように言った。

利平が歩いて来るのを、誰かが、例えば平吉あたりが見張っていたらしい。玄関を入ると、病院のスタッフがずらりと雁首を揃えて待っていた。格子戸を開いたのは上野平吉であった。いと、西山副院長、間島五郎、菊池勇が並んでいる。

「お帰りなさい」といとが音頭を取るように言うと、一同は深々と頭を下げた。

何となく噂が拡がっていたのであろう。院長のお帰りと聞いて、看護婦や事務員や、賄婦までが集まって来た。

いとは職員を代表するような口調で、「もう肝臓はすっかりよろしいのですの」と尋ねた。

「おう、すっかり治った。留守のあいだ、みんな御苦労じゃった」利平は笑顔を振りまき、きびきびとした足取りで人々のあいだを進んだ。

（「第六章　炎都」に続く）

初出

文芸誌「新潮」(一九八六年一月号〜一九九五年十一月号)に連載。

後に、それぞれが独立した単行本として新潮社から刊行された『岐路』(上下巻、一九八八年六月刊)『小暗い森』(上下巻、一九九一年九月刊)『炎都』(上下巻、一九九六年五月刊)の三部作は、文庫化に際して著者の手が入り、『永遠の都』という総タイトルのもとに、全七巻の文庫版として一九九七年五月から八月にかけて刊行された。本書は、その新潮文庫版を底本にするものである。

新潮文庫版『永遠の都 5 迷宮』は、一九九七年七月刊行

加賀乙彦
一九二九（昭和四）年、東京生まれ。東京大学医学部卒業。一九五七年から六〇年にかけてフランスに留学、パリ大学サンタンヌ病院と北仏サンヴナン病院に勤務した。犯罪心理学・精神医学の権威でもある。著書に『フランドルの冬』『帰らざる夏』（谷崎潤一郎賞）、『宣告』（日本文学大賞）、『湿原』（大佛次郎賞）、『錨のない船』など多数。本書『永遠の都』で芸術選奨文部大臣賞を受賞、続編である『雲の都』で毎日出版文化賞特別賞を受賞した。

# 永遠の都 5
## 迷宮
〈全七冊セット〉

発行　二〇一五年三月三〇日

著　者　加賀乙彦

発行者　佐藤隆信

発行所　株式会社新潮社
東京都新宿区矢来町七一
郵便番号　一六二－八七一一
電話　編集部〇三－三二六六－五四一一
読者係〇三－三二六六－五一一一
http://www.shinchosha.co.jp

印刷所　二光印刷株式会社

製本所　大口製本印刷株式会社

乱丁・落丁本は、ご面倒ですが小社読者係宛お送り下さい。送料小社負担にてお取替えいたします。
価格は函に表示してあります。

新潮



ISBN978-4-10-330820-1　C0093